Svenj

Muse

CW00970009

Autorin

Svenja Lassen lebt mit ihrem Mann und dem gemeinsamen Sohn im schönen Schleswig-Holstein, dem Land zwischen Nord- und Ostsee. Am glücklichsten ist sie mit einer Brise Seeluft im Haar und Strandsand unter den Füßen. Ihre Leidenschaft für Bücher entdeckte sie bereits als Kind, seit 2016 kam aber auch die Liebe für das Schreiben eigener Geschichten hinzu. Inzwischen begeistert sie mit ihren romantischen und humorvollen Wohlfühlromanen zahlreiche Leserinnen und Leser und stürmt mit ihren Büchern die Bestsellerlisten.

Weitere Informationen unter: www.svenjalassen.de

Von Svenja Lassen bei Blanvalet erschienen
Meer Momente wie dieser
Meer Liebe im Herzen
Muschelträume (Küstenliebe 1)
Sonnenküsse (Küstenliebe 2)

Besuchen Sie uns auch auf www.instagram.com/blanvalet.verlag
und www.facebook.com/blanvalet.

Svenja Lassen

Muschelträume

Roman

gelesen

blanvalet

Sollte diese Publikation Links auf Webseiten Dritter enthalten,
so übernehmen wir für deren Inhalte keine Haftung,
da wir uns diese nicht zu eigen machen, sondern lediglich
auf deren Stand zum Zeitpunkt der Erstveröffentlichung
verweisen.

Penguin Random House Verlagsgruppe FSC® N001967

1. Auflage
Originalausgabe 2023 by Blanvalet in der
Penguin Random House Verlagsgruppe GmbH,
Neumarkter Straße 28, 81673 München
Copyright © 2023 by Svenja Lassen
Dieses Werk wurde vermittelt durch die
Literarische Agentur Michael Gaeb.
Redaktion: Gisela Klemt
Umschlaggestaltung und -motive: www.buerosued.de
Karte: www.buerosued.de
WR · Herstellung: sam
Satz: Vornehm Mediengestaltung GmbH, München
Druck und Bindung: GGP Media GmbH, Pößneck
Printed in Germany
ISBN 978-3-7341-1222-5

www.blanvalet.de

Kapitel 1

DIE ABENDSONNE SCHIEN warm und golden zwischen den Bäumen hindurch. Ich überquerte den Zebrastreifen, um in das Josefsviertel in Münster zu gelangen, wo meine Freundin Janine wohnte. Auf der anderen Seite angekommen, lief ich weiter, und mein Blick streifte den gegenüberliegenden Fahrbahnrand, wo eine schwarze Katze sich ebenfalls anschickte, die Straße zu kreuzen. *Aufpassen, kleine Mieze*, murmelte ich in Gedanken. Mit angehaltenem Atem verfolgte ich ihren Spurt. Dabei achtete ich leider nicht auf meine eigenen Schritte – mein Fuß blieb an irgendwas hängen. Zwar bekam ich ihn wieder frei, doch das änderte nichts daran, dass ich aus dem Tritt geraten war. Ich stolperte vorwärts, in dem Versuch, das Gleichgewicht zurückzuerlangen, ehe ich mich unsanft der Länge nach auf den Asphalt legte.

»Autsch!«, rief ich. Die schwarze Katze hechtete einen Meter vor mir vorbei und verschwand zwischen zwei Gebäuden. Hastig rappelte ich mich auf.

Schwarze Katze von links nach rechts bringt Unglück,

schoss es mir durch den Kopf. Oder war es von rechts nach links? Und musste nicht auch eine Leiter im Spiel sein? *Sei nicht albern, Nora, du warst einfach schusselig!*

»Alles in Ordnung?«, erkundigte sich eine ältere Dame, die mit ihrem Rollator neben mir stehen blieb.

»Ja, danke. Ich war nur unaufmerksam, nichts passiert.« Ich lächelte sie an.

»Diese Dinger liegen und stehen überall rum, manchmal gleicht mein Weg einem Hindernisparcours«, beschwerte sie sich und schob ihr Gefährt anschließend im Schneckentempo weiter.

Ich schaute zurück, was mich überhaupt zu Fall gebracht hatte. Ein E-Scooter lag achtlos auf dem Gehweg, offenbar war der Lenker mir zum Verhängnis geworden. Genervt checkte ich meine Handflächen und die Knie. Das rechte schmerzte ein wenig, aber ich hatte keine Hautabschürfungen. Also hatte ich eigentlich Glück im Unglück gehabt, beschloss ich und putzte meine Hände an meiner kurzen Hose sauber.

Den restlichen Weg schaffte ich ohne weitere Zwischenfälle und erreichte kurz darauf die Straße, in der Janines Wohnung lag. Vor dem Haus Nummer elf stoppte ich und drückte ein bisschen wehmütig auf den Klingelknopf. Wenn ich erst in München wohnte, konnte ich Janine nicht mehr spontan besuchen. Der Türsummer ertönte, und ich verdrängte das schwermütige Gefühl, während ich die Eingangstür aufschob. Gemächlich stieg ich die Stufen bis in den 3. Stock hinauf. Mein Knie schmerzte immer noch leicht. Außerdem hatte ich heute den ganzen Tag damit verbracht, die restlichen Kisten für den Umzug zu packen, und war erschöpft. Auch wenn ich im Krankenhaus bei der Arbeit viele Stunden auf den Beinen war, hatte ich dadurch nicht unbedingt eine Spitzenkondition. Die zahlreichen Nachtschichten der letzten Jahre hatten arg an mir gezehrt, und der Sport war meistens weggefallen.

»Nora!«, rief mir Janine erfreut durch den Treppenflur entgegen. Sie wartete in der offenen Tür, und meine Laune hob sich automatisch. Die schwarze Katze und der Sturz waren vergessen.

»Hey, schön, dich zu sehen!« Beherzt drückte ich sie an mich.

»Der Wein ist entkorkt, und dazu habe ich uns Fingerfood gezaubert.«

»Du bist die Beste.« Wie zur Bestätigung gurgelte mein Magen vernehmlich vor sich hin. In dem ganzen Stress der letzten Tage war ich kaum dazugekommen, etwas Anständiges zu essen. Und heute hatte ich zudem alle Küchenutensilien in Kartons verpackt und mir damit die Möglichkeit genommen, mir etwas zuzubereiten. Zum Mittag hatte es eine Portion gebratene Nudeln vom Chinesen gegeben. Ich ließ mich auf Janines Sofa sinken und sah zu, wie sie mein Weinglas füllte und den Teller mit Mini-Wraps zu mir schob. Ich griff zunächst zu den gefüllten Rollen.

»Wie war's heute in der Klinik?«, erkundigte ich mich, bevor ich den ersten Bissen nahm. Es fühlte sich komisch an, nach so vielen Jahren nicht mehr dort zu arbeiten – auch wenn ich mich auf die neue Stelle in München freute. Endlich weniger Stunden und seltener Nachtschichten.

»Wie üblich.« Meine Freundin zuckte mit den Schultern. Ihre mittelblonden langen Haare hatte sie zu einem unordentlichen Knoten auf den Kopf gebunden. Ganz ähnlich wie auch ich an den meisten Tagen mit meinen braunen Haaren verfuhr. Bei der Arbeit waren sie offen einfach im Weg.

»Und wie macht sich Irina?«, fragte ich. Irina war meine Nachfolgerin auf der Intensivstation.

»Sie fügt sich gut ein, aber …« Janine seufzte. »Die Wahrheit ist, dass ich dich jetzt schon arg vermisse. Und nun ist auch noch der Tag gekommen, an dem du wegziehst. Verdammt weit weg.«

»Hey, der ICE benötigt nur sechseinhalb Stunden nach München. Das ist kaum anders, als wäre ich an den Stadtrand gezogen.«

»Sehr witzig.« Sie zog eine Grimasse. »Aber du hast recht, ich will den letzten Abend mit dir kein Trübsal blasen, sondern genießen.« Lächelnd hob sie ihr Glas.

In der nächsten Stunde tranken wir Wein und quatschten über Gott und die Welt, schwelgten in Erinnerungen an alte Zeiten. Wir hatten nahezu zeitgleich vor knapp sechs Jahren im Klinikum angefangen und waren uns sofort sympathisch gewesen. Daraus war eine enge Freundschaft entstanden.

»Weißt du noch, im ersten Jahr hast du immer von deiner Ausbildung in Schleswig-Holstein geschwärmt und gesagt, dass du irgendwann am Meer wohnen willst. Und nun ziehst du nach München – viel weiter weg vom Meer geht es innerhalb Deutschlands kaum.«

»Hm«, machte ich nachdenklich. Meine Ausbildung zur Gesundheits- und Krankenpflegerin hatte ich nach dem Abi an der Nordseeküste absolviert und das raue Klima dort geliebt, danach war ich aber wieder in meine Heimatregion zurückgegangen. »Ach, das ist ewig her.«

»Stimmt, aber ist es heute immer noch ein Traum von dir?«

»Puh, keine Ahnung. Da habe ich lange Zeit nicht mehr drüber nachgedacht, also lautet die Antwort wohl: Nein, meine Träume haben sich geändert.« Die Sehnsucht nach dem Meer war mit den Jahren verblasst.

»Ich bin gespannt, wie es dir in Bayern gefällt. Und ich bin mir sicher, Markus macht dir bald einen Antrag. Hach, ich werde nie vergessen, wie er jeden Tag in der Klinik aufgetaucht ist, nur um dich zu sehen!«

Ich lächelte. Das fühlte sich an, als sei es eine Ewigkeit her – länger als die vier Jahre, die es in Wirklichkeit waren. Ob er wohl schon mal darüber nachgedacht hatte, mir einen Antrag zu machen? Und wollte ich überhaupt heiraten? Ich war keine dieser Frauen, die mit achtzehn schon wussten, wie ihr Hochzeitskleid mal aussehen sollte. Ich schob den Gedanken fort und besann mich auf den bevorstehenden Umzug nach München, alles andere würde sich ergeben.

»Markus ist zumindest hellauf begeistert von der Stadt, er hat sich problemlos eingelebt.« Er war vor drei Monaten schon hingezogen, um seinen neuen Job in der Verwaltung von BMW anzutreten. Wir hatten zunächst einige Wochen abgewartet, wie es ihm gefiel, und bis er eine Wohnung gefunden hatte, ehe auch ich mich nach einer

Anstellung dort umgesehen hatte. Dann war alles recht schnell gegangen, und ich hatte die letzten Wochen damit verbracht, unsere gemeinsame Wohnung aufzulösen. Das allein zu wuppen war ein Kraftakt, aber Markus richtete unterdessen die Wohnung in München ein, und seiner Meinung nach war der Weg zu weit, um übers Wochenende herzukommen und mir zu helfen. Obwohl zumindest dieses Wochenende durch den Pfingstmontag einen Tag mehr hatte und es sich meines Erachtens sehr wohl gelohnt hätte. Innerlich seufzte ich, konnte aber nichts gegen das Gefühl ausrichten, dass ich mich von Markus ein wenig hängengelassen fühlte. Doch energisch schob ich es beiseite. Das sollte unseren Start in München nicht überschatten. Ich war heilfroh, dass die Zeit der Fernbeziehung ab morgen vorbei war. Markus hatte uns eine schnuckelige Dreizimmerwohnung in Haidhausen gemietet, der wir nun gemeinsam den letzten Schliff verpassen würden, um sie zu unserem Zuhause zu machen. Wer weiß, womöglich in naher Zukunft sogar für uns als Familie zu dritt. Nächstes Jahr wurde ich dreißig, definitiv ein Alter, in dem man über Kinder nachdenken konnte. Und jetzt, wo Markus mit dem Studium fertig war, wäre es auch wirtschaftlich möglich. In den letzten drei Jahren hatte ich uns quasi allein ernährt, während Markus seinen Traum vom Managementstudium verwirklichte. Aber nun konnte ich kürzertreten, weil er voll verdiente. Bei meiner neuen Stelle waren nur 30 Wochenstunden vereinbart anstatt wie hier in Münster zuletzt 40 plus Überstunden, aufgeteilt in zahllose Nachtschichten, weil die das meiste Geld brachten.

»Ans Meer könnte ich trotzdem gut mal wieder fahren, vielleicht machen wir beide mal einen Wochenendtrip nach Sylt oder so?«, schlug ich Janine vor und kehrte gedanklich ins Hier und Jetzt zurück.

»Das klingt fabelhaft. Prösterchen!«

Kapitel 2

AM NÄCHSTEN MORGEN erwachte ich mit einem leichten Dröhnen hinter den Schläfen, das wohl den zwei Flaschen Wein geschuldet war, die Janine und ich am Abend zuvor geleert hatten. Ich reckte mich ausgiebig, nachdem ich den Wecker ausgeschaltet hatte.

»Auf geht's«, sagte ich zu mir selbst und schlug die Bettdecke zurück. Um dreizehn Uhr rückte das Umzugsunternehmen an, bis dahin musste ich die allerletzten Sachen eingepackt haben. Das Bett hatte ich bereits am Vortag auseinandergeschraubt und auf einer Matratze auf dem Fußboden übernachtet. Von Markus hatte ich gestern nichts mehr gehört, aber in seiner Instagram-Story gesehen, dass er mit einigen Kollegen im Biergarten gewesen war. Genau genommen hatte er sich die ganzen letzten Tage etwas rar gemacht. Manchmal bekam ich Angst, dass es mir nicht so leichtfallen würde wie ihm, mich in München einzuleben. Doch ich schüttelte diesen Gedanken jedes Mal ab. Durch die Arbeit im Krankenhaus würde ich sicherlich schnell neue Kontakte knüpfen.

Aber zunächst würde ich die freie Zeit genießen. Acht Wochen hatte ich nun frei – einen Großteil des Sommers. Bei der Vorstellung lachte ich fassungslos auf, so unwirklich fühlte sich das an. Ursprünglich hatte ich meinen Resturlaub früher nehmen wollen, um gemeinsam mit Markus in München nach einer Wohnung zu suchen. Aber die Personallage im Krankenhaus hatte uns einen Strich durch die Rechnung gemacht. Im Nachhinein freute ich mich über die daraus entstandene lange Pause bis zum Antritt des neuen Jobs.

Nachdem ich im Stehen eine Tasse Tee getrunken hatte, spülte ich sie direkt ab und packte sie in die Kiste, in der sich das restliche Geschirr befand.

Eine letzte Dusche im vertrauten Bad. Lediglich zwei Handtücher und ein kleiner Kosmetikbeutel lagen noch am Rand des Waschbeckens. Eines schlang ich mir um die nassen Haare, mit dem anderen trocknete ich mich ab, bevor ich im Anschluss den Spiegel frei wischte, der beschlagen war vom heißen Dampf. Die Wohnung in München war renoviert, und Markus hatte voller Begeisterung erzählt, dass der Spiegel beheizt war und niemand ihn mehr frei wischen musste. Wenn ich jetzt daran dachte, erfasste mich eine seltsame Wehmut, und ich wollte plötzlich keinen beheizten Spiegel, sondern weiter in unserer gemütlichen Wohnung den Dampf selbst wegwischen und mich im Anschluss darüber ärgern, dass Streifen zu sehen waren.

»Sei nicht albern, Nora«, sagte ich zu meinem Spiegelbild. Schließlich zog ich nicht zum ersten Mal um, außerdem war München eine tolle Stadt – und das Allerwichtigste: Markus war dort. Nach den stressigen, finanziell oftmals engen letzten Jahren, kamen nun bessere auf uns zu.

Ich zog mich an und hängte die Handtücher auf den Balkon. Die Junisonne würde sie rasch trocknen. Bisher war mir wenig Zeit geblieben, um die frühsommerlichen Temperaturen zu genießen. Aber bald … Der Umzug war der letzte Kraftakt. Mit diesem Gedanken packte ich das Bettzeug in die verbliebene leere Kiste, obendrauf kamen die Badutensilien.

Zum Mittag holte ich mir ein Croissant vom nahegelegenen Bäcker. Als ich den Schlüssel unten in die Haustür steckte, vibrierte mein Handy in der Hosentasche. Umständlich fischte ich es heraus. Markus.

»Hey, mein Schatz. Ich bin eben fertig geworden, und das Umzugsunternehmen müsste jeden Moment kommen. Hattest du gestern einen schönen Abend im Biergarten?«

Mit dem Telefon zwischen Ohr und Schulter und der Bäckertüte in einer Hand, öffnete ich die Tür.

»Warst du schon beim Briefkasten?« Markus hörte sich gestresst an.

»Nein, wieso? Erwartest du was Wichtiges? Ab morgen läuft der Nachsendeantrag, aber der Vermieter schickt uns die Post zu, falls sich doch etwas hierhin verirren sollte.«

»Es ist wichtig. Versprichst du mir, sofort nach der Post zu schauen?« Seine Stimme klang nun äußerst angespannt, und ich stutzte.

»Äh, ja, ich bin eh gerade unten im Hausflur, wenn du kurz dran bleibst …«

»Nein!«, rief er, und ich zuckte angesichts der Lautstärke

zusammen. Leiser fügte er hinzu: »Ich habe jetzt einen Termin und muss los.«

»Los? Ich dachte, du kannst heute im Homeoffice arbeiten?«, fragte ich irritiert, doch da drang bereits das Besetztzeichen an mein Ohr. Kurz überlegte ich, ihn zurückzurufen, um zu fragen, ob alles in Ordnung sei, entschied mich dann aber, zuerst zum Briefkasten zu gehen.

Als ich das blecherne, kleine Türchen aufschloss und es herunterklappte, lag dahinter genau ein Brief. Ich nahm ihn heraus.

»Merkwürdig«, murmelte ich. Er war an mich adressiert, und wenn mich nicht alles täuschte, in der Handschrift von Markus.

Noch im Hausflur, steckte ich meinen Finger unter die Lasche des Umschlages und öffnete ihn. Zum Vorschein kam eine gefaltete DIN-A4-Seite, die offensichtlich aus einem Collegeblock stammte. Der Rand war stellenweise ausgefranst, weil das Blatt nicht sauber abgetrennt worden war. Als wäre der Schreibende in Eile gewesen.

Warum schrieb Markus mir einen Brief? Das hatte er noch nie getan, höchstens mal eine liebe WhatsApp. Wollte er mir auf besondere Weise mitteilen, wie sehr er sich auf unseren Neustart in München freute? Aber auf so einem lieblos herausgerissenen Stück Papier? Ich faltete die Seite auseinander und begann zu lesen.

Liebe Nora,
es fällt mir schwer, diese Zeilen zu schreiben, das
musst du mir glauben! Du bedeutest mir sehr viel,

und wir hatten tolle gemeinsame Jahre, aber ich bin
mir nicht mehr sicher, ob ich dich noch genug liebe.
Zunächst wollte ich warten und es in Ruhe hier mit
dir besprechen. Doch ich denke, es ist am besten,
wenn du erst mal nicht nach München kommst, son-
dern wir die Zeit, bis du im August deinen neuen Job
antreten musst, nutzen, um uns über unsere Gefühle
klar zu werden.
Bitte hasse mich nicht! Ich will uns beide davor
bewahren, nur aus Gewohnheit mit dem anderen
zusammen zu bleiben. Eine Beziehungspause wird
uns sicherlich Klarheit verschaffen.
Dein Markus

»Das ist doch ein Scherz«, sagte ich zu dem Blatt Papier, während sich mein Magen anfühlte, als durchführe ich den schlimmsten Looping der Achterbahn in Dauerschleife. Verzweifelt drehte ich die Seite um, in der Hoffnung, auf der Rückseite eine Erklärung zu finden. Doch die war leer.

Gefangen zwischen Schock und Ungläubigkeit, zückte ich mit zitternden Fingern mein Handy und wählte Markus' Nummer. Mit jedem Freizeichen, das ertönte, wurde mir klarer, dass Markus nicht der Typ für solche Scherze war. Ich schluckte, während das Herz in meiner Brust Alarm trommelte.

Als das Besetztzeichen erklang und ich aus der Leitung geworfen wurde, holte ich bebend Luft. Die Croissanttüte war mir aus der Hand gerutscht, aber das registrierte ich erst, als ich drauftrat. Wie benommen, starrte ich auf die platte Tüte meines Lieblingsbäckers und lief dann einfach weiter die Treppe hinauf, ohne sie aufzuheben. Oben angekommen, schlug ich die Wohnungstür hinter mir zu und lehnte mich von innen dagegen, versuchte, meine Gedanken zu sortieren. Ich las den verdammten Zettel erneut, dabei zitterte ich so stark, dass ich mehrmals in der Zeile verrutschte. Aber die Message blieb dieselbe: eine Beziehungspause. Er war sich nicht sicher, ob er mich noch genug liebte. Was zum Teufel war in den letzten Wochen, in denen er allein in München war, geschehen? Mit einem Schlag war mir furchtbar elend zumute, aber Tränen flossen nicht. Ich schrieb es dem Schock zu. Als Krankenschwester kannte ich mich schließlich damit aus. Leuten konnte ein Bein abgetrennt werden, und sie empfanden keinen Schmerz – vorerst. Irgendwann kam er dann. Mit etwas Glück sorgten zwar schon Medikamente für Linderung, doch gegen Herzschmerz brachte das alles nichts.

Die Klingel schrillte in der stillen Wohnung, und ich zuckte zusammen, sprang vor Schreck einen Satz in den Raum hinein.

Das Umzugsunternehmen! Was sollte ich denn jetzt machen? Panisch wählte ich noch einmal Markus' Nummer und schickte parallel eine WhatsApp mit den Worten:

GEH SOFORT RAN!!!

Zu meinem Erstaunen las er die Textnachricht umgehend, aber statt ans Telefon zu gehen, tippte er.

Bitte beruhige dich erst mal, dann können wir später reden. Und versuche doch, mich zu verstehen!

»Was?« Dieser Mistkerl! Der letzte Rest Hoffnung auf einen schlechten Scherz seinerseits verpuffte nach dieser Antwort, und ich schleuderte wütend mein Handy von mir. Zeitgleich schellte es erneut an der Tür. Kurz schloss ich die Augen und sammelte mich. Atmete tief ein und bebend aus. Dann betätigte ich den Summer, strich mir eine Haarsträhne hinter das Ohr, die sich gelöst hatte, und tackerte mir ein Lächeln aufs Gesicht, von dem ich hoffte, es sei auch als solches zu erkennen.

Ich öffnete die Wohnungstür und lauschte den schweren Schritten auf der Treppe. Ein glänzender Kopf mit spärlichen Haaren war das Erste, was ich erblickte. Hilflos sah ich dem Mann entgegen.

»Tach, wir sind von der Firma Sander und bereit für eine Ladung nach München!«, begrüßte er mich, den dicken Bauch in eine blaue Latzhose gehüllt.

»Ähm, ja – also, nein.«

»Na, was denn nun?« Er lachte. Offenbar dachte er – genau wie ich im ersten Moment –, es handelte sich um einen schlechten Scherz. Da musste ich ihn enttäuschen.

»Es hat sich kurzfristig etwas geändert. Wäre es möglich, die Sachen woandershin zu transportieren?«

Sein Lächeln schmälerte sich. »Also ... Das weiß ich nicht, müsste ich mit dem Chef abklären. Wohin soll es denn stattdessen gehen?«

In meinem Kopf rotierten die Gedanken. Zu meinen

Eltern? Sie lebten eine knappe Autostunde entfernt, waren aber aktuell nicht zu Hause, und ich hatte keine Ahnung, wie viel Platz in der Garage war. Mir kam eines dieser neuen Selfstorage-Lager am Stadtrand in den Sinn, bei denen es möglich war, Lagerflächen in jeder Größe zu mieten.

»Innerhalb Münsters, ins Industriegebiet.«

»Das ist aber eine deutlich kürzere Strecke. Wie gesagt, ich muss das klären.«

»Prima, machen Sie das.« Mit diesen Worten schlug ich ihm die Tür vor der Nase zu und marschierte zu meinem Handy, das unsanft auf dem Parkettboden gelandet war. Als ich es aufhob, entdeckte ich, dass das Display gesprungen war. Plötzlich stiegen mir doch Tränen in die Augen, die ich blinzelnd zurückdrängte. Statt zu heulen, öffnete ich den Internetbrowser, suchte nach einem Lagerhaus und wählte die Nummer vom ersten, das mir angezeigt wurde. Beim dritten Klingeln meldete sich eine Männerstimme.

»Ich bräuchte einen Lagerplatz für zwanzig Umzugskartons und ein paar Möbel.«

»Was sind das denn für Möbel, wie viele Kubikmeter?«

Ich wollte schon erwidern, dass ich das nicht wisse, als mir einfiel, dass der LKW nach Kubikmeter gebucht worden war. Die Papiere lagen auf der Küchenanrichte. Hastig überflog ich die Zeilen der Auftragsbestätigung.

»Zwanzig.«

»Macht 195 € im Monat, ab wann?«

»Heute!«

»Oh, okay – einen Moment ... Ja, da haben wir noch etwas frei.«

»Gut, dann komme ich in circa zwei bis drei Stunden.«

Nachdem ich meinen Namen und die Anschrift durchgegeben hatte, legte ich auf. Ich hatte die Adresse der hiesigen Wohnung genannt, obwohl das ab morgen streng genommen nicht mehr stimmte. Ein Schluchzer stieg in meiner Kehle hoch, den ich jedoch hinunterschluckte. Wenn ich erst einmal losheulte, würde das eine Lawine lostreten und mich mitreißen. Ich wusste gar nicht, was mir in diesem Moment mehr zu schaffen machte: die scheinbar verschwundenen Gefühle von Markus oder die Tatsache, dass er mich dadurch heimatlos gemacht hatte. Ja, das war ich jetzt: heimatlos. Ich schniefte unterdrückt und kräuselte die Nase.

»Später. Später hast du Zeit, um zu flennen, Nora. Jetzt musst du erst mal den Kram wegschaffen. Dann sehen wir weiter«, murmelte ich.

»Ähm, Frau Köhler?«, schallte es dumpf durch die geschlossene Tür.

»Ich komme!« Erneut öffnete ich mit einem aufgesetzten Lächeln und sah den Mann erwartungsvoll an.

»Tja, mein Chef war nicht begeistert, aber es wäre möglich. Die Kilometerpauschale wäre dann allerdings deutlich höher.«

»Okay. Ich notiere Ihnen die Adresse.« Eine Wahl hatte ich eh nicht. Als das geklärt war, tauchten zwei weitere Männer im Hausflur auf, die mit anpackten und im Nu mein komplettes Leben aus der Wohnung trugen. Zwischendurch hätte ich ihnen die Sachen am liebsten wieder entrissen. Doch es gab bereits einen Nachmieter für die Wohnung. Dann schoss mir durch den Kopf, dass ich irgendetwas hierbehalten musste, worauf ich heute Nacht schlafen konnte. Im letzten Moment rettete ich meine Bettdecke, ein Kissen und eine Yogamatte vor dem Abtransport, sowie eine Kiste mit Sommerklamotten und mein Kulturtäschchen.

Irgendwie überstand ich den Nachmittag. Ich fuhr mit meinem kleinen roten Opel Adam hinter dem LKW des Umzugsunternehmens her und vergewisserte mich, dass alles sorgfältig verstaut wurde. Die drei Mitarbeiter des Umzugsunternehmens ächzten in der Nachmittagssonne, während ich wie gelähmt danebenstand und zusah, nicht fähig, mich zu rühren oder zu erfassen, was da gerade passierte. Wie auf Autopilot rief ich unseren Vermieter an, erklärte, es gäbe eine Verzögerung, und fragte, ob es möglich sei, die Wohnungsübergabe zu verschieben. Da unser Mietverhältnis erst offiziell in ein paar Tagen endete, willigte er für morgen ein.

Während ich den neuen Termin vereinbarte, wurde das große gepolsterte Bettkopfteil an mir vorbeigetragen. Markus liebte das Bett. Ich fühlte mich wie dieses Möbelstück. Einst geliebt und nun aufs Abstellgleis verfrachtet.

Wie ein kleiner Trupp Ameisen trugen die Männer Karton um Karton in den Lagerraum und stapelten sie feinsäuberlich vor das Bett, bis es nicht mehr zu sehen war. So einfach war das – aus den Augen, aus dem Sinn. Mit einem bitteren Geschmack im Mund, zog ich schließlich das Rolltor herunter und verschloss mein – nein, *unser* – Leben dahinter. Im Anschluss leistete ich fahrig eine Unterschrift für den Transport, obwohl ich nicht einmal wusste, wie viel mich das jetzt kosten würde. Plötzlich schienen es nicht mehr unsere Kosten zu sein, sondern meine.

Kapitel 3

ICH STAND IM Wohnzimmer der leer geräumten Wohnung, wo einsam meine Bettdecke, eine Kiste und eine Yogamatte aneinanderlehnten, als suchten sie auf diese Weise in dem kahlen Raum Schutz. Die Emotionen des heutigen Tages prasselten auf mich nieder wie Hagelkörner. Hatte ich mich bisher vor ihnen abgeschirmt, trafen sie mich nun ungeschützt. Ich rollte die Yogamatte aus und legte mich auf dem Rücken darauf, starrte an die Decke und fühlte nichts und gleichzeitig zu viel. Mein Handy vibrierte. Ohne auf das Display zu schauen, patschte ich darauf und hielt es an mein Ohr.

»Ja«, kam es tonlos aus meinem Mund.

»Grüß di! Bist du schon in München angekommen?« Janines fröhliche Frage gab mir den Rest. Im Hintergrund vernahm ich die vertrauten Geräusche unserer Station im Krankenhaus.

Ohne etwas zu sagen, fing ich an zu schluchzen.

»Hey, was ist denn los?« Ich hörte, wie Janine eine Tür schloss und der Lärm verstummte. »Hattest du einen Unfall?«

»Nein.« Ich schlug die Augenlider nieder und legte den Unterarm darüber, versuchte, mich zu sammeln. »Dafür müsste ich ja unterwegs sein.«

»Ich verstehe nur Bahnhof, was ist los?«

»Gestern auf dem Weg zu dir ist mir eine schwarze Katze über den Weg gelaufen, und nun will Markus eine Beziehungspause und hat mir das gerade erst *per Brief* mitgeteilt …«, murmelte ich, aber Letzteres klang mehr nach einer Frage, ich konnte es selbst immer noch nicht glauben.

»Du machst Witze, Nora.«

»Nein, im Ernst.« Und dann sprudelten alle Ereignisse des heutigen Tages aus mir heraus. Zwischendurch rief jemand nach Janine, aber sie wimmelte ihn unwirsch ab.

»Per Brief?«, wiederholte sie schließlich. »Und du hast danach nicht nochmal mit ihm gesprochen? Warum sollte er so etwas tun, und dann so kurzfristig?«

»Ich weiß nicht. Als er nach München gegangen ist, war noch alles in Ordnung. Vielleicht hat er eine andere Frau kennengelernt«, sprach ich eine meiner Vermutungen aus.

»Das kann ich mir nicht vorstellen … und mit dieser bescheuerten Katze hat das alles auch nichts zu tun. Nun werde mir nicht noch abergläubisch, das ist mein Part. Ich komme jetzt erst mal zu dir.«

»Nein, sie brauchen dich bei der Arbeit. Ich reiß mich jetzt zusammen. Nur weiß ich nicht, was ich in den nächsten Wochen machen soll. Morgen muss ich die Wohnung abgeben und weiß noch nicht, wo ich hin soll.«

»Du kannst bei mir wohnen. Am besten holst du dir gleich den Schlüssel.«

Kurz versuchte ich es mir vorzustellen, aber die Aussicht, allein und mit Herzschmerz in Janines Wohnung zu hocken, während sie arbeitete, schien mir in diesem Moment zu deprimierend, um es in Erwägung zu ziehen. Sie deutete mein Zögern richtig.

»Oder du rufst Markus so lange an, bis er rangeht, und verlangst eine Erklärung. Eine Beziehungspause – so was Albernes, er liebt dich doch!«

Beim letzten Satz füllten sich meine Augen wieder mit Tränen. »Ich dachte, wir machen es uns schön in München und gründen in den nächsten Jahren eine Familie.«

»Ach Schätzchen … Das tut mir so leid. Warte erst mal ab, was euer Telefonat ergibt.«

»Ja, du hast recht.«

»Und wenn was ist, schreib mir, ich behalte mein Handy bei mir und rufe dann schnellstmöglich zurück.«

»Danke.«

»Lass den Kopf nicht hängen, dafür ist er viel zu hübsch.«

Trotz des Tränenschleiers verzogen sich meine Lippen zu einem Lächeln. »Ich versuche es.«

Wir beendeten das Telefonat, und ich wählte die Nummer von Markus. Überraschenderweise ging er nach dem vierten Klingeln ran.

»Hallo Nora.« Er klang erschöpft, und ich fragte mich, wovon.

Mir lagen so unendliche viele Fragen auf dem Herzen, und doch suchte ich vergeblich nach einem Anfang.

»Hallo Markus«, erwiderte ich deshalb lediglich, danach herrschte erst mal Schweigen zwischen Münster und München.

»Hör zu, es tut mir wahnsinnig leid.«

»Du meinst es also ernst?« Erneute Stille, in der ich seinen Atem höre, der das Mikro des Handys streifte. »Was ist denn bloß los? Ich verstehe das alles nicht. Wir sind doch glücklich.« Leider konnte ich ein Schniefen zwischen den Sätzen nicht verhindern.

»Das dachte ich auch, und du bedeutest mir sehr viel, das musst du mir glauben! Doch mit dem Abstand der letzten Wochen kamen plötzlich Zweifel auf.«

»Aber dann hattest du schon Zeit, dir Gedanken darüber zu machen, wozu also noch eine Beziehungspause?«, entgegnete ich trotzig und verletzt.

»Das ist doch nicht dasselbe. Schließlich waren wir noch zusammen.«

»Und jetzt nicht mehr?« Diese Frage verließ meine Lippen eher panisch.

»Doch! Oder – ach, ich weiß nicht. Wir legen einfach eine Pause ein, um zu sehen, wie es sich anfühlt, wenn wir nicht mehr zusammen sind, um uns ganz sicher zu sein.«

Ich runzelte die Stirn. Das klang, als wolle er die Trennung – aber mit Sicherheitsnetz. Außerdem – *ich* war mir sicher!

»Hast du eine andere kennengelernt?«, fragte ich geradeheraus.

»Nein, Quatsch! Ich weiß nur nicht, ob ich dich noch genügend liebe für ein … *Für immer*.«

»Und das teilst du mir *per Brief* mit und dann auch noch am Tag des Umzugs?«, spuckte ich nun bitter in das Handy. Wut und Traurigkeit rangen in mir um die Oberhand.

»Komm, Nora, du weißt selbst, was es für einen riesigen Streit gegeben hätte, wenn ich es dir am Telefon gesagt hätte, du reagierst immer so über die Maßen emotional, und per WhatsApp erschien es mir zu stillos, da habe ich meine Gefühle eben zu Papier gebracht.«

Auf eine zerfledderte Collegeblockseite und dabei auf *meine* Gefühle geschissen, dachte ich wütend. Er hätte seinen Allerwertesten auch über das lange Wochenende hierherbewegen können, um es mir ins Gesicht zu sagen.

»Nun gib uns doch die acht Wochen Zeit, um uns über unsere Gefühle im Klaren zu werden.«

»Ich bin mir meiner Gefühle sicher!«

»Nora …«

Wie ich es hasste, wenn er in diesem Tonfall meinen Namen sagte, als sei ich ein ungezogenes Kind! Ein Teil von mir wollte ihn anschreien und ihm mitteilen, er könne sich seine Beziehungspause sonst wo hinschieben. Doch das wäre tatsächlich nicht sehr rational gewesen. Daher atmete ich nur geräuschvoll ein.

»Schön, du lässt mir ja offenbar keine Wahl. Die ganzen acht Wochen?«

»Schauen wir einfach mal, okay? Ich melde mich bei dir.«

»Ist dir eigentlich klar, dass ich durch diese Aktion von dir all unsere Sachen kurzfristig zwischenlagern musste? Dass ich keine Wohnung mehr habe?«

»Der Brief war länger als üblich unterwegs. Er hätte

schon Ende letzter Woche ankommen sollen. Du kannst doch zu deinen Eltern fahren! Es tut mir leid, wie oft soll ich das noch sagen? Hättest du denn gewollt, dass ich nichts sage?«

Nein, dachte ich, *ich hätte gewollt, dass du mich weiter liebst.* Mit jeder Minute, die dieses Gespräch andauerte, verkrampfte sich mein Herz mehr, und ich wusste, dass ich jeden Moment haltlos anfangen würde zu heulen, ihn anflehen würde, mich bitte nach München kommen zu lassen. Doch das wollte ich unter keinen Umständen.

»Gut, Markus, ich muss jetzt auflegen«, sagte ich hölzern und drückte ihn weg.

Regungslos lag ich mitten im Wohnzimmer und war damit beschäftigt, ein- und auszuatmen, während die Tränen über meine Wangen auf die Yogamatte tropften.

Als es draußen dämmerte, kamen keine mehr. Die Tränenkanäle waren versiegt. Die Stille in der Wohnung schien hingegen zunehmend lauter zu werden. Ich ergriff mein Handy, scrollte ohne einen Plan durch die Kontakte.

Meine Eltern lebten eine Dreiviertelstunde entfernt, aber erstens waren sie gerade in Florida, wo sie meinen Bruder besuchten, und so würde ich dort ebenfalls in einem verlassenen Haus hocken, und zweitens: Wer wollte schon bei Liebeskummer mit 29 zurück zu seinen Eltern flüchten und sich mit gut gemeinten, aber einer anderen Generation entstammenden Ratschlägen überschütten lassen? Damit schied ein spontaner Trip nach Florida ebenfalls aus. Zudem flog ich nicht sonderlich gern, schon gar nicht allein. Markus hatte versprochen, dass wir im nächsten

Frühjahr gemeinsam meinen Bruder besuchen würden. Das sei eh die beste Jahreszeit dafür, hatte er beschlossen – und ich hatte nachgegeben, wie üblich. Nun ärgerte ich mich darüber, womöglich hätte uns eine gemeinsame Reise gut getan. Meine Tränenkanäle drohten erneut von einer Flut überschwemmt zu werden.

Ich blinzelte und schaute auf die Uhrzeit. Janine hatte bald Feierabend. Plötzlich war ich mir sicher, die Nacht in den leeren Räumen allein nicht zu überstehen. Ich schickte ihr eine Nachricht, dass ich es mir anders überlegt hätte, und rappelte mich auf. Stopfte das Nötigste in eine Umhängetasche und verließ die Wohnung.

Als ich wenig später auf Janines Couch hockte und in ihr erschöpftes Gesicht sah, war ich mir nicht mehr sicher, ob es richtig gewesen war herzukommen.

»Du bist bestimmt müde«, sprach ich das Offensichtliche aus.

Sie winkte ab. »Sofort kann ich nach der Spätschicht eh nicht schlafen, ich muss immer erst mal runterkommen, wenn ich hier bin.« Sie lächelte und lehnte sich auf dem gegenüberliegenden Sessel zurück. »Wie war euer Telefonat?«

Ich berichtete ihr, wie es gelaufen war. »Ich verstehe das einfach nicht«, schloss ich.

»Nachdem du es mir erzählt hast, habe ich auch viel darüber nachgedacht. Womöglich hat er nur so etwas wie Torschlusspanik bekommen, weil er insgeheim weiß, dass euch der nächste Schritt bevorsteht«, versuchte Janine, eine Erklärung zu finden.

Ich runzelte die Stirn. Das klang für mich nicht logisch.

»Ich kenne euch. Markus liebt dich. Er war sofort vernarrt in dich, als er damals seinen Onkel auf der Station besucht hat.«

Ein träges Lächeln erschien bei der Erinnerung auf meinen Lippen. Glücklicherweise blieb sein Verwandter nur für 24 Stunden zur Beobachtung auf der Intensivstation, doch als er danach auf die normale verlegt wurde, schaute Markus weiterhin bei mir vorbei, bis er mich schließlich einige Tage später zu einem Date einlud.

Auf den allerersten Blick war er nicht mein Typ. Etwas zu schmal, zu blond – aber seine Beharrlichkeit hatte mir geschmeichelt, und letztlich hatte ich mich in ihn verliebt.

Janine gähnte unterdrückt.

»Danke, dass ich bei dir unterschlüpfen darf.«

»Das ist doch selbstverständlich.« Sie stand auf und holte mir eine Decke und ein Kissen, legte beides an ein Ende des Sofas und setzte sich neben mich.

»Komm mal her!« Entschlossen zog sie mich in ihre Arme. Ich atmete zittrig ein und legte mein Kinn auf ihre Schulter.

»Es tut so weh! Als hätte mir jemand in den Bauch geboxt, und ich kämpfe verzweifelt um Luft zum Atmen.«

Janine rieb mir über den Rücken.

»Was mache ich denn jetzt nur?«

Sie rückte von mir ab, hielt mich an den Schultern, eine Armeslänge entfernt. »Erst mal bleibst du hier, wartest ein paar Tage ab, dann regelt sich das bestimmt von allein.«

»Und was ist, wenn nicht?« Ich kam mir vor wie ein

ungeliebtes Fitnessgerät, das man in die Abstellkammer stellte, ehe man sich irgendwann entschied, sich seiner ganz zu entledigen. Gleichzeitig wünschte ich mir nichts sehnlicher, als von Markus in den Arm genommen und getröstet zu werden. Das war ein furchtbares Gefühl: wütend und enttäuscht zu sein und sich zugleich Trost von ihm zu wünschen. Erschöpft rieb ich mir über die Augen.

»Versuche zu schlafen, und morgen sehen wir weiter.«

Ich nickte, obwohl ich ahnte, dass ich trotz der Müdigkeit kein Auge zubekommen würde.

Janine stand schon im Türrahmen zum Flur, als ich sagte: »Vielleicht sollte ich die Zeit nutzen, und etwas nur für mich zu tun. Das habe ich lange nicht mehr gemacht. Ans Meer fahren zum Beispiel.« Der Gedanke war mir spontan gekommen, sicherlich weil Janine gestern meine alte Sehnsucht angesprochen hatte. »Oder etwas völlig Verrücktes.«

»Etwas Verrücktes?« Janine zog skeptisch ihre Augenbrauen zusammen. »Ich würde an deiner Stelle erst mal abwarten und nichts überstürzen.« Sie lächelte. »Gute Nacht.«

»Schlaf gut.«

Ich breitete die Decke aus und legte mich, angezogen wie ich war, darunter. Eine Stunde lang starrte ich die Wohnzimmerdecke an. Mein Körper war erschöpft vom Umzug, vom Schock, vom Weinen, mein Geist jedoch war hellwach und unruhig. Markus hatte mich mit dieser ganzen Aktion tief verletzt, und neben dem Wunsch, dass alles wieder in Ordnung käme, gab es auch einen kleinen Teil in mir, der fand, dass er damit einen Schritt zu weit gegangen war.

Um drei Uhr in der Nacht wurden mir zwei Dinge klar: Ich konnte unmöglich wochenlang hier ausharren und jeden Tag auf einen Anruf von ihm hoffen. Und ich musste mich ablenken, raus hier aus Münster, und auf keinen Fall nach München!

Leise, um Janine nicht zu wecken, holte ich den Laptop aus meiner Tasche.

Zunächst googelte ich nach Kreuzfahrten, aber die waren alle schweineteuer. Dann überlegte ich, was Prominente in Krisenzeiten taten, und mir fiel Michael Patrick Kelly ein, der ins Kloster gegangen war. Nein, das war zu drastisch. Ich überlegte weiter … Hape Kerkeling – der war den Jakobsweg gewandert. Das würde für mich definitiv in die Kategorie »Verrücktes« fallen – immerhin hatte ich seit Monaten keinen Sport gemacht, aber es klang schon eher machbar. Vor Ewigkeiten hatte meine Mutter mal sein Buch gelesen und mir begeistert davon berichtet. Hatte ihm das nicht eine zuvor vermisste Klarheit über sein Leben verschafft? Und schließlich hatte ich mir erst kürzlich Wanderschuhe gekauft, weil Markus mir davon vorgeschwärmt hatte, wie gern er mit seinen neuen Arbeitskollegen am Wochenende in die Berge ging. Eigentlich sollte wohl eher Markus wandern gehen, damit ihm klar wurde, was er wollte, dachte ich zynisch. Während ich im Netz Erfahrungsberichte dazu las, schweiften meine Gedanken erneut zu dem, was Janine gestern gesagt hatte – über meinen Traum, ans Meer zu ziehen. Plötzlich spürte ich die verblasste Sehnsucht nach dem kühlen norddeutschen Klima wieder deutlich. Kurzentschlossen änderte ich die Google-Suche in »Wanderwege

Norddeutschland« und stieß auf den Gendarmstien, oder auf Deutsch Gendarmenpfad – ein Küstenweg in Dänemark. Der Startpunkt befand sich nah an der deutschen Stadt Flensburg an der Ostseeküste von Schleswig-Holstein.

Ich kannte den Ort, weil meine Freundin Lara dort lebte, die mit mir gemeinsam die Ausbildung gemacht hatte. Ich hatte sie ewig nicht gesehen, aber wir hatten über all die Jahre lose den Kontakt gehalten.

Nach und nach formte sich alles in meinem Kopf zu einem Plan zusammen. Ich würde Lara besuchen, wandern gehen – meine Gedanken sortieren. Und wenn ich Glück hatte, würde Markus sich melden, bevor ich die letzte Etappe erreichte. Der Jakobsweg war eh eine Nummer zu groß für mich, schließlich war ich noch nie ernsthaft gewandert. Aber der Gendarmenpfad hatte nur fünf Etappen und war circa 80 Kilometer lang. Ein Jakobsweg für Anfänger sozusagen. Und dazu führten weite Teile direkt am Meer entlang. Perfekt! Zum ersten Mal, seit ich den Brief gelesen hatte und mir der Boden unter den Füßen weggerissen worden war, fühlte es sich an, als bekäme ich etwas zu fassen, das mir Halt gab.

Noch in der Nacht schrieb ich Lara eine Mail und erstellte eine Liste mit Dingen, die ich benötigte. Meine Wanderschuhe waren zum Glück in dem Karton mit den Sommerklamotten, der im verlassenen Wohnzimmer stand. Entlang des Gendarmenpfads befanden sich zahlreiche Rast- und Zeltplätze für Wanderer, auf denen man umsonst übernachten konnte. Viele hatten kleine Holzunterstände, sodass ich kein Zelt benötigte.

Endlich würde ich wieder das Meer sehen! Zwar konnte diese Aussicht nicht den Schmerz vertreiben, aber sie lenkte mich zumindest ab. Mit diesem Plan vor Augen, fühlte ich mich etwas weniger hilflos, und eine Stunde später schlief ich mit dem Laptop auf dem Bauch ein.

»Du willst was?« Janine blickte mich am nächsten Morgen erstaunt über ihren Kaffeebecher hinweg an. »Ich glaube, du übereilst das. Willst du nicht noch einige Nächte darüber schlafen?«

Energisch schüttelte ich den Kopf, mein nachlässig gebundener Haarknoten drohte dabei, sich aufzulösen.

»Ich werde hier nicht auf Abruf sitzen und mich jede Stunde fragen, wann er sich meldet.«

»Aber wir können doch auch hier gemeinsam etwas unternehmen.«

»Die Wohnung ist aufgelöst, alles ist gepackt, ich war auf dem Sprung in ein neues Leben. Und nun hat Markus mich zurückgeschubst. Ich weiß überhaupt nicht, wo mir der Kopf steht. Ich denke, es wird mir guttun, rauszukommen. Hier drehen sich meine Gedanken nur im Kreis.«

Janine seufzte. »Nur du weißt, was sich richtig für dich anfühlt.« Doch ich sah ihr an, dass sie an meinem Plan zweifelte.

Kapitel 4

ZWEI STUNDEN SPÄTER verabschiedete ich mich von ihr. Trotz Janines offensichtlichen Zweifeln war ich mir seltsamerweise sicher, genau das Richtige zu tun. Lediglich eine leise innere Stimme flüsterte, ob es sich nicht doch eher um eine Art Flucht handelte. Ich war in meinen neunundzwanzig Lebensjahren nie allein vereist, geschweige denn gewandert. Aber ich war auch noch nie zu einer Beziehungspause verdonnert worden.

Als ich mittags in einem Outdoorladen meine Ausrüstung um einen großen Rucksack, einen Schlafsack und einige weitere Gegenstände ergänzt hatte, hielt ich an der Kasse seufzend meine Karte vor das Lesegerät. Die letzten Jahre hatte ich nicht viel sparen können, und das Wenige, das ich zur Seite gelegt hatte, war eigentlich für die Einrichtung der Wohnung in München und für Flugtickets nach Florida im nächsten Jahr gedacht gewesen. *Nicht drüber nachdenken!* Sobald ich in München anfing und wir beide gut verdienten, konnte ich mein Sparkonto ja wieder auffüllen. Wenn … Ja, wenn Markus nicht …

Ich dachte den Gedanken nicht zu Ende, sondern griff nach meiner neuen Ausrüstung, lächelte der Verkäuferin zu und lief anschließend zur Tür hinaus.

Kurz vor dem Auto piepte mein Handy, mein Herz hüpfte in der Hoffnung, es sei Markus. Aber es war eine Nachricht von Lara. Sie freue sich darauf, mich zu sehen, doch sie sei erst morgen wieder zurück in Flensburg, da sie gerade unterwegs war, um neue Ware für ihren Laden einzukaufen. Lara arbeitete seit einer Weile nicht mehr als Krankenschwester, sondern hatte gemeinsam mit ihrer Schwester Linn ein Geschäft mit Vintagemöbeln und Deko-artikeln eröffnet.

Ich schrieb ihr zurück, dass das kein Problem sei, ich würde erst eine knappe Woche wandern gehen und sie im Anschluss besuchen. Vielleicht wusste ich dann auch schon, was ich die restliche Zeit bis zum Antritt meiner Stelle machen sollte, für den schlimmsten Fall, dass Markus sich bis dahin nicht gemeldet hatte. Diese Möglichkeit verursachte ein ungutes Gefühl in meinem Magen, das sich nach aufsteigender Panik anfühlte. Ich gab mein Bestes, um es zu verdrängen, und klammerte mich stattdessen an die Aussicht, Lara bald wiederzusehen und endlich ihren Laden in Augenschein nehmen zu können.

Zurück in unserer alten Wohnung, war dieser leichtere Moment jedoch rasch verflogen, und das beklemmende Gefühl in den leeren Räumen bestärkte mich in der Ent-scheidung, ans Meer zu fahren. Hier würde mir ständig die Decke auf den Kopf fallen. Ich schaffte den letzten Karton gemeinsam mit meinen restlichen Habseligkeiten ins Auto.

Pünktlich zur vereinbarten Uhrzeit kam der Vermieter zur Wohnungsübergabe, und er hatte nichts zu beanstanden. Zumindest eine Sache, die glattlief.

Mein Aktionismus hatte bisher die meiste Zeit verhindert, dass ich mich intensiv mit der Lage auseinandersetzte, in die ich ungewollt geraten war. Erst als mein Vermieter mir zum Abschluss alles Gute für den Neustart in München wünschte und ich kurz darauf mein kleines Auto über die Autobahn jagte – aber nicht in Richtung Süden, sondern gen Norden –, wuchs das mulmige Gefühl in mir. Und meine Gedanken hatten Zeit, sich ausgiebig mit den Geschehnissen zu beschäftigen.

Da half es nur bedingt, das Radio lauter zu drehen und trotzig aus vollem Hals den Song »Alright« von Alle Farben mitzusingen. Dennoch schmetterte ich: »I'll be alright, it's gonna hurt me for a while but I'll be fine, I might go crazy and I fall into the night ...«

Dann klingelte das Handy über die Freisprechanlage, und ich drehte leiser, um keinen Hörsturz zu erleiden. Meine Mutter. Fast war ich geneigt, die Augen kurz zu schließen, doch das war natürlich auf der Autobahn eher unangebracht. Daher begnügte ich mich damit, geräuschvoll die Luft auszustoßen.

»Hey Mama«, sagte ich möglichst fröhlich, nachdem ich das Gespräch angenommen hatte.

»Nora, Mäuschen. Bist du gut in München angekommen? Du hast dich noch gar nicht gemeldet.«

Meine Eltern liebten Markus, und meine Mutter redete schon seit einer Weile ständig von Enkelkindern. Innerhalb von Sekunden wog ich ab und entschied, dass ich ihr nichts von der Beziehungspause erzählen würde. Warum sollte ich sie aufregen, wenn möglicherweise in zwei Wochen alles wieder beim Alten war?

»Ja, bin ich«, log ich daher. Zum Glück konnte sie mein Gesicht dabei nicht sehen. »Und ihr? Wie ist es in den Staaten?«

»Heiß, zumindest hier, aber Florida ist sehenswert. Morgen fahren wir nach Fort Meyers, das ist da, wo die Raketen starten.«

»Freut mich, dass ihr eine gute Zeit habt.«

»Bist du im Auto unterwegs?«

»Jup ... wir sind auf dem Weg zu Ikea.«

»Ach, dann ist Markus mit im Wagen. Huhu Markus!«

»Habe ich *wir* gesagt?« Gekünstelt lachte ich auf. »Ich meinte, *ich* bin auf dem Weg, Markus baut derweil Möbel auf.«

Ich hatte meine Mutter in meinem Leben noch nicht häufig angelogen, nicht mal als Teenager. Im Vergleich zu meinem knapp drei Jahre älteren Bruder Nico war ich eher ein Lamm gewesen. Auch jetzt bereitete es mir Unbehagen.

»Wie wohnt Nico denn dort?«, lenkte ich das Thema erneut von mir fort. Mein Bruder war kürzlich von einer Wohnung in ein Haus umgezogen.

»Direkt am Wasser, herrlich. Aber dafür schuftet er auch vierzehn Stunden am Tag. Wir haben noch nicht viel von ihm gehabt. Na ja, du und Markus, ihr müsst unbedingt bald mal rüberfliegen.«

Mein Bruder hatte vor einigen Jahren in Deutschland alles aufgegeben, als er in der Lotterie eine Greencard gewann, und hatte in Florida sein Business aufgezogen. Einen Burgerladen – klang abgedroschen, aber er war so unglaublich erfolgreich damit, dass er sich mittlerweile sogar ein Haus direkt am Wasser leisten konnte. Leider lastete nun der ganze Erwartungsdruck für erreichbare Enkel auf mir. Das hatte ich bemerkt, als ich verkündete, dass Markus und ich nach München ziehen würden.

Aber dann seid ihr so weit weg, und ich sehe eure Kinder nur ein paar Mal im Jahr! Dein Bruder ist doch auch schon so weit fort ...

Doreen, hatte mein Vater liebevoll gemahnt. *Die Kinder müssen doch ihr eigenes Leben leben.*

»Das klingt schön«, sagte ich, in Gedanken versunken. Wieder ärgerte ich mich, nicht ernsthaft in Erwägung gezogen zu haben, in den freien Wochen meinen Bruder zu besuchen. Aber Markus hatte so kurz nach Antritt der neuen Stelle eine Urlaubssperre, und ich hatte ja vorgehabt, die Zeit mit ihm zu verbringen und zu nutzen, um München kennenzulernen. Wieder hatte ich mich nach Markus gerichtet – und was hatte ich jetzt davon?

Ich seufzte leise. »Grüß ihn und Papa ganz lieb von mir. Ich vermisse euch.«

»Alles in Ordnung?« Die feinen Antennen meiner Mutter schienen anzuschlagen.

»Ja, ja, es ist nur gerade ... etwas stressig alles«, bemühte ich mich, ihr eine glaubhafte Erklärung zu liefern.

»Bald habt ihr es geschafft, und du kannst dich erholen. Wir sehen uns nächsten Monat! Küsschen!«

»Küsschen«, murmelte ich erleichtert und beendete das Gespräch. Mitte Juli hatten meine Eltern einen Besuch in München geplant. Hoffentlich war bis dahin wieder alles in Ordnung zwischen Markus und mir.

Kilometer um Kilometer legte ich auf der Autobahn zurück, und tatsächlich wurde mir etwas leichter ums Herz, je weiter ich Münster – und München – hinter mir ließ. Der Verkehr verdichtete sich, und vor Hamburg geriet ich in einen Stau. Erst als ich die Hansestadt durchquert hatte, ging es wieder flüssig voran, und die letzten zweihundert Kilometer legte ich zügig zurück. Ich wollte heute bis zum Startpunkt fahren und mir dort eine günstige Pension suchen, bevor ich morgen loswanderte. Kurz nach der Autobahnabfahrt nach Flensburg leuchtete jedoch plötzlich eine Lampe in meinem Display auf, die ich noch niemals gesehen hatte. Dazu erschien die Warnung: Werkstatt aufsuchen.

»Was zum Teufel …?«, murmelte ich, als zwei Sekunden später der Motor ausging. Glücklicherweise war wenig los auf dieser Strecke, und ich gelangte problemlos auf den Seitenstreifen, auf dem ich ausrollte. Mit eingeschaltetem Warnblinker versuchte ich, den Wagen wieder zu starten. Aber nichts, nur diese Warnung, dass ich umgehend die Werkstatt aufsuchen sollte, verharrte eindringlich im Display.

»Verdammt, das darf doch nicht wahr sein!«, fluchte ich und schlug auf das Lenkrad. Mein erster Impuls war, zum Telefon zu greifen und Markus anzurufen. Im letzten Moment konnte ich mich bremsen – das war sicherlich nicht seine Vorstellung von einer Beziehungspause.

Ich wühlte im Handschuhfach, fand schließlich meine ADAC–Mitgliedskarte, tippte die Nummer ins Handy ein und schaute die ganze Zeit besorgt in den Rückspiegel. Ich sollte dringend ein Warndreieck aufstellen und mich hinter die Leitplanke begeben.

»ADAC, Dirk Möller, was kann ich für Sie tun?«

»Hier ist Nora Köhler, ich bin auf der A7 Richtung Flensburg liegengeblieben. Ein Stück vor der dänischen Grenze, ich habe gerade die letzte Ausfahrt auf deutscher Seite passiert. Mein Auto ging plötzlich aus und springt nicht mehr an.«

Nachdem ich ihm eine endlose Liste an Fragen beantwortet hatte, versprach er, schnellstmöglich einen Wagen zu schicken. Ich kramte die Warnweste aus dem Seitenfach der Tür, stellte das Warndreieck aus dem Kofferraum auf und kletterte hinter die Leitplanke. Dabei schoss mir die schwarze Katze durch den Kopf, und ich bekam ernsthaft Angst, dass mir eine Pechsträhne anhaftete, obwohl ich kein Stück abergläubisch war. Aber vielleicht scherten sich pechbringende schwarze Katzen nicht darum, ob man an sie glaubte oder nicht.

Es war nach zwanzig Uhr am Abend, als der ADAC–Mitarbeiter meine kleine rote Knutschkugel vor dem nächstgelegenen Opel-Händler in einem Industriegebiet in Flensburg ablud. Als er mich auf der Autobahn aufgelesen hatte, hatte er eine Reihe von möglichen Ursachen abgefeuert, von denen mir nur Lichtmaschine, Einspritzpumpe und ›Pott kaputt‹ im Gedächtnis geblieben waren. Ich unterdrückte ein Gähnen, während ich dabei zusah, wie er mein Auto per Seilwinde hinabließ.

»Gibt es hier so etwas wie einen Notdienst?«, erkundigte ich mich mit einem Blick über das verlassene Gelände des Autohauses. Hinter den Rolltoren, die zur Werkstatt führten, war es finster.

Der ADAC-Mitarbeiter – E. Christiansen, wie ich durch seine bestickte Jacke wusste – lachte auf und wirkte dabei etwas verlegen.

»Nee, so was gibt es hier nich.«

»Und wie läuft es dann ab? Ich war auf dem Weg nach Dänemark.« In mir stieg erneut das Bedürfnis auf, Markus anzurufen. Doch ich verdrängte es.

»Das wird heute nichts mehr. Entweder Sie kommen morgen früh wieder her, oder Sie werfen den Schlüssel samt Beschreibung und Telefonnummer in den Kasten dort drüben. Der ist extra für Abgaben nach Werkstattschluss.« Er nickte, die Hände noch an der Fernbedienung der Seilwinde, zu einem der Eingänge.

»Ah, okay, danke.« Ich schlenderte dorthin und fand große Umschläge, auf denen einige Daten abgefragt wurden. Kennzeichen, Name, Anschrift, Telefon, Mail ... Dazu gab es eine Reihe von Möglichkeiten zum Ankreuzen, keine davon traf auf mein Auto zu. Daher schrieb ich lediglich »Auf Autobahn liegengeblieben, bitte um Anruf zwecks Absprache« in das Bemerkungsfeld.

Zurück bei meinem Auto, hielt mir Herr E. Christiansen ein Klemmbrett für eine Unterschrift hin und notierte sich zuletzt noch meine Mitgliedsnummer.

»Vielen Dank. Wäre es möglich, dass Sie mich zu einem Hotel mitnehmen?«, fragte ich, doch in dem Moment klingelte sein Telefon.

Entschuldigend hob er es hoch. »Tut mir leid, das wird der nächste Einsatz sein.«

»Verstehe, dann einen schönen Abend«, sagte ich matt und wandte mich meinem Wagen zu. Als ich den Kofferraum öffnete, hörte ich, wie der Pannendienst vom Hof brauste. Ich packte alles in den Rucksack, was ich für Dänemark benötigte, und verstaute den Rest in dem Karton im Kofferraum, damit mein Krempel den Werkstattmitarbeitern nicht im Weg lag. Als mir meine kleine Kosmetiktasche in die Hände fiel, warf ich einen Blick hinein und nahm einiges hinaus. Zum Schluss bewegte ich die Wimperntusche zwischen meinen Fingern. Brauchte ich die? Ich fühlte mich immer etwas nackt ohne getuschte Wimpern. Im Vergleich zu meinen Haaren waren sie recht hell. Markus hätte definitiv Nein gesagt, wenn er neben mir gestanden hätte. Tat er aber nicht.

Ich warf die Wimperntusche zurück in die kleine Tasche und stopfte sie in ein Seitenfach des Rucksacks. Erst danach googelte ich nach einem Taxiunternehmen, das mich keine zehn Minuten später abholte und zu einem Hotel an der östlichen Seite des Flensburger Hafens brachte.

Ich blickte über das blau glitzernde Hafenbecken, die gegenüberliegende Seite lag in den letzten weichen Strahlen der sinkenden Sonne. Die Masten der Segelboote ragten in den Himmel, bewegten sich nur minimal an diesem windstillen Abend. Möwen umkreisten sie und stießen hin und wieder ein Kreischen aus. Ich atmete einmal tief durch – ich war am Meer! Jedoch war ich zu erledigt für irgendeine Unternehmung.

Überraschenderweise bekam ich ungefragt ein Upgrade und erhielt ein Zimmer mit Fördeblick. Das wertete ich als Zeichen, dass ich doch nicht dauerhaft vom Pech verfolgt war.

Wenig später lag ich auf dem Bett mit dem Hintergrundpanorama des Hafens und las im Internet etwas über die Etappen des Gendarmenpfads. Doch immer wieder wanderten meine Gedanken ans andere Ende von Deutschland zu Markus. Ein Teil von mir wollte ihn anrufen, seine Stimme hören. Aber da war auch dieser tief enttäuschte Teil, der auf stur geschaltet hatte. Der ihm zeigen wollte, dass ich eben nicht wochenlang in Münster sitzen würde, auf seinen Anruf hoffend. So gut es ging, konzentrierte ich mich auf die Webseite des Wanderweges. Vom Startpunkt in dem dänischen Ort Padborg, der etwas landeinwärts lag, führte der Weg zur Ostsee, wo es weiter an der Küste entlang ging. Auf dieser sogenannten Bergetappe warteten Seen, Wälder, alte Handelswege und eine ehemalige Kupfermühle auf mich. Nun war ich in den hohen Norden gefahren und wanderte eine *Bergetappe*. Humorlos lachte ich auf und blinzelte gegen die Müdigkeit an. Mit dem Handy auf der Brust, schlief ich schließlich ein und träumte von Händlern und Grenzpolizisten, vor denen ich fliehen musste.

Kapitel 5

LEIDER HATTE ICH vergessen, mir einen Wecker zu stellen, und erwachte am nächsten Morgen erst gegen neun, als das Handy, das inzwischen von meinem Bauch aufs Bett gerutscht war, klingelte.

»Köhler«, meldete ich mich mit belegter Stimme.

»Opelhaus Flensburg, Domeyer. Sie haben gestern Ihr Auto bei uns abgestellt. Die Jungs in der Werkstatt haben es sich angesehen und den Fehler ausgelesen.«

»Oh, und?«

»Die gute Nachricht, es wird nicht allzu teuer, circa 300 Euro.«

»Und die schlechte?«

»Das benötigte Ersatzteil hat eine Woche Lieferzeit.«

»Hm, okay. Ich bin ein paar Tage in Dänemark unterwegs. Dann hole ich den Wagen danach ab.«

»Wir melden uns, sobald er fertig ist. Ich sende Ihnen noch ein Angebot per Mail zu, dort stehen alle Einzelheiten drin, bitte dann einmal den Auftrag erteilen.«

»Mache ich. Vielen Dank.«

Im Anschluss an das Gespräch reckte ich mich und blieb noch eine Weile auf dem Bett sitzen, sah dem Treiben vor dem Fenster zu. Auf der Straße, die zwischen Hotel und Hafen verlief, war schon viel los. Und auf dem Wasser herrschte ebenfalls Betrieb. Kleine Boote kreuzten meine Sicht und zogen ein Dreieck aus Wellen hinter sich her. Der Himmel war wolkenlos, und das erste Mal seit Markus' Brief hatte ich das Gefühl, genügend Luft zu bekommen. Ich war endlich mal wieder am Meer! Beim Wandern würde ich hoffentlich meine Gedanken und Gefühle sortieren können, und dann würde ich Lara besuchen und diese Stadt erkunden. Der erste Eindruck war vielversprechend. Da es mir gelang, die Misere mit Markus kurz zu verdrängen, verspürte ich sogar einen Hauch von Vorfreude auf meine Pläne.

Die sogenannte Bergetappe des Wanderweges, die ich für heute geplant hatte, betrug knapp fünfzehn Kilometer, dafür sollte ich nicht länger als vier Stunden benötigen. Das Etappenziel lag bei Sønderhav. Ich frühstückte in Ruhe und erkundigte mich anschließend an der Rezeption nach dem Weg zum Bahnhof. Bevor ich am Abend zuvor eingeschlafen war, hatte ich herausgefunden, dass ein Zug bis Padborg fuhr und es von der dortigen Station nicht weit zum Startpunkt war. Das ersparte mir ein weiteres teures Taxi.

Beim Autohaus hatte ich nicht nur mein Gepäck auf das Nötigste reduziert, sondern auch die Sneaker gegen Flip-Flops getauscht, weil die am wenigsten wogen und ich abends sicherlich froh sein würde, die schweren Stiefel ausziehen und nahezu barfuß laufen zu können. Die Flip-Flops verstaute ich nun in meinem Rucksack und schlüpfte in die Wanderschuhe, die mir bis zu den Knöcheln reichten. Der Verkäufer hatte gemeint, so würden Verstauchungen verhindert, wenn man mal umknickte. Ich hatte sie ehrlich gesagt bequemer in Erinnerung, aber vermutlich mussten sie sich so anfühlen, um mir genügend Halt zu bieten.

Aufgrund des blauen Himmels hatte ich mich neben den eher schweren Schuhen für eine kurze Hose und ein T-Shirt entschieden. Als ich den Rucksack auf den Rücken wuchtete, kamen mir das erste Mal ernsthafte Bedenken, ob ich wusste, worauf ich mich hier einließ. Aber ich wischte sie beiseite. Stattdessen schmunzelte ich über meinen Anblick im Spiegel des Hotelzimmers und knipste ein Foto, das ich Janine schickte. Ihre Antwort kam prompt.

Fehlt nur der Wanderstock :-) Viel Spaß und pass auf dich auf!

Danke, ich melde mich zwischendurch! ;-*

Als ich nach dem Auschecken vor das Hotel trat, nahm ich mir einen Moment Zeit, die klare Seeluft einzuatmen, und fröstelte, als der Wind meine nackten Arme erfasste. Erinnerungen an meine Ausbildungszeit in Norddeutschland stiegen in mir auf. Wie kühl der Wind hier oben sein konnte, hatte ich im Lauf der Jahre vergessen. Dennoch war ich vorbereitet und zog mir rasch eine Sweatshirtjacke über, bevor ich am Wasser entlang zum Bahnhof spazierte.

An der Hafenspitze angelangt, überquerte ich einen größeren Platz, der vermutlich für Veranstaltungen gedacht war. Ich ließ meinen Blick noch einmal zurück zur Förde schweifen und über die seitlich aufragenden Häuserreihen, die sich den Hang hinauf erstreckten. Größtenteils waren es wunderschöne Altbauten. Ich verspürte plötzlich erneut die Gewissheit, dass es richtig gewesen war hierherzukommen. Und ich war gespannt, ob die vor mir liegenden Wandertage so wohltuend und befreiend waren, wie die Erfahrungsberichte im Netz versprachen.

Padborg war eine kleine, charmante und vor allem übersichtliche dänische Stadt, und es gelang mir recht problemlos, den Startpunkt des Gendarmenpfads zu finden. Ein blaues Männchen auf weißem Untergrund – der Gendarm – wies mir den Weg. Die Häuser wurden rasch weniger, und die Straße ging in einen Schotterweg über, der gesäumt wurde von hohen Laubbäumen. Ich registrierte das leichte Scheuern meiner Schuhe an den Fersen und das Gewicht des Rucksackes, konzentrierte mich aber auf die Natur und versuchte, den Rest möglichst auszublenden. Die Vögel zwitscherten eine fröhliche Melodie, und die Blätter raschelten ihr eigenes Lied im Wind. Diese erste Etappe des Wanderweges führte weite Teile entlang der Grenze zwischen Deutschland und Dänemark, die in der Vergangenheit einige Male verschoben worden war. Sie kreuzte den Ochsenweg, eine wichtige Handelsstraße im 19. Jahrhundert, über die Rinder aus Dänemark bis an die Westküste Schleswig-Holsteins getrieben wurden.

Der Zug hatte mich ein Stück landeinwärts gebracht,

und nun wanderte ich wieder der Küste entgegen. Ich genoss die ersten Kilometer, auf denen sich hinter seichten Hügeln Höfe mit roten Dächern in die Landschaft schmiegten. Ich dachte nicht an Markus, den Brief oder was in acht Wochen sein würde, sondern genoss die Natur um mich herum in vollen Zügen. Große Teile des Weges führten durch Wald und Wiesen. Immer wieder folgte der Pfad einem hohen schwarzen Stabmattenzaun. Ich musste sogar einige Male durch ein Tor gehen, um auf die andere Seite zu gelangen, wenn der Zaun den Weg kreuzte. Seltsam – war das ein Grenzzaun? Gab es so was überhaupt noch? Ich beschloss, den nächsten Wanderer, der mir entgegenkam, danach zu fragen. Hin und wieder flossen kleine Bäche von den höher gelegenen Hängen unter dem Weg hindurch weiter hinab. Die Bäume waren so hoch, dass sie sicherlich schon hier gestanden hatten, als die Grenzpolizei noch patrouillierte. Ihre großen Kronen mit den unzähligen Blättern warfen Schatten über den Weg, was dazu führte, dass ich schwitzte und gleichzeitig fröstelte. Das Shirt klebte mir unter dem schweren Rucksack am Rücken. Doch der kühle Wind schien seinen Weg auch dahin zu finden, und die feinen Härchen auf meinen Armen richteten sich auf. Die Sweatshirtjacke hatte ich um meine Hüfte gebunden, bevor ich loslief. Bei der nächsten Pause würde ich sie wieder anziehen.

Leider wurde es mit jedem Kilometer schwieriger zu ignorieren, dass die Schuhe scheuerten, und zwar gleich an mehreren Stellen. Am schlimmsten an der linken Hacke, aber selbst vorn auf dem kleinen Zeh brannte es an beiden Füßen. Doch ich biss die Zähne zusammen. Morgen würde ich die Stellen mit Pflastern versehen, und bestimmt würden die Schuhe mit jedem Tag bequemer und weicher werden.

Der Wald lichtete sich, und die seichten Hügel wurden weitläufiger. Eine sanfte Landschaft erstreckte sich vor mir. Weite Wiesen, ein dunkelblau schimmernder See in einem der Täler, in einem anderen lag eine kleine Ortschaft. Definitiv anders als die Westküste Schleswig-Holsteins, dachte ich. Die war flach wie eine Flunder. Links und rechts vom Weg tanzten die langen Gräser im Wind, deren Spitzen schon Ähren gebildet hatten. Zehn Minuten später bog ich falsch ab, entdeckte dadurch aber einen Weiher, der mit Seerosen bedeckt war, und einen Steg mit zwei Bänken, der zum Verweilen einlud. Ich entschied, eine kleine Pause einzulegen. Es war erst früher Nachmittag, es bestand kein Grund zur Eile. Meine Schultern freuten sich, als ich sie von der ungewohnten Last befreite. Auch meinen Füßen gönnte ich eine Pause und zog die Schuhe aus. Ich kontrollierte die schmerzenden Stellen, die gerötet waren, aber nicht aufgescheuert. Anschließend reckte ich mein Gesicht in die Sonne, die zwischen den aufgezogenen Wolken hervorblitzte. Ohne den Schatten des Waldes fühlte sich die Luft gleich viel wärmer an.

Unwillkürlich begaben sich meine Gedanken zu Markus nach München, und ich verspürte erneut den Wunsch, ihm zu zeigen, dass ich eine gute Zeit hatte und nicht tieftraurig auf seinen Anruf wartete. Womöglich würde das etwas in ihm anstoßen und dafür sorgen, dass ihm schneller klar wurde, wie sehr er mich vermisste, und wir doch eigentlich zukünftig zusammen in Bayern hatten wandern wollen. Ich lehnte den Rucksack dekorativ an eine der Picknickbänke, stellte die Wanderschuhe daneben und lichtete beides mit der Aussicht auf den See im Hintergrund ab. Dann widerstand ich dem Wunsch, seinen Instagram-Account zu checken, und lud lediglich mein Foto in meinem eigenen Account hoch mit der Bildunterschrift:

Zeit für mich. #seelebaumelnlassen #meergehtimmer #wandernanderostsee

Zufrieden betrachtete ich den Beitrag. Meine Eltern hatten keinen Instagram-Account, und mein Bruder schaute nicht häufig in die App. Sicherheitshalber schrieb ich ihm eine Nachricht.

Hey Nico,
bin ein paar Tage an der Ostsee. Bitte erzähl Mama und Papa nichts davon. Markus und ich haben einige Unstimmigkeiten, aber davon müssen sie nichts wissen.
Gruß Nora

Unstimmigkeiten war das unverfänglichste Wort, das mir einfiel. Erstaunlicherweise antwortete mein Bruder binnen einer Minute.

Hey Schwesterherz,
alles klar, mache ich nicht. Aber wenn ich was für dich tun kann, sag Bescheid! Und vergiss nicht, Mitte Juli kommen Mama und Papa dich in München besuchen.

Dann solltest du besser dort sein, Mama redet schon von nichts anderem mehr.

Gruß Nico

Ich schmunzelte über das augenverdrehende Emoji, das mein Bruder dazu sendete.

Wir schrieben noch ein wenig hin und her, und ich versprach, spätestens im nächsten Jahr zu ihm zu fliegen.

Die Wolken wurden dichter, und der Wind frischte auf, also zog ich die Stiefel wieder an. Dabei achtete ich sorgsam darauf, dass meine Strümpfe keine Falten warfen. Ich schulterte den Rucksack und stöhnte unterdrückt auf. Wie konnten sich ein paar Kilo derart schwer anfühlen? Aber womöglich gehörte all das zur Sinnfindung beim Wandern dazu. Über sich hinauszuwachsen. Sich und seinen Körper herauszufordern und die eigenen Grenzen kennenzulernen, um sie dann zu überwinden. Wenn Hape Kerkeling den Jakobsweg gewandert war, würde ich ja wohl den Gendarmenpfad schaffen.

Ich schnürte den Hüftgurt des Rucksackes fester, um den Rücken zu entlasten, und marschierte entschlossen los, auf einem schmalen Weg durch ein weiteres Wäldchen. Bald darauf passierte ich eine kleine dänische Ortschaft. Mit jedem Kilometer schmerzten meine Schultern stärker, viel schlimmer waren allerdings die Druckstellen an den Füßen, die trieben mir mittlerweile fast die Tränen in die Augen. Doch ich hielt nicht noch einmal an, um nachzusehen. Denn dann hätte ich die Schuhe garantiert nicht wieder angezogen, und Flip-Flops waren nicht unbedingt ein geeignetes Schuhwerk zum Wandern. Ich war fest entschlossen, diese verdammten Wanderschuhe einzulaufen, bis sie wie eine zweite Haut saßen. Innerlich verfluchte ich aber den Verkäufer des Outdoorladens, der mich beim Kauf beraten hatte. Um mich abzulenken, versuchte ich, mich an seinen Namen zu erinnern, und verfasste gedanklich eine Beschwerde-E-Mail an ihn.

Als mir ein älteres Pärchen entgegenkam und ich hörte, dass sie sich auf Deutsch unterhielten, wollte ich die Gelegenheit nutzen, mich nach dem Zaun zu erkundigen, und war froh, für einige Minuten stehenbleiben zu können.

Freundlich sprach ich sie an: »Entschuldigen Sie, wissen Sie, was es mit diesem Zaun auf sich hat?«

Der Mann hob spöttisch die Augenbrauen. »Allerdings, das ist der Schweinezaun.«

»Schweinezaun?«, fragte ich irritiert.

»Die Dänen haben ihn von Küste zu Küste gezogen – siebzig Kilometer lang, weil sie Angst davor haben, dass Wildschweine die Schweinepest auf Hausschweine übertragen können.«

»Ich wusste gar nicht, dass es hier Wildschweine gibt.«

»Gibt es auch nicht.« Der Mann grinste, nickte mir zu und lief dann gemeinsam mit seiner Frau weiter.

Immer noch verdutzt, beäugte ich den Zaun, ehe auch ich weiterging.

Als ich die Küste erreichte und endlich das Meer glitzernd vor mir lag, begegneten mir deutlich mehr Menschen als zuvor. Der Pfad führte in einen Wald, der am Ufer entlang verlief, und ich begriff, warum diese Etappe die Bergetappe hieß. Mehrmals stieg ich hölzerne Stufen hinauf und dann wieder hinunter. Mittlerweile war jeder Schritt eine Tortur. Meine Gedanken schlugen ihrerseits seltsame Pfade ein, und ich fragte mich, ob es Hape Kerkeling genauso ergangen war. Warum hatte ich nur nie das Buch »Ich bin dann mal weg« gelesen? Lediglich den Klappentext hatte ich mir angesehen. Doch ich redete mir ein, dass er mit ähnlichen Schwierigkeiten zu kämpfen hatte und dass er und ich da einfach durchmussten. Dass wir das herrliche Gefühl, ganz bei sich selbst zu sein, erst erreichten, wenn wir diese körperlichen Wehwehchen überwanden. Beziehungsweise ich, Hape hatte es ja schon lange hinter sich.

Kurze Zeit später beschloss der Himmel, es sei Zeit, die Regenwolken zu leeren. Feine Tropfen fielen auf meine erhitzte Haut. Meine Beine bewegten sich mittlerweile wie ferngesteuert. Ich bewältigte eine letzte Steigung, weg vom Wasser hin zu einer Straße. Schräg gegenüber entdeckte ich das kleine weiße Hinweisschild mit dem blauen Männchen – der Wanderweg führte an einem Campingplatz vorbei. Mein Blick schweifte über die Wohnwagen und Wohnmobile. Häufig gab es auf diesen Plätzen doch auch Hütten, die man mieten konnte! Kurzentschlossen bog ich auf das Gelände des Platzes ab.

»Hej!«, begrüßte mich eine ältere Frau freundlich an der Anmeldung.

»Hallo! Haben Sie für heute Nacht noch eine Hütte zu vermieten?«

Sie schenkte mir ein mitfühlendes Lächeln. Ich befürchtete, dass ich ein Bild des Jammers bot. Der Nieselregen, der seit einer halben Stunde mein Gesicht benetzte, ließ meine Haare an der Stirn und den Wangen kleben.

»Tut mir leid, alles ausgebucht. Der nächste Rastplatz für die Wanderer ist knappe zwei Kilometer entfernt.«

»Oh, danke.« Ich drehte mich gerade um, als sie noch hinzufügte: »Oder du gehst ein Stück weiter auf dem Weg, da kommt im Wald ein kleines Gasthaus. Versuch es doch dort, wenn du nicht auf einem der Rastplätze schlafen willst.« Sie zeigte mir auf einer Karte, wohin ich gehen musste. »Ist direkt am Gendarmstien.«

Ich bedankte mich erneut bei ihr und verließ das Gebäude. Humpelnd bewältigte ich Meter um Meter, und mir schwante, dass mich kein schöner Anblick erwartete, wenn ich meine Schuhe auszog.

Kapitel 6

MITTEN IM WALD entdeckte ich das alte Herrenhaus, umgeben von einem großen Grundstück, auf dem vereinzelt Bäume standen. An einer Eiche baumelte eine Schaukel, und eine steinerne Treppe führte zu der weißen Eingangstür. Ich mobilisierte meine letzten Kraftreserven, folgte dem geschwungenen Weg zum Haus und trat durch die Tür in einen Eingangsbereich. Stimmen drangen aus einem Raum rechter Hand, und ich folgte ihnen.

»Hej«, begrüßte mich ein Mann. Er sah aus wie Mitte vierzig und stand hinter einem Tresen aus dunklem Holz, der sich im Gastraum befand. Eine extra Rezeption schien es hier nicht zu geben. Es war noch recht früh für ein Abendessen, und nur wenige Plätze waren besetzt. Ich steuerte direkt die Theke an.

»Hallo«, erwiderte ich die Begrüßung des Mannes und wischte mir die Regentropfen vom Gesicht. »Haben Sie noch ein Zimmer frei?«

»Das haben wir. Wanderst du auf dem Gendarmstien?«, fragte er, und ich mochte den dänischen Akzent mit der

weichen Aussprache der Buchstaben und dem vergleichs-
weise scharfen S. Erleichtert über seine Antwort, befreite
ich zunächst meinen Rücken von dem Rucksack, der mittlerweile dreimal so schwer schien wie zu Beginn des Tages,
und nickte. Anschließend entledigte ich mich der nassen
Sweatshirtjacke.

»Harter Tag?«

»Ja, und ich befürchte, ich habe mir Blasen gelaufen.«

»Ah, hast du deine Schuhe nicht ausreichend eingelau-
fen?«

Ich schüttelte den Kopf und merkte, wie meine Wangen
sich erhitzten. Aber fürs Einlaufen war keine Zeit gewesen
zwischen Markus Verkündung der Beziehungspause und
der Übergabe der Wohnung.

Mein Magen gab einen gurgelnden Laut von sich, und
ich lächelte entschuldigend. »Wäre es möglich, dass ich
etwas zu essen bekomme, bevor ich mein Zimmer beziehe?
Ich fürchte, wenn ich einmal liege, komme ich heute nicht
mehr hoch.« Irgendwann auf den letzten Kilometern hatte
ich meinen Vorsatz, diese Reise so sparsam wie möglich zu
gestalten, über Bord geworfen, und ich hatte definitiv keine
Lust, die Butterkekse oder das Supermarktsandwich aus
meinem Rucksack zu essen.

Der Däne lachte. »Selbstverständlich. Ich habe heute
Staegt Flaeskt im Angebot. Knuspriges Schweinefleisch mit
Petersiliensoße.«

Mein Magen grummelte zustimmend. »Klingt gut!«

»Ein Bier dazu? Wir haben ganz besonderes aus einer
kleinen Flensburger Biermanufaktur. Bio!«

»Ja, warum nicht.« Wasser hatte ich heute genügend getrunken. Der Gastwirt legte mir noch einen Zettel für die Anmeldung hin, bevor er in der Küche verschwand und kurz darauf mit einem Teller zurückkam, den er vor mich auf den Tresen stellte.

»Danke, das sieht köstlich aus«, sagte ich und hievte mich auf einen Barhocker.

»Guten Appetit. Ich bin übrigens Rune.«

»Freut mich, Rune. Ich bin Nora.«

»Das Bier aus der Flasche oder gezapft?«

Puh, das war mir nun wirklich egal. »Gezapft«, entgegnete ich daher wahllos.

Rune hielt ein Glas unter den Zapfhahn, und als es voll war, stellte er es vor meinen Teller. »Woher kommst du, Nora?«

Er nahm ein weiteres Glas und zapfte ein zweites Bier, während ich antwortete.

»Aus Münster, aber ich ziehe bald nach München. Also wahrscheinlich. Jetzt bin ich erst mal hier, wandern und im Anschluss eine Freundin in Flensburg besuchen«, plapperte ich drauflos.

Rune lächelte und hielt das eben gezapfte Bier hoch. Ich brauchte zwei Sekunden, bis ich begriff, dass er mit mir anstoßen wollte. Etwas erstaunt, griff ich nach meinem Glas.

»*Skål*«, sagte Rune. »Auf deine Zeit im Norden!«

»*Skål*«, sprach ich ihm nach.

Ich nahm einen Schluck von dem hellen Bier und war positiv überrascht. Ich war eigentlich keine Biertrinkerin und zog ein Glas Wein vor. Aber dieses war anders. Leicht und irgendwie frisch.

»Sehr lecker.«

»Das beste Bier.«

Einer der anderen Gäste winkte Rune zu sich, und ich widmete mich dem Essen. Mit jedem Bissen des deftigen Gerichtes ging es mir ein wenig besser, und ich hatte den Teller in kürzester Zeit leer gegessen. Danach füllte ich die Anmeldung aus. Um ein Schnäppchen handelte es sich bei dieser Pension nicht, die Preise waren in Kronen und Euro angeben: Hundertfünfzig Euro für eine Nacht. Aber die Vorstellung, in den klammen Sachen weiterzulaufen bis zu einem der Zeltplätze und dann dort unter einem Holzdach zu campen, ließ mich seufzend meine Unterschrift ans Ende des Formulars setzen. Sollte Markus sich doch um die fehlende Einrichtung in München kümmern. Ich hatte ihm lange genug den Rücken freigehalten.

»Hat's geschmeckt?« Rune nahm den Teller und die Anmeldung und wischte mit einem Lappen über das Holz der Theke.

»Bestens. Danke.«

»Soll ich dir jetzt dein Zimmer zeigen, oder möchtest du noch ein Bier?«

Ich unterdrückte ein Gähnen. »Das Zimmer, bitte.«

Irgendwann musste ich mir meine Füße ansehen. Zum Glück hatte ich außer der Wimperntusche auch ein wenig Verbandszeug und etwas Antiseptikum im Kulturtäschchen.

Ich rutschte vom Hocker, und als ich den ersten Schritt machte, um Rune zu folgen, musste ich einen Schmerzlaut unterdrücken. Besonders die Stelle an der linken Hacke brannte wie Feuer, und mir schwante Böses.

Das Zimmer, in das Rune mich einquartierte, war gemütlich eingerichtet. Die Holzmöbel waren schon in die Jahre gekommen, aber die weiße Bettwäsche strahlte und verströmte einen frischen Wäscheduft.

»Wenn du noch etwas brauchst, ich bin bis 23 Uhr unten. Morgen gibt es Frühstück zwischen sieben und neun.«

»Vielen Dank.« Ich schenkte ihm ein Lächeln, bevor er die Tür zuzog und ich ihn auf den alten Holzdielen davongehen hörte.

Ich stellte den Rucksack ab und setzte mich aufs Bett, um meine Schuhe zu öffnen. Vorsichtig zog ich sie von den Füßen. An der linken Ferse klebte der Strumpf blutig an meiner Haut. »Scheiße«, fluchte ich und zog die Socke mit aufeinandergepressten Lippen hinunter. »O Gott!« Wie hatte ich mir eine solch riesige Blase laufen können? Ich zog den rechten Schuh aus, wo die Blase glücklicherweise nur halb so groß war. Im Rucksack wühlte ich nach meiner Kosmetiktasche und humpelte anschließend ins Bad, wo ich mich unter die heiße Dusche stellte und abermals einen Fluch ausstieß, als das warme Wasser über die offenen Stellen an den Füßen rann. Meine Schultern hingegen freuten sich über die Wärme und die Massage des Wasserstrahls. Ich fühlte mich erschöpfter als nach einer Woche Nachtschichten im Krankenhaus. Seufzend stellte ich das Wasser aus.

In ein großes Handtuch gehüllt, versorgte ich die Blasen notdürftig. Heilen würde das nicht über Nacht, so viel war sicher. Um das zu erkennen, brauchte man keine Krankenschwester zu sein. Dennoch hoffte ich, dass es morgen mit reichlich Pflastern gehen würde.

Nachdem ich im Bad meine Zähne geputzt hatte, trat ich ans Fenster des Hotelzimmers. Leider versperrten die Bäume die Sicht zum Meer, obwohl es nicht weit entfernt sein konnte. Die Aussicht war dennoch schön. Sie zeigte ein kleines Wäldchen, und davor ging die gepflegte Rasenfläche in eine verwilderte Wiese über. Gerade als ich mich abwenden wollte, huschte etwas durch das hohe Gras. Mit angehaltenem Atem schaute ich genauer hin, denn kurz befürchtete ich erneut eine schwarze Katze. Doch dann sah ich, dass ein Fuchs die Wiese überquerte und im Wald verschwand, sein buschiger Schwanz ließ keinen Zweifel. Automatisch lächelte ich. Füchse waren ganz besondere Tiere. Für mich wirkten sie irgendwie wie eine Mischung aus Hund und Katze. Verspielt, putzig und schlau. Ich liebte ihr rostbraunes Fell und die dunklen Stiefel und musste gestehen, dass ich ein Fan putziger Tiervideos von ihnen war. Als Teenager hatte ich mal einen im Garten meiner Eltern gesehen, und am nächsten Tag hatte Jan Grömer, der unser Klassenschwarm war, mich gefragt, ob ich mit ihm ins Kino gehen wollte. Damals dachte ich, der Fuchs sei ein Vorbote für ein großartiges Ereignis gewesen. Allerdings hatte ich seitdem keinen echten mehr gesehen. Aber vor zwei Jahren hatte Janine mich zu einem Workshop überredet, in dem es auch darum ging, sein Krafttier zu erkennen. Ich fand es schrecklich albern und halte es noch heute für genauso sinnvoll wie Horoskope und Globuli. Ein netter Zeitvertreib, aber nichts mit wissenschaftlicher Basis. Es war mir ein Rätsel, warum Janine derart auf solche Sachen abfuhr. Trotzdem freute es mich, dass – dem

Kurs nach – der Fuchs mein Krafttier war. Humbug hin oder her, der Gedanke hatte mir gefallen, und von da an hatte ich den Fuchs offiziell zu meinem Lieblingstier erklärt. Allerdings dachte ich nicht sonderlich oft daran, weil ich eben nie einen sah.

Dass mir ausgerechnet jetzt einer begegnete, musste ein gutes Zeichen sein, und die Katze konnte ihr Pech woanders unterbringen. Wer weiß, vielleicht würde Markus morgen anrufen und mir sagen, dass er einen großen Fehler begangen hatte und nun wisse, wie sehr er mich liebte. Dann könnte ich diesem blöden Versuch der Selbstfindung vorzeitig ein Ende bereiten.

Eine Weile stand ich noch am Fenster, aber Reineke Fuchs ließ sich nicht mehr blicken. Im Bett verflog meine Zuversicht rasch wieder. Ich suhlte mich eine Runde in Selbstmitleid und konnte am Ende nicht widerstehen, Markus' Instagram-Account zu checken. Aber er hatte keine neuen Fotos hochgeladen.

Kapitel 7

ALS ICH AM nächsten Morgen Strümpfe anziehen wollte, wurde mir klar, was ich im Grunde schon am Abend zuvor gewusst hatte: Ich würde nicht weiterlaufen können. Meine Füße benötigten einige Tage Pause, bevor ich sie wieder in Strümpfe, geschweige denn in die Stiefel stecken konnte. Ich verdrängte energisch die aufkommende Verzweiflung über all das, was in den letzten drei Tagen schiefgegangen war, und flüchtete mich erneut in Aktionismus. Ich schrieb Lara und fragte, ob ich sie bereits heute besuchen könnte. Sie antwortete umgehend, dass sie sich auf mich freue und es kein Problem sei. Ich solle einfach in den Laden kommen, dort würde sie bis 18:00 Uhr sein. Dazu schickte sie mir den Standort des *Hygge Up* – so hieß ihr Geschäft.

»Gut«, sagte ich zu mir selbst. »Dann wäre die Frage, wie es heute weitergeht, geklärt.«

Aber das war auch alles, was klar war. Plötzlich lag der Sommer leer und einsam vor mir. Hatte die Flucht nach vorn mich seit Markus' Verkündung über Wasser gehalten, drohte ich nun unterzugehen. Was, wenn Markus sich erst am Ende der acht Wochen meldete? Bis dahin war ich quasi obdachlos.

»Es wird sich schon alles finden«, sagte ich aufmunternd zu meinem Spiegelbild. Die gestrige Wanderung hatte mir trotz des Regenschauers einen leichten Sonnenbrand auf den Wangen und der Nase beschert. Erstaunlicherweise war mir nicht anzusehen, was in mir vorging. Trotzig zog ich die Mascara hervor und tuschte meine Wimpern. Der äußere Schein war wie ein Schutzschild.

Ich dachte an den Fuchs. Womöglich würde sich heute alles zum Guten wenden, und Markus rief an.

Rasch schlüpfte ich in kurze Jeansshorts und ein T-Shirt, das durch den Transport im Rucksack mehr Falten als glatte Stellen aufwies. Mein braunes Haar band ich zu einem hohen Pferdeschwanz zusammen.

Im Frühstücksraum begrüßte mich Rune. Hatte der Mann denn niemals frei?

»Morgen, Nora, gut geschlafen?«

»Danke, tief und fest wie ein Baby.«

Im Gegensatz zum Abend zuvor war deutlich mehr los, alle Fensterplätze waren belegt. »Was dagegen, wenn ich mich wieder zu dir an den Tresen setze?«

»Liebend gern. Kaffee?«

»Das wäre großartig!« Ich schenkte ihm ein Lächeln. Nachdem Rune mir einen Kaffee gebracht hatte, verschwand er in der Küche, und ich nahm mir ein Brötchen und Marmelade von dem kleinen Frühstücksbuffet.

»Und? Geht es heute weiter?«, erkundigte sich der Däne, als er wieder hinter dem Tresen stand. Ein älteres Ehepaar brach in dem Moment auf, und der Mann rief Rune etwas auf Dänisch zu. Rune antwortete und sah danach zurück zu mir.

»Nein, die Blasen an den Füßen sind leider zu schlimm, und ich schätze, in Flip-Flops sollte ich nicht weiterlaufen«, sagte ich seufzend.

»Ach, sei nicht enttäuscht, dann kommst du eben im nächsten Urlaub wieder her.« Rune lächelte.

Ich nickte tapfer. »Jetzt fahre ich erst mal zu einer Freundin nach Flensburg. Kannst du mir sagen, ob dort ein Bus hinfährt?«

»Ja, aber nicht direkt von hier, du musst ein Stück gehen und einmal umsteigen. Es ist ein bisschen kompliziert, ich zeige es dir später auf der Karte.«

Ich presste meine Lippen aufeinander. Auch das noch. »Danke«, sagte ich natürlich trotzdem zu Rune, er konnte schließlich nichts dafür.

Er betrachtete mich noch einige Sekunden, ehe er sagte: »Nora aus Münster, du schaust viel zu bedrückt. Glaube mir, das ist schon Leuten vor dir passiert und wird auch Leuten nach dir passieren. Im Leben läuft nicht immer alles so, wie wir es uns vorgestellt haben, aber das macht es doch erst interessant.«

»Hm«, grummelte ich, und plötzlich überrollte mich der ganze unterdrückte Frust. Ich zog meine Nase kraus und blinzelte, um die aufsteigenden Tränen zurückzudrängen, doch eine entschlüpfte und brach den Damm für weitere. Verlegen lächelnd, wischte ich sie mit dem Handrücken fort.

»Nicht so schlimm, Nora«, sagte Rune und klopfte mir

unbeholfen auf die Schulter. »Das verheilt bald, und dann kommst du nochmal her«, wiederholte er und reichte mir ein Taschentuch, mit dem ich unter den Augen entlangtupfte, in der Hoffnung, ich sähe aufgrund weggeschwemmter Mascara nicht schon aus wie ein Waschbär. Wenn die Blasen an den Füßen doch nur mein einziges Problem wären! Dabei krönten sie lediglich drei Tage voller Desaster.

Wie hatte mein Leben in so kurzer Zeit derart aus den Fugen geraten können? Vor einer halben Woche war noch alles in bester Ordnung gewesen, und jetzt saß ich hier allein in einer dänischen Gastwirtschaft mitten im Wald mit aufgescheuerten Füßen und heulte vor einem Fremden.

»Hej Rune!«, ertönte plötzlich eine dunkle, leicht raue Stimme. »Ich bringe deine Bierlieferung.«

Rune wendete sich von mir ab, nicht ohne mir nochmal aufmunternd zuzulächeln. Ich hob den Kopf. In der Tür stand ein äußerst attraktiver Typ. Groß, breitschultrig. Er trug in jeder Hand eine Bierkiste. Als mein Blick zu den Kisten glitt, streifte er unweigerlich seine Arme. Durch das Gewicht der Kisten spannten sich die Oberarmmuskeln an, die halb unter den Ärmeln eines weißen T-Shirts hervorschauten.

»Hej, Bent, dich habe ich ja lange nicht gesehen! Hat Tom keine Zeit?«

Dieser Bent stapelte die beiden Kisten vor dem Tresen aufeinander, und dabei blieb sein Blick für zwei Sekunden an mir hängen. Ich hoffte abermals, keine schwarzen Schlieren unter den Augen zu haben. Seine waren die hellblausten, die ich je gesehen hatte, und stachen leuchtend aus einem gebräunten Gesicht hervor, das von mittelbraunem Haar umrahmt wurde. Einige weitere Sekunden verstrichen, bis mir bewusst wurde, dass ich ihn anstarrte. Hastig wandte ich mich den Brötchenresten auf meinem Teller zu, während Bent Rune antwortete.

»Tom hat heute eine Gruppe Chinesen zu Besuch, die sind ganz scharf auf deutsches Bier.« Bent lachte auf. Es klang rau und dunkel und kitzelte angenehm meine Sinne. Irritiert von dieser Reaktion, gab ich vor, die Karte für den Mittagstisch zu studieren.

»Ich hole noch den Rest«, verkündete Bent unterdessen und machte sich wieder auf den Weg zur Tür. Über die Speisekarte hinweg schaute ich ihm nach. Seine Haare waren im Nacken etwas länger, sodass sie sich wellten, und unter dem Shirt ließ sich ein breites Kreuz erahnen.

»Noch Kaffee?«, fragte Rune, und ich zuckte ertappt zusammen.

»Ähm ja, danke.«

Mit einem Schmunzeln schenkte er mir nach, und ich spürte, wie sich meine Wangen röteten.

Dabei hatte ich weiß Gott andere Probleme, die sich auch prompt zurück in den Vordergrund meines Bewusstseins schoben.

Ich starrte in den Kaffee, der genauso schwarz war wie meine trüben Gedanken, und ließ die letzten Wochen und Monate Revue passieren. Wann hatte mich eigentlich Markus' Anblick zuletzt umgehauen? Vielleicht, als er vom Vorstellungsgespräch bei BMW in München zurückkam? Sein

Anzug war von der Fahrt leicht zerknittert gewesen, aber er hatte gestrahlt. Und ich hatte mich für ihn gefreut. Doch an einen Gedanken, der sich in diesem Moment auf seine Attraktivität bezog, konnte ich mich nicht erinnern. Was nach vier Jahren Beziehung normal war, schätzte ich. Da zählten schließlich innere Werte mehr. In meinen Erinnerungen kramte ich nach dem letzten Mal, als wir zusammen ausgelassen gelacht hatten.

Aber ehe es mir einfiel, spürte ich den Blick des Bierlieferanten auf mir, der mit einem Fass und einer weiteren Kiste wieder den Gastraum betrat. Rune hatte in der Zwischenzeit die ersten Kisten nach hinten weggeräumt.

»*Mange Tak*, Bent«, sagte Rune.

»*Vesko*«, antwortete Bent auf Dänisch, und ich kam nicht umhin, den rauen Klang seiner Stimme sexy zu finden.

Auf den ersten Blick war dieser Bent definitiv eine Zehn. Bei Markus hingegen war es eher Liebe auf den zweiten Blick gewesen. Aber letztlich war nicht der erste Eindruck entscheidend. Schönheit kam schließlich aus dem Inneren.

»Bent, Nora muss nach Flensburg, kannst du sie nicht mitnehmen?«

Was? Ich schreckte aus meinen Gedanken hoch.

Die eismeerblauen Augen von Bent verharrten auf mir, und ich las Abwägung darin, was mir ungewollt einen kleinen Stich versetzte. Meine Wangen glühten mittlerweile.

»Das ist nicht nötig, ich nehme den Bus.«

»Ach, wieso, wenn Bent eh fährt«, wehrte Rune meinen Versuch, mir eine Abfuhr zu ersparen, ab.

»Ja, klar, kann ich machen«, sagte Bent, wirkte allerdings

nicht sonderlich erfreut darüber. Der Typ schien wirklich nur äußerlich eine Wucht zu sein. Dennoch machte mich der Blick aus seinen Augen nervös, und ich rutschte auf dem Barhocker hin und her. »Das ist wirklich nicht nötig«, beharrte ich. Doch er schien meine Worte gar nicht zu hören, sondern sah demonstrativ auf die Uhr, die hinter dem Tresen an der Wand hing. »In fünf Minuten muss ich los.«

Wie unhöflich konnte man eigentlich sein? Ich warf ihm einen finsteren Blick zu, den er ebenfalls nicht bemerkte, weil er sich nun auf das Display seines Handys konzentrierte.

Keine Ahnung, was mich dazu bewegte, ihm nicht einfach eine gute Fahrt zu wünschen und weiter meinen Kaffee zu schlürfen. Stattdessen glitt ich von dem Hocker und unterdrückte abermals einen Schmerzlaut, als dabei die Haut an meinen Fersen unter Spannung geriet. In dem Versuch, möglichst wenig zu humpeln, lief ich mit steifem Rücken Richtung Flur, der zu den Zimmern führte. In meinem angekommen, dauerte es keine zwei Minuten, bis ich den Rucksack gepackt hatte.

Im Gastraum lehnte Mr Ich-hab-es-eilig am Tresen und sprach mit Rune, als ich zurückkam. Bents Augen huschten zu mir, und er stieß sich vom Tresen ab.

»Ich muss noch auschecken«, erklärte ich.

Rune hatte mir die Rechnung bereits ausgedruckt, und ich brauchte nur noch meine Karte vor das Lesegerät halten.

»*Farvel*, Nora aus Münster, ich hoffe, wir sehen uns mal wieder.« Der Däne zwinkerte.

»Vielen Dank, ja, vielleicht.« Ich winkte ihm lächelnd zu, dann folgte ich Bent nach draußen, wo die Sonne an einem wolkenlosen Himmel stand.

Ich kniff die Augen zusammen und schirmte sie mit einer Hand ab, bis ich mich an das helle Licht gewöhnt hatte. Im nächsten Moment entfuhr mir ungewollt ein »Wow« beim Anblick des Lieferwagens, dessen Fahrertür Bent gerade öffnete. Es war ein Oldtimer. Ich kannte mich mit Autos nicht aus, aber ich schätzte, es handelte sich um einen amerikanischen Pick-up aus den 1950er Jahren. Blau lackiert, mit großen, geschwungen Formen und riesigen Kotflügeln. Auf der hinteren Ladefläche waren einige Kisten und Fässer verzurrt. *Flensburger Biermanufaktur* stand auf der Autotür, ebenfalls im Retrodesign.

»Tolles Auto.«

»Gehört der Brauerei«, erklärte Bent knapp und stieg ein.

Ich griff nach der Beifahrertür und tat es ihm gleich. Der Platz war begrenzt und mein Rucksack groß. Etwas umständlich bugsierte ich ihn in den Fußraum. Bents Blick glitt kurz zu meinen Füßen, und er wartete, bis ich mich angeschnallt hatte, bevor er anfuhr. Erst als wir auf der Hauptstraße angekommen waren, fragte er: »Und? Die Wandertour schon beendet?«

Ich musterte sein Profil, die gerade Nase und die kräftigen Wangenknochen. »Ich musste abbrechen, weil ich mir Blasen gelaufen habe.«

Selbst von der Seite konnte ich sehen, dass er die Augenbrauen leicht hochzog. »Dann wanderst du sonst wahrscheinlich eher weniger?«

Verspottete er mich? Irgendwie schaffte er es, mich mit ganz normalen Sätzen zu beleidigen. Seine überhebliche Art brachte mich langsam aber sicher auf die Palme, und gleichzeitig machte er mich nervös, sodass ich reagierte wie ein Schulmädchen, das unbedacht losplapperte, während es eigentlich versuchte, sich betont lässig zu geben.

»Ja, mein Freund und ich haben aktuell eine kleine Beziehungspause. Ich brauchte etwas Zeit für mich, wollte beim Wandern den Kopf frei kriegen. Sagt man doch, dass so was gut ist zur Selbstfindung.« O mein Gott! Jedes Wort, das meinen Mund verließ, klang bescheuert. In dem Versuch, das wieder glattzubügeln, brabbelte ich weiter. »Jetzt schaue ich mal, was Flensburg zu bieten hat. Eine Freundin von mir lebt dort. Und dann lass ich mich durch den Sommer treiben.«

Es sollte frei und unabhängig klingen, aber ich fürchtete, es klang schlichtweg erbärmlich. Zumindest ließ mich Bents humorloses Auflachen so etwas vermuten.

»Was ist das heutzutage mit dieser Selbstfindung – haben sich denn alle *verloren*?« Es war offensichtlich, dass er sich darüber lustig machte, dennoch traf er damit einen Nerv bei mir, fühlte ich mich doch genau so – verloren. Ich bemühte mich, das Gefühl zu verdrängen, und schaute nach vorn, wo wir in diesem Moment die deutsch-dänische Grenze überquerten. Angestrengt gab ich mir Mühe, nicht so angetan zu sein von seinem Duft, der durch den Luftzug des leicht geöffneten Fensters zu mir herüberwehte. Er roch herb und gleichzeitig frisch.

Einige Kilometer vergingen schweigend, bis ich die Stille

nicht mehr aushielt. Mit ein wenig Smalltalk würde die restliche Strecke sicherlich schneller bewältigt sein.

»Arbeitest du schon lange in der Brauerei?«, fragte ich.

»Ich arbeite dort nicht, ein Freund von mir ist Teilhaber, und ich helfe ihm heute lediglich aus.«

»Ach so. Das Bier ist lecker, ich habe es gestern probiert. Gibt es die Brauerei schon lange?«

»Es gibt dort Führungen, da werden alle deine Fragen beantwortet.«

»Aha«, entgegnete ich eingeschnappt. Was für ein Blödmann! Mit diesem Brummbär Smalltalk zu betreiben war, als flöge ein Papierflieger gegen eine Betonwand. Warum hatte er denn eingewilligt, mich mitzunehmen, wenn es ihm so zuwider war? Und wieso war es ihm überhaupt zuwider? Es konnte nichts mit meiner Person zu tun haben, weil er mich nicht kannte, dennoch wurmte mich seine Art. So benahm man sich einfach nicht.

»Hattest du einen schlechten Tag? Oder habe ich was Falsches gesagt oder getan?«, platzte es genervt aus mir heraus.

»Nein, eigentlich nicht.« Stur wie ein Ochse, sah er auf die Straße.

»Also bist du immer so charmant«, stellte ich ironisch fest. »Nun, du hättest mich ja nicht mitnehmen müssen.« Ich wand meinen Blick demonstrativ aus dem Fenster.

Erneut vernahm ich ein Auflachen.

»Sorry, wenn ich dich enttäuschen muss, aber die Welt dreht sich nicht nur um Prinzessinnen wie dich, die auf der Suche nach was auch immer sind.«

Ich schnappte hörbar nach Luft, während ich zu ihm herumfuhr. »Geht's noch? Du kennst mich doch gar nicht!«

Als Antwort zuckte er lediglich mit der Schulter.

Unfassbar dieser Typ. Optisch eine zehn, ja, aber charakterlich so attraktiv wie ein Dixi-Klo bei einem Festival – am letzten Tag.

Wir erreichten die Stadtgrenze von Flensburg schweigend.

»Wo soll ich dich rauslassen?«

Hier, hätte ich am liebsten geblafft, riss mich aber zusammen. Eilig holte ich mein Handy hervor und checkte den Standort, den Lara mir geschickt hatte. »In der Nähe des Nordertors, wenn es keine zu großen Umstände macht.« Ich versuchte, gleichgültig zu klingen, konnte die Ironie aber nicht ganz aus meinen Worten heraushalten.

Bent nickte und fuhr weiter in die Stadt hinein. Links erschien ein großes Werftgelände, dahinter blitzte die Ostsee auf. Doch dann setzte Bent den Blinker und bog rechts in eine Stichstraße und hielt kurz darauf an.

»Da ist das Nordertor.« Mit dem Kopf deutete er zur Seite. Ich folgte seinem Blick und entdeckte ein großes Tor, das eher an ein Haus erinnerte und durch dessen Mitte man in die Innenstadt gelangte. Der First war in kunstvollen Treppen gemauert, und zahlreiche Fenster verrieten, dass im Inneren womöglich tatsächlich jemand wohnte oder mal gelebt hatte. Im krassen Gegensatz dazu schloss rechts an das Tor ein gläsernes Gebäude an.

»Ich stehe hier im Halteverbot«, holte Bent mich aus der Bewunderung für das alte Stadttor. Hatte der überhaupt keine Manieren?

Wortlos zog ich den Rucksack aus dem Fußraum, stieß die Autotür auf und glitt auf die Straße, wobei die Flip-Flops ein platschendes Geräusch machten. Am liebsten hätte ich die Tür ohne Abschiedsworte zugeschlagen, aber im Gegensatz zu ihm hatte ich Manieren, weswegen ich mit einem zuckersüßen Lächeln »Danke fürs Mitnehmen« sagte und im Anschluss die Tür etwas fester als nötig zuschlug, ohne eine Erwiderung abzuwarten. Ich war mir sicher, sie hätte mir eh nicht gefallen.

Schwungvoll hievte ich den Rucksack auf den Rücken. Meine Schultern quittierten das Gewicht sofort mit einem Ziehen. Davon ließ ich mir jedoch nichts anmerken und lief los in Richtung Stadttor. Erst als ich den ersten Schritt unter den Rundbogen gemacht hatte, drehte ich mich um, in der Erwartung, höchstens noch die Rücklichter des Oldtimers zu sehen. Doch stattdessen begegnete ich Bents Blick für eine Sekunde, ehe er den Blinker setzte und Gas gab. Aus einem Impuls heraus hob ich eine Hand und zeigte ihm den Mittelfinger. O Gott, wann hatte ich diese Geste das letzte Mal gemacht? In der Schule? Aber der regte mich einfach auf!

»Was für ein Typ!« Ich schüttelte den Kopf und platschte in den Zehentretern die Straße entlang, versuchte, weder an das Brennen an den Fersen noch an meine schmerzenden Schultern zu denken, sondern konzentrierte mich auf die reizvolle Architektur der Fördestadt.

Kapitel 8

EIN SCHILD MIT dem Namen *Hygge Up* führte mich von der Hauptstraße hinein in eine kleine Gasse. Das Kopfsteinpflaster wurde eine Spur unebener, als ich in den schmalen Durchgang trat. Doch rasch öffnete sich die Enge zu einem großen Hinterhof. Die Fassaden der Häuser waren größtenteils weiß verputzt, die alten Sprossenfenster dunkelgrün oder blau gestrichen. Nur ein Gebäude hatte eine Klinkerfassade. Rosen rankten sich in Pink und Orange an den Mauern der Sonne entgegen.

Der Laden *Hygge Up* befand sich gleich vorn links. Ein großes, rundes Metallschild mit dem Namen hing über dem Eingang, zu dem zwei steinerne Stufen hinaufführten. Im Laden daneben schien allerlei Krimskrams verkauft zu werden, und am Ende des Hofs standen Stühle um kleine, runde Tische vor einem Café, an dessen Fassade ein Schild mit der Aufschrift *Bei Ilse* hing. Auf der gegenüberliegenden Seite des *Hygge Up* gab es zwei weitere Geschäfte. Der Hof vermittelte eine urige Atmosphäre, und der Ärger über diesen unverschämten Bent fiel von mir ab.

Ein letztes Mal ließ ich den Blick schweifen, dann drückte ich die Klinke zum *Hygge Up* hinunter. Eine Türglocke verkündete mein Eintreten. Gleich neben dem Eingang gab es ein Letterboard mit dem Spruch: *Wenn es dich glücklich macht, muss es keinen Sinn ergeben.* Hinter einem hölzernen Tresen mit altmodischer Registrierkasse stand Lara, die mich anlächelte und mit »Moin« begrüßte, sich danach aber wieder in die Zeitschrift vertiefte, die vor ihr lag.

»Hi«, erwiderte ich, verwundert über ihr unpersönliches Verhalten.

»Nora!«, ertönte in diesem Augenblick eine Stimme rechts von mir, und ich wendete den Kopf. Da stand Lara mit einem breiten Lächeln im Gesicht. Verwirrt schaute ich zurück zum Tresen, und dann fiel es mir wieder ein: Lara und ihre Schwester waren Zwillinge!

Ich lachte und drehte mich wieder zu meiner Freundin um, die sich zwischen zwei alten Tischen hindurchquetschte. »Sorry, ich hatte vergessen, dass du eine Zwillingsschwester hast!«

»Nora, so schön, dich zu sehen! Du hier in Flensburg – ich fasse es nicht!«, rief sie und riss mich in ihre Arme.

»Ich auch nicht«, erwiderte ich.

»Komm, setz deinen Rucksack ab. Und das ist Linn.«

Diese schenkte mir erneut ein unverbindliches Lächeln.

»Freut mich, dich kennenzulernen. Ich bin Nora.«

»Lara schnackt schon den ganzen Tag von nichts anderem. Schön, dass du da bist«, sagte Linn und widmete sich wieder dem aufgeschlagenen Artikel.

»Komm, wir stellen dein Gepäck nach hinten. Hier vorn ist zu wenig Platz.«

»Euer Laden ist wunderschön«, sagte ich bewundernd. Meine Augen erfassten erst nach und nach die vielen besonderen Stücke, die liebevoll überall aufgestellt und mit dekorativen Details wie Kissen, Geschirr und Kerzen in Szene gesetzt worden waren. Auf Regalen reihten sich hyggelige Holzhäuschen, Vasen und andere Dekoartikel auf. Bei den Möbeln handelte es sich zwar um alte, aber keinesfalls um altmodische Teile. Jedes Stück in diesem Laden war stilvoll. »Kann ich vorübergehend hier einziehen?«, fragte ich.

»Da musst du dich hinten anstellen. Das ist nämlich die Frage, die die Leute uns am häufigsten stellen«, sagte Lara lachend und mit einer Portion Stolz in der Stimme. Ich folgte ihr ins Lager hinter dem Ausstellungsraum, wo sich weitere Möbel stapelten. Fasziniert strich ich über die kunstvolle Verzierung eines Schrankes. »Wo findet ihr all diese Schätze?«

»Meistens in Holland und Belgien, dort gibt es spezielle Märkte dafür, teilweise aber auch in Skandinavien, und vereinzelnd haben die Leute hier noch solche alten Schätze in ihren Häusern.«

»Dann warst du die letzten Tage auf einem Möbelmarkt?«

Sie nickte. »In Holland.«

»Da verspüre ich glatt selbst den Wunsch, die Arbeit als Krankenschwester hinzuschmeißen und solch einen Laden zu eröffnen!«

»Ach, stell es dir nicht so rosarot vor. Die ersten zwei

Jahre waren nicht leicht, und die Pandemie hat uns natürlich auch zugesetzt. Aber allmählich läuft es gut, und ja – ein eigener Laden ist wie ein eigenes Baby. Wir haben zudem großes Glück mit den übrigen Ladenbesitzern hier in unserem Hinterhof. Wir halten alle zusammen und unterstützen uns gegenseitig.«

»Man sieht dir an, dass du glücklich bist.«

Sie lächelte. »Ich frage Linn, ob sie die Stellung hält, dann können wir was trinken gehen. Oder hast du Hunger?«

Kaum setzte ich an zu antworten, da bimmelte die Türglocke. »Ich bin mal eben weg!«, rief Linn noch, bevor die Tür hinter ihr zuschlug.

»Das darf doch nicht wahr sein!«, schimpfte Lara und eilte in den Verkaufsraum. Ich folgte ihr, aber von ihrer Schwester war durch eines der Sprossenfenster nur noch der blonde Pferdeschwanz zu sehen, kurz bevor er im Durchgang zur Hauptstraße verschwand.

»Grrr«, machte Lara. »Wenn ich vorzeitig graue Haare bekomme, dann wegen ihr. Aber weißt du was? Wir holen uns ein Stück Kuchen und einen Kaffee bei Ilse nebenan und setzen uns damit auf die Stufen vor den Laden. Heute ist sowieso nicht viel los. Das Wetter ist zu schön.«

»Klar, weit hätte ich eh nicht laufen können.« Ich hob den linken Fuß.

Laras Blick glitt zu meiner Ferse. »Blasen gelaufen?«, fragte sie mit einem leichten Grinsen, das ihre blassblauen Augen funkeln ließ.

Ich nickte.

»Oje! Komm, darauf gibt es erst mal ein Stück Kuchen.«
Sie trat aus dem Laden und steuerte das Café am Ende des
Hinterhofes an. »Hallo Ilse!«, rief sie, als wir uns vor die
Theke stellten. »Hast du schon ein Stück Kuchen für uns?«
Lara drehte sich zu mir um. »Sie öffnet eigentlich erst in
einer halben Stunde.«

Aus einem der hinteren Räume erschien eine ältere Frau,
die grauen, langen Haare zu einem Dutt aufgedreht. Zum
Schutz ihrer weißen Bluse trug sie eine blaue Schürze, deren
Ränder kunstvoll bestickt waren.

»Na, ihr zwei Hübschen, für euch doch immer. Heute
würde ich euch die Rhabarber-Baiser-Torte empfehlen.
Frisch aus dem Garten.«

Lara sah mich fragend an, und ich nickte. Während Ilse
den Kuchen anschnitt, lehnte Lara sich mit dem Rücken an
die Theke und schaute zu ihrem Laden hinüber. Ich bewun-
derte derweil die zahlreichen Fotos an den Wänden, die alle-
samt maritime Motive zeigten, vermutlich hier in Flensburg
aufgenommen. Auf jeden Fall erkannte ich die gegenüberliegende Hafenseite wieder. Ansonsten war das Café gemütlich
eingerichtet. Die kleinen weißen Holztische und Stühle könnten aus Laras Laden stammen. Dazu gab es rote Sitzkissen.

»Hast du schon gehört, dass Martha überlegt, ihr
Geschäft abzugeben?«

Lara fuhr zu Ilse herum. »Nein, aktuell nicht, aber sie
hat so was letztes Jahr schon einmal angedeutet.«

»Ich habe ihr oft genug gesagt, sie soll ihr Sortiment
überdenken oder erweitern, aber sie meint, sie wäre zu alt
für einen Neuanfang.«

»Wie schade. Hat sie schon einen Nachmieter?«

Ilse schob zwei Teller über die Theke. »Kaffee?«, fragte sie in meine Richtung.

»Gern, schwarz bitte.« Ich lächelte, und sie erwiderte das Lächeln, bevor sie sich der Kaffeemaschine zuwandte und ihr Gespräch mit Lara fortsetzte.

»So weit ist sie noch nicht. Vielleicht ist noch Zeit, sie umzustimmen. Es wäre zu bedauerlich um unsere kleine Mietergemeinschaft. Wir haben es doch so nett miteinander. Aber falls sie es durchzieht, könntet ihr zwei den Laden nicht als Erweiterung gebrauchen? Schließlich liegt er direkt neben eurem.«

»Nein, das würde sich nicht lohnen, und ich möchte echt keine zusätzliche monatliche Belastung.«

»Das verstehe ich. So, bitte schön, ihr zwei.«

Ich zog meine Geldbörse hervor, aber Lara wehrte ab. »Ich lade dich ein.« Sie schaute Ilse fragend an.

»Elf Euro bekomme ich von dir.«

Nachdem Lara bezahlt hatte, schlenderten wir zurück und setzten uns auf die Eingangsstufen des *Hygge Up*. Die Sonne stand hoch am Himmel und schaffte es daher, trotz der aufragenden Fassaden bis in den Hinterhof zu scheinen. Nur die Westseite lag im Schatten.

Ich probierte zunächst den Kaffee, der ein herrliches Aroma verströmte.

»Jetzt erzähl aber mal«, forderte Lara mich mit vollem Mund auf. »Wie kommt es, dass du den Gendarmstien wandern wolltest? Mein letzter Stand war, dass du diesen Monat nach München ziehst!« Danach deutete sie auf meinen noch unberührten Teller. »Du musst den probieren. Ilses Backkünste sind einmalig.«

Ich stellte meine Tasse neben mich, trennte mit der Gabel ein Stück Kuchen ab und schob es mir in den Mund. Der Teig war fluffig, und dazu die Frische des Rhabarbers und die süße Baisermasse ... »Hm, sehr lecker«, sagte ich genussvoll. Und während ich einen zweiten Bissen nahm, überlegte ich, wo ich anfangen sollte zu erzählen. Ich begann schließlich mit dem Brief.

»Wie bitte?«, rief Lara fassungslos. »Er hat dir einen Brief geschrieben, in dem er dir mitteilt, er bräuchte eine Pause? Und das kurz bevor das Umzugsunternehmen vorfuhr?«

Ich nickte und spürte ein Brennen in meinem Magen. Ich fühlte mich so ausgeliefert, so abhängig von der Entscheidung, die er in den nächsten Wochen treffen würde! Das war nicht fair.

»So ein Arschloch! Du solltest die Zeit nutzen, um *dir* zu überlegen, ob *du* das überhaupt noch willst. Wie er dich behandelt hat, ist einfach nicht in Ordnung. Tut mir leid, aber da hätte ich viel zu viel Angst, dass er mich irgendwann wieder so hängen lässt.«

Meine Antwort bestand aus einer Grimasse, denn trotz allem wünschte ich mir, dass der Spuk bald vorbei war und Markus und ich da weitermachten, wo er vor drei Tagen auf die Pausetaste gedrückt hatte. Wir waren doch schon so lange zusammen und hatten Pläne ...

»Deswegen dachte ich, es ist eine gute Idee, wandern zu gehen. Es heißt doch, dabei bekommt man den Kopf frei und sieht die Dinge klarer. Außerdem wollte Markus nie in den Norden, und ich habe das Meer vermisst.«

»Gute Entscheidung.« Lara nickte eifrig.

»Na ja, hat ja leider nicht geklappt.« Ich wackelte mit den Füßen.

»Aber du bist am Meer. Und jetzt kommst du mit zu mir – oder hast du bereits andere Pläne?«

Ich seufzte, und meine Schultern sackten nach vorn. »Nein, mein Plan reichte nur bis zum Gendarmenpfad und bis zu dir.«

»Hey, nicht den Kopf in den Sand stecken. Du kannst gern bei Linn und mir bleiben, und übers Wochenende zeige ich dir Flensburg und die Förde. Dann wirst du gar nicht mehr nach München wollen.«

»Das ist lieb von dir. Ich kann aber auch in ein Hotel gehen, die erste Nacht habe ich in einem direkt am Hafen geschlafen.«

»Auf keinen Fall! Allerdings musst du dich mit dem Sofa begnügen. Ein Gästezimmer haben wir leider nicht.«

Kurz wog ich ab, was wieder eine Welle Sehnsucht nach Markus auslöste. Doch ich schob die Gedanken an ihn fort und beschloss, das Beste aus der Zeit bei Lara zu machen. Wenn sie mir also ihr Sofa anbot, wäre es Quatsch gewesen, Geld für ein Hotelzimmer auszugeben.

»Ach ja, mein Auto ist auf dem Weg hierher auch noch liegen geblieben. Es steht bei einem Opelhaus in der Liebigstraße.«

»Ach du dickes Ei. Du hast ja eine richtige Pechsträhne!«

Ich nickte. »Bevor das alles begann, hatte ich eine Begegnung mit einer schwarzen Katze. Eigentlich bin ich nicht abergläubisch, aber so langsam …«

Lara legte mir einen Arm um die Schulter. »Egal, warum oder wie sie begann: Jede Pechsträhne geht mal vorbei. Das sagt mein Vater immer. Einfach weitermachen, dann findet einen das Glück auch wieder.«

Ich deutete durch die offen stehende Ladentür auf das Letterboard. »Hast du von deinem Vater die Vorliebe für solche Sprüche?«

Sie wiegte ihren blonden Schopf hin und her, als hätte sie noch nie darüber nachgedacht. »Ja, das ist wohl so – er hat meistens einen aufmunternden Spruch parat.«

Ich schaute erneut auf das Letterboard. *Wenn es dich glücklich macht, muss es keinen Sinn ergeben.*

Aber was war, wenn sich alles richtig anfühlte – und ein anderer beschloss, dass es keinen Sinn mehr ergab?

Kapitel 9

LARA UND LINN wohnten in einer Altbauwohnung nur ein paar hundert Meter von ihrem Laden entfernt, im dritten Stock und mit einer kleinen Dachterrasse gen Osten. Wenn man sich ganz lang streckte, konnte man hinter den Dächern sogar einen Zipfel der Förde sehen.

In den folgenden zwei Tagen gab Lara sich die allergrößte Mühe, mich abzulenken. Am Samstagmorgen beim Frühstück überredete sie Linn, allein die Stellung im Laden zu halten, die dem nur murrend zustimmte. Zwischen den Zwillingen braute sich binnen Sekunden ein Unwetter zusammen, doch als Linn aufbrach, hellte sich Laras Stimmung ebenso schnell wieder auf. Wir fuhren mit Fahrrädern durch die Stadt, und am Abend saßen wir auf der gegenüberliegenden Hafenseite an der Kaimauer in der Abendsonne und ließen unsere Beine über dem Wasser baumeln.

»Wie geht's deinen Füßen?«, fragte Lara und rührte mit dem Pappstrohhalm in ihrem Getränk.

»Sie beginnen zu heilen.«

»Gut, denn morgen gehen wir SUP-Board fahren, und Salzwasser brennt an offenen Stellen.«

»SUP-Board? Du meinst diese Stand-up-Paddle-Boards? Das wollte ich schon länger mal ausprobieren, aber Markus ist eher wasserscheu.«

»Genau die meine ich, das bringt richtig Laune, und morgen soll es fast windstill sein. Die Brise kommt zudem aus Nordwest, deswegen fahren wir zur Bucht von Holnis, da sollten die Bedingungen perfekt sein. Auf dem Rückweg können wir in Glücksburg Halt machen. Da gibt es ein Wasserschloss und eine schöne Strandpromenade.«

Ich schaute Lara an, das weiche Abendlicht reflektierte sich in ihren Augen. »Danke, dass du dir so viel Zeit für mich nimmst, auch heute war ein toller Tag.«

»Es ist schön, dass du da bist.«

»Eigentlich eine Schande, dass wir es zuvor nie geschafft haben, uns zu besuchen.«

»Das stimmt, aber so ist es doch oft – es kommt einfach immer das Leben dazwischen. Zumindest haben wir uns geschrieben.«

»Du brauchst aber keine Angst haben, dass ich wochenlang dein Sofa beschlagnahme. Sobald mein Auto repariert ist, werde ich zu meinen Eltern fahren.« Obwohl ich das nicht wollte, blieb mir wohl nichts anderes übrig.

»Aber wieso? Ich habe dich so gern hier, und wenn du nicht die ganze Zeit bei uns auf dem Sofa campieren willst, was ich verstehen kann, denn es ist ziemlich durchgesessen, miete dir doch eine Ferienwohnung. Ich fände es schade, wenn du so bald wieder verschwindest.«

»Mal schauen«, erwiderte ich ausweichend und beobachtete ein Boot, dessen Motor eine Schneise in die glatte Wasseroberfläche fräste. Lara würde während der Woche von morgens bis abends im Laden stehen, und in den letzten beiden Tagen hatte ich gemerkt, dass mir Unternehmungen zu zweit einfach mehr Spaß machten, als wenn ich ganz allein loszog. Ich wollte sie zudem nicht jeden Tag nach Feierabend in Beschlag nehmen. Und ich war nicht von Janines Sofa geflüchtet, um nun auf dem nächsten zu landen. Aber eine Ferienwohnung wäre vielleicht eine Option. Meine Gedanken wanderten zu Markus nach München, in die Wohnung, die ich bisher nur von Fotos kannte. In den letzten beiden Tagen waren die Ereignisse um den geplatzten Umzug gesackt, und bei aller Hoffnung auf ein gutes Ende dieser leidigen Beziehungspause gab es schon jetzt ein paar Dinge, die ich Markus gern gesagt hätte. Bei diesem überstürzten Abenteuer mit dem Wandern war mir bewusst geworden, dass es in den letzten Jahren vor allem Markus gewesen war, der entschied, wie wir unsere Freizeit verbrachten. Durch den Stress bei der Arbeit hatte ich es ganz bequem gefunden, Markus' Ideen zu folgen, statt mir selbst Gedanken zu machen. Außerdem war er furchtbar maulig, wenn ich ihn zu etwas überredete, auf das er keine Lust hatte. Doch das hatte offenbar zu einem Ungleichgewicht geführt, denn nur so konnte ich mir erklären, dass er glaubte, er könnte einfach allein entscheiden, dass *wir* eine Pause bräuchten. Es hatte kein Gespräch dazu stattgefunden, er wollte das und fertig.

»Übrigens«, sagte ich, um das Thema zu wechseln und

nicht zu tief in meine Grübeleien abzudriften, »ich habe dir noch gar nicht erzählt, wie ich von Dänemark zurück nach Flensburg gekommen bin. Eigentlich sollte es mich nicht wundern, dass ich bei allem, was in den letzten Tagen schiefgelaufen ist, auch noch das Pech hatte, dem unfreundlichsten Norddeutschen überhaupt zu begegnen.« Ich fasste die Geschichte vom netten Gastwirt Rune und dem schlecht gelaunten Bierlieferanten zusammen. Keine Ahnung, warum ich gerade jetzt wieder an diesen Blödmann denken musste.

»Welches Bier war das denn?«, fragte Lara.

Verdutzt, dass sie dies für den interessanten Teil der Story hielt, überlegte ich, was auf dem Etikett gestanden hatte. »Flensburger Biermanufaktur. Das Bier war lecker.«

Lara grinste über ihr ganzes Gesicht. »Das ist die Brauerei meines Vaters.«

»Echt?«

Sie nickte.

»Verrückt! Aber ja, jetzt erinnere ich mich, du hast damals erwähnt, dass dein Vater Bierbrauer ist. Das hat mächtig Eindruck bei den Jungs gemacht.« Ich lachte bei dem Gedanken daran.

»Das hat es, und das macht es heute noch. Aber ich will keinen Mann, der von *so was* beeindruckt ist.« Sie rollte mit den Augen. »Mittlerweile hat sich mein Vater allerdings aus dem aktiven Geschäft weitestgehend zurückgezogen und die Führung an Tom übergeben, nachdem Linn und ich kein Interesse hatten. Obwohl es eine Zeit lang aussah, als wollte Linn in das Geschäft einsteigen, aber sie ist da oft etwas … flatterhaft.«

»Aber euer Laden ist jetzt das Richtige für sie?«

»Ich hoffe es.« Lara seufzte kurz. »Dann war es vielleicht Tom, der dich mitgenommen hat.«

Ich schüttelte den Kopf. »Nein, er hieß Bent, und er hat offenbar nur einem Freund ausgeholfen.«

»Ach so. Einen Bent kenne ich nicht. Oder? Irgendwie kommt mir der Name bekannt vor … Aber es hätte mich auf jeden Fall gewundert, wenn es sich um Tom gehandelt hätte. Der ist nämlich ein netter Typ.«

»Dieser Bent nicht. Das war ein richtiger norddeutscher Brummbär«, beschwerte ich mich.

Lara lachte. »Norddeutsche sind eigentlich nicht generell brummig. Vielleicht hatte ihm ja schon vorher etwas die Laune verdorben, und du hast es dann unverdient abbekommen.«

»Sag ich doch: ein Blödmann.«

»Soll es geben – blöde Männer.«

Wir schauten uns an und prusteten los.

»Gibt es auch *nicht* blöde Männer?«, fragte ich spöttisch.

»Ich fürchte, nein. Oder sie sind schon alle vergeben.«

»Gibt es in deinem Leben zurzeit einen?«

»Was, einen Blödmann?«, Lara grinste, und ich nickte.

»Ich habe dich und deinen trockenen Humor echt vermisst.«

»Du hättest ja nach der Ausbildung nicht wieder so weit wegziehen müssen. Dann hätten *wir* jetzt vielleicht diesen schnuckeligen Laden zusammen, und ich müsste mich nicht ständig über Linn ärgern«, flachste Lara.

Ich betrachtete sie lächelnd. Es fühlte sich fast an, als

hätten wir erst gestern zusammen im Schwesternwohnheim gewohnt, dabei lagen so viele Jahre, Erlebnisse und Entscheidungen dazwischen, dass es sich eigentlich anfühlen müsste wie ein anderes Leben.

»Bist du glücklich mit deinem Entschluss, nicht mehr als Krankenschwester zu arbeiten?«, erkundigte ich mich nach einem Schluck Aperol. Mein Strohhalm war mittlerweile ziemlich aufgeweicht.

»Ja«, erwiderte Lara bestimmt und ohne zu zögern. »Für diesen Job war ich einfach zu sensibel. All diese Schicksale und Krankheiten ... Es hat mich bis in meine Träume verfolgt. Der Laden – mich mit den schönen Dingen des Lebens zu umgeben –, das macht mich glücklicher. Ich bin froh, dass ich während der Pandemie nicht mehr im Krankenhaus gearbeitet habe.«

»Ja, das war teilweise wirklich furchtbar. Der Personalmangel – und die armen Leute, die niemand besuchen konnte. Dazu die vielen Nachtschichten, das hat mich in den letzten Jahren auch geschlaucht. Deswegen hatte ich mich gefreut, in München etwas weniger zu arbeiten, denn eigentlich erfüllt mich die Arbeit in der Klinik schon.«

»Vielleicht kommt ja wieder alles in Ordnung.«

»Ja, vielleicht.«

*

Am Sonntag brachen wir zeitig auf und erreichten um halb zehn die Halbinsel Holnis, die den Eingang zur Flensburger Förde bildete. Auf den Weg dorthin fuhren wir durch

Glücksburg, und ich verrenkte mir den Hals, um schon mal einen Blick auf das weiße Wasserschloss zu erhaschen. Hinter dem Ort schlängelte sich die Straße in zahllosen Kurven durch eine hügelige Landschaft, links befand sich ein großer Wald und rechts Wiesen. Auf einigen lag das abgemähte Gras in geschwadeten Reihen aufgeschichtet und wartete darauf, zu Heuballen gepresst zu werden. Auf anderen Feldern wuchs Korn, deren Ähren sich im Wind bogen. Nach dem Tag zuvor in der trubeligen Stadt genoss ich das ländliche Idyll.

»Es ist wunderschön hier! Die Landschaft ist anders als drüben an der Nordseeküste. Lieblicher.«

»Stimmt, die Westküste ist rauer und karger. Obwohl für die meisten Leute wohl der größte Unterschied darin besteht, dass wir immer Wasser haben.«

»Dazu zähle ich auch.« Ich grinste.

»Dabei gibt es hier durchaus unterschiedliche Wasserstände.«

»Aber die Ostsee hat doch keine Gezeiten, oder?«, fragte ich verwirrt.

»Das denken die Leute, aber es gibt Flut und Ebbe. Nur merkt man meistens kaum etwas davon, weil der Tidenhub so gering ist. Was man häufig deutlicher merkt, ist, wenn der Wind das Wasser rausdrückt oder eben zum Land hin.«

Rechts tauchte jetzt das Meer hinter einer Ansammlung von Häusern auf, und Lara setzte kurz darauf den Blinker. Wir parkten an einem Strandabschnitt, an dem sich eine Surfschule samt SUP-Verleih befand. Nur vereinzelt bevölkerten Leute den feinen Sand mit ihren Handtüchern und Decken, erst circa 500 Meter weiter war der Strand stärker besucht. Lara folgte meinem Blick.

»Dahinten gibt es eine kleine Strandpromenade mit Bistro und einem großen Campingplatz samt Ferienwohnungen, deswegen ist dort mehr los.«

Ich schaute von der Menschenansammlung zum Wasser, das spiegelglatt vor uns lag. Die Sonne leistete ganze Arbeit und hatte die Temperaturen schon an die 25-Grad-Marke getrieben.

Nachdem wir unsere Sachen auf dem schmalen Strand abgestellt hatten, liehen wir uns beide ein Board bei der Surfschule. Die Bretter waren riesig und unhandlich, aber der Weg zum Wasser glücklicherweise nur kurz.

Die Uferzone erstreckte sich flach vor uns, das Wasser reichte mir auch nach einigen Metern nicht einmal bis zum Knie. Kühl umspülte es meine Unterschenkel, sofort zog eine Gänsehaut meine Beine hinauf. Das Salzwasser brannte im ersten Moment, wie von Lara prophezeit, an meinen aufgescheuerten Füßen. Dafür war es so kristallklar, dass ich bis auf den Grund sehen konnte, wo ein Krebs meinen Weg kreuzte. Vorsichtig stieg ich über ihn hinweg. Auch das unterschied die Nord- von der Ostsee, stellte ich fest. Durch das Watt und den aufgewirbelten Schlick – wegen des ständig zu- oder abfließenden Wassers – war es meistens nicht möglich, den Boden zu sehen. Daran erinnerte ich mich aus meiner Ausbildungszeit noch sehr gut. Damals waren wir öfter an lauen Sommerabenden zur Nordsee gefahren.

»Los, knie dich aufs Board!«, rief Lara mir zu. Sie

stand bereits auf ihrem und wartete zwanzig Meter weiter draußen auf mich.

»Na, dann wollen wir mal«, murmelte ich. Das Brett lag erstaunlich stabil im Wasser, und ich schaffte es ohne Probleme hinauf.

Wie von Lara empfohlen, kniete ich mich zunächst hin und benutzte das Paddel wie bei einem Kajak. Ich erreichte meine Freundin ohne Zwischenfälle.

»Du hast recht, das macht Spaß! Und das Wasser ist so unglaublich klar.« Kniend ließ ich meinen Blick einmal über die Bucht schweifen. »Ich glaube, ich bin schockverliebt in dieses Fleckchen Erde! Das ist fast schon karibisch!«

Lara hob ebenfalls ihren Blick und nickte. »Holnis gehört zu meinen liebsten Stränden, auch wenn ich nicht immer die Zeit finde, hier rauszufahren. Aber es ist so wunderbar ruhig, nicht so überlaufen wie die Flensburger Strände oder Sandwig in Glücksburg. Hier entschleunigt man sofort. Allerdings liegt das Wasser nicht jeden Tag so glatt da. Die Ostsee kann auch anders.« Lara spritzte etwas Wasser mit ihrem Paddel in meine Richtung. »Was sagst du, Nora, bereit für eine kleine Tour durch die Bucht?«

»Klar!« Ich machte Anstalten, mich hinzustellen, wodurch das Brett sogleich an Stabilität verlor und bedrohlich schwankte.

»Du kannst auch kniend weiterpaddeln, das ist für den Anfang leichter.«

»Ach was, ich kriege das schon hin.«

Und das tat ich. Etwas wackelig stand ich auf dem Brett und drohte bei jedem Paddelschlag, erneut die Balance zu verlieren. Lara amüsierte sich köstlich, wenn ich mal wieder mit den Armen rudernd um mein Gleichgewicht kämpfte.

»Hör auf zu lachen! Ist schließlich nicht jeder an der Küste aufgewachsen. Wahrscheinlich werdet ihr Küstenkinder sogar mit Schwimmhäuten an den Füßen geboren. Deswegen trägst du auch diese Gummischuhe – um es zu verbergen.«

Sie lachte. »Du hast mich durchschaut. Aber im Ernst, du bist ein echtes Naturtalent. Ich bin das erste Mal mindestens fünfmal reingefallen.«

»Apropos reinfallen …« Ich schaute neben das Board ins Wasser. Hier war es tiefer, aber ich konnte dennoch geradewegs bis auf den hellen Sandboden schauen. Nur hin und wieder verdunkelte ein Seegrasfeld das Blau des Wassers.

»Sollen wir schwimmen? Ich könnte eine Abkühlung vertragen.«

»Klar, spring einfach hinein.« Lara deutete zum Wasser. »Aber befestige vorher das Paddel unter den Gummizügen.«

Ich kniete mich wieder hin und schob es unter die Gummibänder, die an der Spitze des Boards gespannt waren, damit man dort Gepäck sichern konnte.

»Also dann … Auf drei?«, fragte Lara und stand schon seitlich auf dem Board.

Ich nickte und zählte. »Eins, zwei und drei!« Während Lara zum Kopfsprung ansetzte, landete ich etwas weniger elegant mit den Füßen zuerst im Wasser. Prustend tauchte ich wieder auf. »Verdammt, ist das kalt!«

»Vorbei mit dem karibischen Gefühl?«, neckte Lara mich.

»Ja, eindeutig, jetzt fühlt es sich an wie die Arktis.«

»Es ist immerhin erst Juni, das Wasser hatte noch keine Zeit, sich aufzuheizen. Du musst dich bewegen, dann wird es besser.«

Wir schwammen ein Stück und zogen dabei die Bretter, die mit einer Leine an unseren Knöcheln befestigt waren, hinter uns her.

»Auch wenn es kalt ist, ist es wunderschön hier oben im Norden«, sagte ich japsend.

»Dann bleibe doch einfach hier, bis du die Stelle in München antreten musst.« Lara machte eine Pause, ehe sie hinzufügte: »Oder bis Markus sich meldet.«

»Ich weiß nicht ...« Ich angelte nach meinem Brett und lehnte mich mit den Armen darauf, genoss das Geräusch des Wassers, wenn es leise gegen das Board platschte.

»Was ist denn eigentlich, falls ...« Lara stockte kurz, und ich drehte meinen Kopf zur Seite, um sie anzusehen. »Falls Markus zu dem Schluss kommt, dass er mich tatsächlich nicht mehr genügend liebt?«, vervollständigte ich ihre Frage.

Mit betroffener Miene nickte sie.

»Keine Ahnung. Ich hoffe einfach, dass es nicht so kommt. Schließlich hatten wir so viele Pläne für München. Und was sollte ich dort allein? Mal abgesehen davon, dass ich mir dann erst mal eine Wohnung suchen müsste, wäre ich ohne Markus nie auf die Idee gekommen, in diese Stadt zu ziehen.« Humorlos lachte ich auf. Die Aussicht, dort allein zu wohnen, verursachte ein flaues Gefühl in meinem Magen, weswegen ich es bisher vermieden hatte, mich mit dieser Möglichkeit zu befassen. »Komm, lass uns weiter-paddeln, ich will jetzt nicht darüber nachdenken.«

»Du solltest die Zeit aber wirklich nutzen, um dir zu überlegen, ob Markus überhaupt noch der Richtige für dich ist – nachdem er dich so hängen gelassen hat. Ich kenne ihn nicht, aber ich finde, sein Verhalten geht gar nicht.«

»Hm …«, machte ich, während Lara sich gekonnt auf ihr Board zog. So leicht war das nicht, wenn man jemanden liebte und diese Person bis vor wenigen Tagen bei jeder Vorstellung, die man von der Zukunft hatte, eine Rolle spielte. Aber ich gab Lara recht: Die Art, wie er mich auf gepackten Kisten vor vollendete Tatsachen gestellt hatte, war unmöglich. Und so ungern ich es mir eingestehen wollte, hatte das einen Riss erzeugt – allerdings einen kleinen, der sich bestimmt kitten ließ.

Ich rappelte mich ebenfalls hoch. Schon etwas sicherer als zuvor, trieb ich das Paddel ins Wasser und genoss, wie die Sonne meine nasse Haut aufwärmte. Wir fuhren dicht an der Kante entlang zurück zum Ausgangspunkt. Und einmal glaubte ich für einen Wimpernschlag, einen Fuchs zwischen dem Bewuchs am Ufer hervorlugen zu sehen. Aber als ich genauer hinschaute, war dort nichts zu erkennen außer Bäumen und Sträuchern. Ich richtete meinen Blick nach vorn und versuchte, mit Lara mitzuhalten.

Später, nachdem wir über das Gelände des Schlosses in Glücksburg geschlendert waren, das von einem Wassergraben umgeben war und dessen weiße Fassade in der Abendsonne herrschaftlich strahlte, kauften wir uns ein Getränk an der Strandpromenade und spazierten am Wasser entlang zur kleinen Seebrücke. Der Strand Sandwig direkt in dem Ort Glücksburg war nicht so ruhig und idyllisch wie der von Holnis, aber nicht minder schön. Strandkörbe standen in dem weißen Sand, und zwei Hotels boten einen direkten Blick auf die Förde. In einem Gebäude unmittelbar am Wasser befand sich ebenfalls ein Surfshop mit einem Verleih für SUP-Boards. Im Fenster klebte ein Sammelsurium von Zetteln. Ankündigen für Veranstaltungen, eine Vermisstenanzeige für eine Katze (eine schwarze!) und ein Stellengesuch, an dem mein Blick hängen blieb, weil mir ein Wort ins Auge sprang. Holnis.

Automatisch blieb ich stehen und las den Zettel.

Mitarbeiter*in für die Rezeption auf dem
Campingplatz Camperglück auf Holnis gesucht.
Vorrangig Tätigkeiten an der Rezeption, keine
Ausbildung erforderlich, 25 Stunden in der Woche.
Unterkunft kann gestellt werden!

»Was liest du da?«, fragte mich Lara, die erst nach einigen Schritten bemerkt hatte, dass ich stehengeblieben war und nun hinter mich trat.

»Ein Stellenangebot von einem Campingplatz auf Holnis. Da waren wir doch vorhin.«

Lara nickte.

»Da steht: Unterkunft kann gestellt werden«, sagte ich mehr zu mir selbst. In meinem Kopf formte sich eine Idee,

95

die mir zunächst abwegig erschien, aber von Sekunde zu Sekunde sympathischer wurde.

»Überlegst du etwa, dich dort zu bewerben?«, fragte Lara ungläubig.

»Nein, oder ja – warum nicht?« Ich schaute von dem Zettel zu ihr. »Die bieten eine Unterkunft, und es sind nur fünfundzwanzig Stunden die Woche. Da hätte ich was zu tun, aber dennoch genügend Zeit, die Gegend zu erkunden. Außerdem war es traumhaft auf Holnis!«

»Hm, verstehe, du suchst nach Ablenkung. Mach doch ein Foto davon und schlafe eine Nacht darüber.«

Sie hatte recht. Ich zog das Handy aus meiner Tasche und fotografierte die Anzeige. Als ich es wieder wegstecken wollte, nahm sie es mir aus der Hand.

»Und jetzt machen wir noch ein Erinnerungsselfie von uns! Lächeln!«

Wir schossen ein Foto und danach gleich noch eins mit Grimassen. Im Anschluss stellte ich unsere Flaschen in den Sand und lichtete sie vor dem Wasser ab. Ja, es gab schlimmere Orte, um eine Beziehungspause auszusitzen.

Kapitel 10

AM MONTAGMORGEN STEUERTE Lara ihren Wagen in Richtung Holnis, und ich gab die genaue Anschrift in ihr Navi ein. Lara meinte, es gäbe mehrere Campingplätze in der Bucht, und dass es sich offenbar nicht um den großen an der Promenade handelte. Ich hatte versucht, sie davon abzuhalten, mich zu fahren, doch sie hatte darauf bestanden. Linn würde den Laden aufschließen. Dieses Mal war diese der Bitte ihrer Schwester ohne zu murren nachgekommen.

»Bist du dir wirklich sicher?«, fragte Lara jetzt mit einem kurzen Seitenblick in meine Richtung.

Nein, dachte ich, sagte aber: »Ja, bin ich. Ich schaue es mir einfach mal an.« Dabei versuchte ich mich an einem Lächeln.

Die Idee hatte mich nicht mehr losgelassen, seit ich den Aushang gelesen hatte. Was völlig absurd war, denn schließlich hoffte ich, Markus würde sich bald melden, und ich könnte meinen Umzug nach München wie geplant fortsetzen. Eine solche Stelle hier oben anzutreten war – verrückt!

Es ist nur ein kleiner Aushilfsjob, redete ich mir ein und atmete möglichst unauffällig tief durch. Nur ein wenig Ablenkung, damit ich mich nicht so fühlte wie ein Kutter auf offener See, dessen Motor sich verabschiedet hat. Außerdem hatte ich die ungute Ahnung, dass der Anruf von Markus nicht so schnell kommen würde, wie ich es mir erhoffte.

Das Navigationssystem führte uns durch das Örtchen Drei und an dem großen Campingplatz mit der kleinen, davorliegenden Promenade vorbei. Ein kurzes Stück weiter, ganz in der Nähe des Strandabschnittes, den ich mit Lara besucht hatte, forderte die monotone Frauenstimme uns auf, rechts abzubiegen.

Der Eingang lag versteckt zwischen Bäumen, und erst als Lara ihren Wagen hineinlenkte, offenbarte sich das Gelände in einem seichten Hügel. Vor der Schranke, die zu dem Bereich mit den Stellplätzen führte, befand sich ein kleines Gebäude mit Flachdach. Es war aus roten Backsteinen gemauert, mit farbenfroh bepflanzten Blumenkästen vor den Fenstern. An der Hausmauer war über einer Holzbank ein Schild angebracht: Anmeldung.

»Also dann«, sagte ich zu Lara und umfasste den Türöffner.

»Ich kann auch auf dich warten.«

»Nein, nicht nötig, du musst doch in den Laden, und ich habe nachgeschaut, von Drei fährt ein Bus nach Flensburg. Ich kann am Strand entlang dahin spazieren.« Ich lächelte sie an, damit ihre Zweifel sich legten.

Schließlich seufzte sie ergeben. »Na schön, aber wenn

etwas ist, ruf mich an, dann hole ich dich ab. Und auch wenn ich mich wiederhole: Du kannst gern weiterhin auf unserem Sofa schlafen.«

»Danke, das weiß ich zu schätzen.« Ich öffnete die Tür.

»Bis später!«, rief ich beim Aussteigen und winkte Lara hinterher, als sie zurück auf die Straße fuhr. Danach schaute ich mich um.

Der erste Eindruck war einladend. Sehr idyllisch, gepflegt und ruhig. Eine überschaubare Anlage, kein vollgepferchtes Areal, sondern große Parzellen zwischen Bäumen und Sträuchern, in die leicht hügelige Landschaft integriert. Und wenn ich mich nach links drehte, lag dort gleich hinter einem Knick das Meer. Entschlossener als ich war, schritt ich auf die Anmeldung zu. Doch kaum hatte ich die Hand nach der Klinke ausgestreckt, wurde sie auf der anderen Seite runtergedrückt. Ein älteres Ehepaar kam heraus. Der Herr hielt mir die Tür auf.

»Danke«, murmelte ich und war gleich darauf wie erschlagen von dem Tumult im Inneren. Hatte draußen die völlige Idylle geherrscht, ging es hier zu wie in einem Hauptbahnhof. Vor dem Tresen reihte sich eine Schlange von fünf Leuten auf, der Vorderste diskutierte mit dem Mitarbeiter dahinter, der schätzungsweise Ende dreißig bis vierzig war, aber aussah, als hätte er seit einer Woche nicht mehr geschlafen. Dazu klingelte das Telefon ohne Unterbrechung. Was war denn hier los?

Die Gäste vor mir fingen an, ihren Unmut miteinander zu teilen. »Der Hund der Nachbarn hat die ganze Nacht gebellt, das geht so nicht, wir wollen einen anderen Platz.«

»Dann können wir gern tauschen, unsere Nachbarn haben bis drei Uhr nachts gefeiert, da nehme ich lieber den Hund.« Eine Frau um die fünfzig presste genervt die Lippen aufeinander.

»Die Hundebesitzer können ja neben die Partyleute ziehen, und ihr kommt zu uns«, schlug die zweite Frau vor, die ich auf Sechzig schätzte.

»Prima Idee – wenn das hier nur nicht so lange dauern würde!«

Ich konzentrierte mich auf das Gespräch ganz vorn.

»Es tut mir leid, aber Ihre Reservierung geht nur bis heute, und wir sind komplett ausgebucht«, erklärte der Mitarbeiter bemüht geduldig.

»Ich weiß aber mit Sicherheit, dass wir bis morgen gebucht haben!«, erboste sich der Mann vor dem Tresen.

Der Mitarbeiter rieb sich über das Gesicht. »Wir können noch eine halbe Stunde darüber diskutieren, es wird nichts ändern.«

»Frechheit! Als Ihre Eltern noch den Betrieb geführt haben, wäre so etwas nicht passiert!«

»Auch das sagten Sie bereits. Schauen Sie doch mal beim Ostseecamp vorbei, dort ist bestimmt noch etwas frei, die haben ja deutlich mehr Plätze als wir.«

Wütend stieß der Mann sich vom Tresen ab und marschierte an den Wartenden vorbei.

Der Nächste in der Reihe trat vor, und ich sah mich derweil in dem Raum um. Neben der Anmeldung gab es ein Bücherregal. Ein Schild wies darauf hin, dass sich jeder Gast Bücher ausleihen konnte. Daneben stand ein Kühlschrank mit Getränken. An der nächsten Wand reihten sich Lebensmittel und Hygieneartikel auf Regalen.

Es dauerte eine gute halbe Stunde, bis ich an der Reihe war.

»Ja, bitte?«

Selbst wenn ich nicht mit dem Vorsatz hergekommen wäre, mich zu bewerben, hätte ich dem erschöpft wirkenden Mann in diesem Augenblick meine Hilfe angeboten.

»Ich bin hier, um mich für die Aushilfsstelle zu bewerben«, erklärte ich mit einem Lächeln.

Seine Augen bewegten sich vom Computerbildschirm zu mir. »Ernsthaft?«

Ich nickte.

»Ab wann können Sie anfangen?«

»Sofort.«

»Erfahrungen?«

Ich schüttelte den Kopf. »Ich bin eigentlich Krankenschwester.«

»Egal. Krankenhaus oder Irrenhaus? Denn Letzteres würde Sie definitiv für diesen Job qualifizieren.« Er grinste und sah gleich viel jünger aus. »Ich bin Peter Matzen.«

»Nora Köhler.«

Ich mochte ihn auf Anhieb.

Peter schielte hinter mich, wo die Tür erneut aufschwang.

»Ich checke die Leute schnell aus. Sollen wir uns im Anschluss bei einem Kaffee unterhalten? Und wir duzen uns hier im Team, ich hoffe, das ist okay.«

»Klar, gern. Zu einem Kaffee sage ich nicht nein, wenn deine Zeit das erlaubt.«

Er seufzte leise. »Danach dürfte eigentlich keiner mehr zum Auschecken kommen. Dann hänge ich das Schild ›Bin gleich wieder da‹ an die Tür.«

Fünfzehn Minuten später saßen wir im winzigen Backoffice, Peter an seinem mit Papierstapeln überfüllten Schreibtisch und ich auf dem Stuhl davor.

»Ist hier immer so viel los?«, fragte ich ihn.

»Häufig, es wird von Jahr zu Jahr verrückter. Sonst war es im Juni deutlich ruhiger, aber mittlerweile sind wir ab April bis Ende Oktober ausgebucht. Ich habe einen Freund, der drüben in Flensburg mit Wohnmobilen handelt. Er verkauft zwanzig Stück pro Woche. Es ist der pure Wahnsinn, plötzlich hat ganz Deutschland das Campen für sich entdeckt.«

»Ich habe aber keine Erfahrung damit«, klärte ich Peter sicherheitshalber auf.

»Das ist auch nicht notwendig. Was hast du im Krankenhaus gemacht?«

Ich erzählte ihm zusammengefasst meinen Werdegang, nur dass ich in sieben Wochen eine Arbeitsstelle in München antreten musste, ließ ich aus.

»Und will ich wissen, was dich dazu bewegt hat, dich auf einen Aushilfsjob am nordöstlichsten Zipfel Deutschlands zu bewerben? Bist du auf der Flucht?«, fragte Peter und lachte dabei.

»Sind wir das nicht alle irgendwie?«

Sein Lächeln schmälerte sich ein wenig.

»Keine Sorge, mein Führungszeugnis ist einwandfrei. Eine Freundin von mir wohnt in Flensburg, und ich brauchte einen Tapetenwechsel. Mein Leben in Münster ist gerade etwas durchgeschüttelt worden.«

»Verstehe. Dies hier ist allerdings nur eine Saisonstelle, aber für dich wahrscheinlich sowieso nur als Überbrückung gedacht, nehme ich an.«

»Ich bleibe nur diesen Sommer«, bestätigte ich seine Vermutung. Kurz überlegte ich zu erwähnen, dass ich nicht den ganzen Sommer hier arbeiten konnte, denn der August zählte wohl streng genommen noch dazu – aber ich beließ es bei der vagen Aussage. Ein Monat mehr oder weniger …

»Ich brauche wirklich dringend Hilfe. Meine Frau hat vor wenigen Wochen unseren Sohn bekommen, und pünktlich zur Geburt hat unsere Saisonkraft gekündigt. Erst dachte meine Frau, sie kann trotz des Babys aushelfen. Aber der Kleine leidet unter Koliken … Wir haben uns das leichter vorgestellt.«

Das war also der Grund für Peters übernächtigtes Aussehen.

»Das wird auch leichter. Ich bin zwar keine Kinderkrankenschwester, aber die Kolleginnen empfehlen häufig eine osteopathische Behandlung.«

Peter nickte. »Wir haben bereits einen Termin.«

»Es wird sich sicher bald einpendeln, und jetzt bin ich ja da«, sagte ich in meinem besten Krankenschwester-Aufmunterungston.

»Dann zeige ich dir mal alles. Ach so – benötigst du eine Unterkunft?«

»Das wäre super, das Sofa meiner Freundin ist nicht sonderlich bequem.«

»Kein Problem, dafür halten wir eine der kleinen Hütten frei. Beziehungsweise – Mist …« Er kratzte sich am Haaransatz. »Nun, bis heute Abend ist sie frei. Ich zeige sie dir im Anschluss an die Einweisung.«

Ehe ich darüber nachdenken konnte, wer wegen mir die Hütte räumen musste, redete Peter weiter. Mein Stundenlohn war nicht berauschend, aber die kostenlose Unterkunft glich das locker aus.

Nachdem wir die Formalitäten erledigt hatten, erklärte er mir in den folgenden zwei Stunden die Abläufe und das Buchungssystem. Mein Job bestand hauptsächlich darin, die Buchungen zu verwalten, E-Mails zu beantworten und als Ansprechpartnerin für die Camper da zu sein, damit Peter sich draußen auf dem Platz um alles kümmern konnte. Nebenbei musste ich noch die Einkäufe aus dem integrierten Mini-Markt abkassieren und hin und wieder im Waschraum, der neben der Anmeldung lag, schauen, ob alles in Ordnung war. Wenn ich dann noch Zeit übrighätte, meinte Peter mit hoffnungsvollem Gesichtsausdruck, könne ich mich gern den Papierstapeln im Backoffice widmen.

»Und jetzt zeige ich dir noch deine Hütte«, verkündete er schließlich und griff nach einem Schlüssel. Zusätzlich zu den Stellplätzen gab es fünf kleine Holzhütten auf dem Gelände.

»Ach so, eine Sache wäre da noch …« Er zögerte und spielte mit dem Schlüssel in seiner Hand. »Es gibt eine Bedingung.«

»Eine Bedingung?«, fragte ich, und eine Alarmglocke setzte sich im hinteren Teil meines Kopfes in Bewegung.

»Keine Liaison mit meinem Bruder.«

»Wie bitte? Liaison?« Ich musste auflachen, weil es so absurd klang. »Wer ist dein Bruder? Zac Efron?«

»Liaison, Affäre – keine Ahnung, was man heutzutage dazu sagt.« Peters Augen huschten verlegen zur Seite. »Und wer zum Teufel ist Zac Efron?«

Ich schmunzelte. »Dann eben Chris Hemsworth?«

»Ah, ja, der aus Thor.«

»Wie kommst du denn darauf, dass ich das in Erwägung ziehen würde?«

»Unsere vorherige Aushilfe – Elina – hat hingeschmissen, weil ... nun ja, es gab wohl unterschiedliche Auffassungen von ihrem ... Miteinander.«

»Oh.«

»Du sagst es!«

Zwar war dies definitiv kein angemessenes Thema für einen Chef und seine Angestellte, aber ich ließ es gut sein. Es war offensichtlich, wie unangenehm es Peter war, es überhaupt anzusprechen.

»Keine Sorge, ich habe kein Interesse an irgendeiner *Liaison*. Es sei denn dein Bruder ist Chris Hemsworth.«

Peter lachte. »Nö, tut mir leid, du glaubst doch nicht ernsthaft, dass ich dann hier auf dem Campingplatz schuften würde.«

Wie gesagt, ich mochte Peter.

Auf dem Weg zu meiner Unterkunft für die nächsten Wochen zeigte er mir den Platz und erklärte, wo die Duschen und Toiletten, die Ver- und Entsorgungsstationen waren. Auf meinen fragenden Blick hin ergänzte er, dass die Camper sich dort zum einen mit Frischwasser versorgen und zum anderen ihr Abwasser und die Chemietoilette entleeren konnten. Am Rande des Areals, etwas erhaben und vor hohen Bäumen gelegen, reihten sich die roten Holzhütten auf. Kaum größer als eine Gartenlaube, aber jede mit einer kleinen weißen Holzveranda davor.

Peter deutete auf die Hütte ganz rechts. Ich stieg die drei Stufen zur Veranda hinauf, drehte mich um und sah das Meer. »Wow!«

»Ja, der Ausblick von hier oben ist nicht schlecht.« Peter wandte sich ebenfalls zum Wasser. »Wenn man das jeden Tag hat, nimmt man sich irgendwann nicht mehr genügend Zeit, es zu genießen.« Für einen Moment standen wir dort und waren in die Aussicht versunken. Danach schickte er sich an, die Tür aufzuschließen.

»Wer wohnt denn momentan hier? Können wir denn einfach reingehen?«

»Mein Bruder hat sich hier einquartiert, aber der ist gerade unterwegs.«

Oje, der Campingplatz-Casanova!

»Und wo soll dein Bruder hin, wenn ich einziehe?«, fragte ich mit dem Anflug von Panik. Wir mussten uns die Hütte doch wohl nicht teilen?

Peter deutete auf einen Wohnwagen zehn Meter entfernt. »Da hat er auch alles, was er braucht.«

»Aha«, sagte ich und hoffte, sein Bruder würde das genauso sehen.

Peter öffnete die Tür, und ich sah mich in der Hütte um. Sie war klein und gemütlich und hatte sogar ein – wenn auch winziges – Bad. Die Bettdecke war zerwühlt, und vor dem Bett entdeckte ich neben einem Paar Socken zwei Hanteln. An der Tür zum Bad hing ein Neoprenanzug, und weitere Klamotten lagen über den Stuhllehnen.

In meinem Kopf formte sich ein Bild von dem Typen, wie er hier auf dem Campingplatz seines Bruders hauste, um Frauen aufzureißen. Womöglich in einem weißen Feinripp-Unterhemd und Speedo-Badehose, um seine Vorzüge zur Schau zu stellen, die er sich mit den Hanteln antrainierte – auch wenn ich weder ein solches Unterhemd noch so eine Badehose entdeckte. Innerlich schüttelte es mich dennoch. Auf einen Aufschneider fiel ich garantiert nicht herein. Immerhin war ich keine zwanzig mehr, sondern wurde bald dreißig.

Plötzlich fühlte ich mich viel zu alt, um spontan auf einem Campingplatz anzuheuern und in einer Hütte neben einem Möchtegerncasanova zu wohnen. Doch da klopfte Peter mir auf die Schulter und drückte mir meinen Arbeitsvertrag in die Hand, den ich zuvor im Büro unterschrieben hatte. Danach schaute er auf die Uhr.

»Um sechs kannst du hier herein, okay? Die Reinigungskraft für die anderen Hütten macht vorher einmal sauber, keine Sorge. Ich rufe jetzt meinen Bruder an, dass sein Kram rausmuss. Den Schlüssel kannst du dir später an der Rezeption abholen. Bis sieben bin ich da.«

Ich nickte.

Peter trat wieder auf die kleine Veranda, blieb für einen Moment mit den Fäusten in die Hüften gestemmt stehen und schaute aufs Meer. Als hätte er sich vorgenommen, diesen Ausblick wieder häufiger zu würdigen.

Ich fuhr mit dem Bus zurück nach Flensburg und nutzte den Rest des Tages, um meine wenigen Sachen bei Lara zusammenzuräumen und Lebensmittel und Getränke einzukaufen. Danach bestand Lara darauf, mich wieder nach Holnis zu bringen. Auf dem Weg stoppten wir noch bei der Opel-Werkstatt, und ich holte meinen Karton aus dem Kofferraum. Der Werkstattleiter versprach, dass der Wagen spätestens Anfang nächster Woche fertig sein würde, das benötigte Teil hatte offenbar Lieferschwierigkeiten.

Auf dem Campingplatz brachten wir meine Sachen in die Hütte, die leer und sauber wirkte, als hätte nicht bis eben noch Peters Bruder hier gewohnt. Auf dem Bett stapelten sich frische Bezüge und ein Laken. Ich spähte durch das Fenster hinüber zum Wohnwagen, aber es sah nicht so aus, als wäre Peters Bruder da.

Lara und ich machten es uns auf meiner Miniveranda auf den hölzernen Deckchairs gemütlich und tranken einen Aperol-Spritz – ohne Eis, denn der kleine Kühlschrank besaß kein Eisfach.

»Ich würde sagen, du hättest es schlechter treffen können.« Lara lehnte sich in ihrem Stuhl zurück. Die Bucht von Holnis breitete sich vor uns aus, der Wind trieb die Wellen seicht Richtung Ufer. Weiter draußen kreuzten Motor- und Segelboote.

»Finde ich auch.«

»Auf dieses Abenteuer! Langweilig wird das Leben früh genug, zum Beispiel, wenn du einen eigenen Laden besitzt.« Lara zog eine Grimasse.

Ich lachte, und wir stießen unsere Gläser aneinander.

»Du kannst mich abends jederzeit besuchen, ich lasse dich gern an meinem Abenteuer teilhaben«, bot ich ihr an. In Wirklichkeit wünschte ich mir sehnlichst die Beständigkeit zurück, die bis zur letzten Woche in meinem Leben geherrscht hatte. Unwillkürlich dachte ich an Markus und fragte mich wieder einmal, ob er in unserer Beziehung schon länger unzufrieden gewesen war. Ob ich früher etwas hätte bemerken müssen, etwas dagegen hätte tun können. Oder ob er doch eine andere Frau kennengelernt hatte. Liebe verschwand nicht von einem auf den anderen Tag, oder?

Als Lara sich verabschiedet hatte, nahm ich mein Handy und schaute auf Markus' Instagram-Account. Verärgert rubbelte ich über den Riss im Handydisplay, der die Sicht etwas beeinträchtigte. Warum hatte ich auch keine Schutzfolie draufgehabt? Neben Aufnahmen von ihm beim Mountainbiken und Schnappschüssen aus München gab es ein neues Foto. Es zeigte ihn inmitten einer Gruppe – vermutlich Arbeitskollegen – in einem Biergarten, mit einer Maß Bier vor sich. Konnte man dort nach der Arbeit nur in Biergärten gehen?, dachte ich zynisch. Markus schien es zu gefallen, er lachte in die Kamera und seine ausgelassene Miene verursachte mir Herzschmerz. Ich scrollte hinunter bis zum letzten gemeinsamen Bild von uns. Es stammte von einem verlängerten Wochenende in Österreich, das wir zusammen mit Markus' Studienfreund Clemens und dessen Freundin verbracht hatten. Ein Kellner hatte uns vier abgelichtet. Während Clemens und seine Freundin sich aneinanderschmiegten, hatten Markus und ich uns nur ein wenig in die Richtung des anderen gelehnt. Es blieb eine Lücke von knapp 30 Zentimetern zwischen uns, und passenderweise verlief der Riss im Display direkt hindurch. Ich betrachtete erst sein und dann mein Gesicht. Wir lächelten beide.

Waren wir da noch glücklich gewesen? Im Vorfeld hatte es einen Streit gegeben, weil ich keinen Bock hatte, mit Leuten, die ich kaum kannte, ein ganzes Wochenende zu verbringen. Markus hatte sich beschwert, dass ich nie Lust auf irgendwas hatte, und ich hatte dagegengehalten und ihm vorgeworfen, dass ich bei all den Nachtschichten manchmal am Wochenende einfach gern meine Ruhe hatte. Letztlich hatte ich jedoch nachgegeben, und es war ganz okay gewesen. Aber auf diesem Foto sahen wir nicht aus, als sprudelte uns das Glück aus den Ohren. Wir hätten auch einfach gute Bekannte sein können.

Nach dem Trip hatte eine Zeit lang eine gewisse Anspannung zwischen uns geherrscht, aber dann kam die Jobzusage aus München, und wir hatten wieder ein gemeinsames Ziel. Dachte ich zumindest. Aber wenn ich mir nun seinen Account ansah, war er mir bereits vorausgeeilt. Im wörtlichen und im übertragenen Sinne – und ich war mir nicht sicher, ob ich ihn noch würde einholen können.

Und wieder erwachte das Bedürfnis, ihm die Botschaft zukommen zu lassen, dass ich gut ohne ihn zurechtkam. Sollte er ruhig glauben, dass ich mich ebenso prächtig amüsierte. Meinen Beitrag vom Wandertag hatte er zwar weder gelikt oder kommentiert, aber er konnte ihn schließlich trotzdem gesehen haben.

Ich suchte das Foto heraus, das Lara von mir am Strand

in Glücksburg geknipst hatte, und postete es mit dem Satz: *Das Glück wartet in Glücksburg #wenndernameprogrammist #meergehtimmer*

Gerade als ich den Beitrag hochlud, schlug eine Tür zu. Ich zuckte zusammen und schaute auf. Im Wohnwagen von Peters Bruder brannte Licht. Erst jetzt bemerkte ich, dass es schon fast dunkel war und ein Schwarm Mücken meinen Kopf umkreiste, obwohl ich nicht einmal die Außenbeleuchtung angeschaltet hatte. Aber ich hatte mal gelesen, dass Mücken nicht wie Motten das Licht anflogen, sondern dem Geruch nach. Und mein Blut roch anscheinend besonders verlockend für die kleinen Biester.

Mit einem letzten Blick auf das in der Dunkelheit versinkende Meer rappelte ich mich auf und ging in die Hütte und schaltete das Licht ein. Beim Auspacken meiner Sachen fand ich im Kleiderschrank einen zurückgelassenen Hoodie. Wahrscheinlich von Peters Bruder. Ich legte ihn über eine Stuhllehne. Als ich eine Hose aus meinen Rucksack zog, fielen ein paar Muscheln aus der Hosentasche, die ich am Wochenende vom Strand mitgenommen hatte. In dem Moment hatte ich mich richtig gut gefühlt. Ich betrachtete die Muscheln und beschloss kurzerhand, mir künftig die schönen Augenblicke deutlicher vor Augen zu führen, um diese Zeit der Ungewissheit besser zu überstehen. Eine Muschel für jeden glücklichen Moment, denn hey – ich war am Meer! Ich war gesund, hatte eine Familie, die mich liebte, und Freundinnen, die zu mir hielten. Demut war eines der Dinge, die man lernte, wenn man auf einer Intensivstation arbeitete. Man musste die schönen Augenblicke würdigen und nicht seine Zeit vergeuden, indem man sich in den schlechten verlor.

Ich schaute mich um und fand in einem der Küchenschränke eine Vorratsdose aus Glas. Während ich die Muscheln hineinplumpsen ließ, rief ich mir die positiven Erlebnisse der letzten Tage in Erinnerung.

Die Fuchsbegegnung, das Wiedersehen mit Lara, das Stand-up-Paddling und bei Sonnenuntergang am Hafen zu sitzen waren einige davon.

Kapitel 11

AM NÄCHSTEN MORGEN um kurz vor acht begann meine erste Schicht an der Rezeption. Keine drei Minuten später trudelte der erste Camper ein, der auschecken wollte. Mit ein bisschen Hilfe von Peter hatte ich mich schnell eingearbeitet. Er blieb, bis er sich sicher war, dass ich zurechtkam. Die ersten Stunden bis zum Mittag hatte ich alle Hände voll zu tun.

»Warum sind denn jetzt vier Nächte abgerechnet?« Der Mann schob mir die Rechnung über den Tresen zurück.

»Ach so, ja, stimmt, Sie haben Ihre Buchung geändert ...« Ich geriet ins Schwitzen, während ich versuchte, den Beleg zu stornieren und die Anzahl der Übernachtungen zu ändern. Die Schlange wurde länger, doch ich blendete die Wartenden aus und konzentrierte mich auf den PC. Da! Jetzt hatte ich es. Erleichtert klickte ich auf Drucken und lächelte den Mann an, während ich ihm die korrigierte Rechnung reichte.

Die Rezeption glich einem Bienenstock, in der ein beständiges Kommen und Gehen herrschte. Wenn gerade kein Camper auschecken wollte, klingelte das Telefon, oder jemand kaufte Lebensmittel oder Postkarten. Ich merkte, dass ich bei allem noch etwas langsam war, und als der Drucker seinen Dienst mangels Papier verweigerte, suchte ich volle fünf Minuten nach Nachschub. Dennoch nahm ich die wenigen ungeduldigen Blicke gelassen. Die meisten Gäste waren verständnisvoll und wirkten nicht, als wären sie in Eile.

Um zwölf Uhr steckte Peter den Kopf zur Tür herein. »Und, Nora? Hat bisher alles geklappt?«

»Ich denke schon, aber mir fehlt noch ein bisschen die Routine.«

»Das wird schon. Ich habe draußen auf dem Platz auch eine Menge geschafft, dank dir. Nun funktioniert der Wasseranschluss im hinteren Eck wieder, und die Verstopfung der Küchenspüle ist auch behoben. Möchtest du einen Kaffee? Den haben wir uns jetzt mehr als verdient.«

»Gern!«

Peter werkelte im Backoffice an dem Kaffeevollautomaten rum. »Bis fünfzehn Uhr ist es jetzt ruhiger, danach kommen allmählich die neuen Gäste. Ich würde kurz nach Hause fahren, dann kann ich mit meiner Frau mittagessen und meinen Sohn sehen. Aber um zwei löse ich dich ab. Die Einweisung auf die Plätze und das Umdisponieren, falls mal wieder jemand eine falsche Länge seines Fahrzeuges angegeben hat, erfordern etwas Erfahrung.«

»Klar, kein Problem. Ich halte bis dahin die Stellung.«

»Du kannst aber auch erst mal eine Stunde Mittag machen und das Schild an die Tür hängen.«

»Okay«, entgegnete ich abgelenkt, denn ich schaute gerade aus dem Fenster und beobachtete, dass das Ehepaar aus Duisburg, das zuletzt bei mir ausgecheckt hatte, Richtung Schranke fuhr. Als das Wohnmobil die Anmeldung passierte, winkte ich und sah dem Fahrzeug hinterher, bis es um die Ecke gebogen war. Dann löste ich meinen Blick und zuckte in der nächsten Sekunde zusammen. Das durfte doch nicht wahr sein! Dieser, dieser … Typ! Vor Schreck fiel mir zuerst sein Name nicht ein. Bent! Der unhöfliche Aushilfsbierlieferant alias Mr Schlechte-Laune kam geradewegs auf die Anmeldung zumarschiert. Was wollte der denn hier? Bier liefern für den kleinen Mini-Markt? Oder campte er hier? Panik stieg in mir auf. Auf eine erneute Begegnung konnte ich eindeutig verzichten.

»Öhm, da ist ein unfreundlicher Typ im Anmarsch. Erwartest du zufällig eine Bierlieferung?«, rief ich.

Peter kam aus dem hinteren Büro und trat neben mich, wobei er eine Tasse dampfenden Kaffee auf den Schreibtisch stellte. Er schaute aus dem Fenster und gluckste auf.

Fragend sah ich ihn an.

»Das, Nora, ist mein Bruder.«

»Oh.« Verlegen lächelte ich und zog eine entschuldigende Grimasse, was Peters Mundwinkel nur umso stärker zucken ließ.

In meinem Kopf überschlugen sich die Gedanken. Wenn das sein Bruder war, war er es auch, der wegen mir aus der Hütte ausziehen musste und nun in dem Wohnwagen direkt daneben wohnte. Innerlich stöhnte ich auf. Das konnte ja heiter werden.

»Ist er häufig hier?«, fragte ich möglichst unbeteiligt und rückte dabei einen Stapel Zettel auf dem Schreibtisch zurecht. *Bitte sag, er ist nur am Wochenende da,* betete ich im Stillen.

»Hm, ja, schon, er wohnt schließlich übergangsweise auf dem Platz, deswegen hatte er sich auch für die Hütte statt des Wohnwagens entschieden.«

Mein Blick schnellte zu Peter, und das Entsetzen war mir offensichtlich anzusehen.

»Das ist doch kein Problem, oder?« Nun stand meinem Chef deutlich die Furcht ins Gesicht geschrieben, nach nur einem Tag seine neue Aushilfe erneut wegen seines Bruders zu verlieren. Wenn auch aus völlig anderen Gründen.

Daher wiegelte ich rasch ab. »Nein, Quatsch.«

War es auch nicht, oder? Ich brauchte schließlich nichts mit ihm zu tun haben. Womöglich hatte er tatsächlich nur einen schlechten Tag gehabt, als er mich mit nach Flensburg nahm. Obwohl ich mir nicht vorstellen konnte, dass er über seinen erzwungenen Auszug aus der Hütte begeistert war.

Peter hingegen atmete erleichtert auf. »Genau genommen ist er auch gar nicht *so* oft hier, er ...«

Sicherlich wollte Peter sagen, dass er gern mal unterwegs war, um Bier für seinen Freund auszuliefern. Wahrscheinlich bekam er als Lohn so viel Freibier, wie er trinken konnte, doch Peter wurde mitten im Satz von Bent unterbrochen, der in diesem Moment durch die Tür trat. Zunächst schaute er zu seinem Bruder und streifte mich nur flüchtig mit seinem Blick, aber dann stockte er und sah wieder zu mir zurück.

»Du?«, fragte er, und sein offenkundiges Entsetzen empfand ich nun doch als persönliche Beleidigung. »Was machst *du* denn hier?«

Ich straffte die Schultern und reckte das Kinn, hielt dem Blick aus seinen blauen Augen stand.

»Ich arbeite hier und helfe deinem Bruder.«

Seine Stirn runzelte sich. »Und was ist mit deinem Selbstfindungstrip?« Spott schwang in der Frage mit. Bevor ich antworten konnte, redete er weiter. »Na ja, geht mich auch nichts an. Aber dann weiß ich jetzt wenigstens, für wen ich gestern so überstürzt die Hütte räumen musste.« Er wendete sich abrupt von mir ab. »Peter, ich wollte die Halterung für die SUP-Boards bauen, weißt du, wo der Ersatz-Akku vom Akkuschrauber ist?«

Peter schaute für zwei Sekunden verdutzt zwischen Bent und mir hin und her, ehe er die Tür ansteuerte. »Ja, ich gebe ihn dir.« Bent folgte ihm, ohne mich noch einmal anzusehen.

»Bis nachher!«, rief Peter mir über die Schulter zu, bevor er zu seinem Bruder sagte: »Warum warst du so arschig zu Nora, und woher kennt ihr euch überhaupt? Sie scheint nicht gut auf dich zu sprechen zu sein.«

Die Worte fanden ihren Weg durch die sich langsam schließende Tür bis zu mir hinter den Tresen. Doch ehe Bent etwas erwiderte, fiel sie ins Schloss. Schade, die Antworten auf Peters Fragen hätten mich auch interessiert.

»So ein Horst!«, sagte ich laut, um meinem Ärger Luft zu machen, und wippte angespannt auf dem Bürostuhl vor und zurück. Das hatte mir gerade noch gefehlt, meinen neuen Rückzugsort in dieser bescheuerten Beziehungspause mit einem unfreundlichen Aushilfsbierlieferanten-Schräg-strich-Möchtegerncampingplatzcasanova zu teilen.

Nachdem Peter mich abgelöst hatte, nutzte ich den Nach-mittag und fuhr mit einem der Räder vom Campingplatz in Richtung Spitze der Halbinsel. Nach einer kleinen Ansamm-lung von Häusern mündete die Straße in einen Schotterweg, der durch ein Naturschutzgebiet führte. Das Land senkte sich in einem weiten Hügel dem Meer entgegen, und ich genoss die Seeluft, die mir durch die Haare strich. Ich kam an einem Aussichtspunkt vorbei, von dem ich eine herrliche Sicht über das Meer hatte und bis nach Dänemark schauen konnte. Eine weiße Bank lud zum Verweilen ein, doch ich wollte bis an die Spitze. Daher stellte ich mein Rad ab und lief zu Fuß weiter. Der Weg wurde zunehmend schmaler, rechts blitzte das Meer durch die Bäume. Dann endete er direkt am Strand. Das Wasser lag flach und glasklar vor mir. Ich atmete tief durch und schaute mich um. Hinter Heckenrosen versteckt, befand sich ein Haus. Wie unglaub-lich musste es sein, hier zu leben? Jeden Morgen durch das hölzerne Tor zu gehen und direkt die Füße im Sand vergraben zu können? Ich schlenderte an dem schmalen Naturstrand entlang. Am äußersten Ende der Spitze hatte jemand Steine gestapelt, ich las einen kleinen vom Boden auf und legte ihn auf einen der Türme. Dann sammelte ich einige Muscheln und versuchte, mir für jede einen glück-lichen Moment des Tages ins Gedächtnis zu rufen. Allein hier an diesem Ort zu stehen verdiente eine ganze Handvoll Muscheln. Genau wie die kleinen Plaudereien mit den Campern oder dass mir die Arbeit an der Rezeption trotz einiger Anfangsschwierigkeiten Spaß brachte. All diese Augenblicke verdienten es, zu einem Muschelmoment zu werden. Im Krankenhaus bestand häufig die Gefahr, dass man vom Leid und den Schicksalen der Patienten überspült wurde. Hier hingegen schwappte die Urlaubsstimmung der Leute auf einen über, und ich hatte das Gefühl, ein weiterer Teil der drückenden Last der letzten Tage fiel von mir ab.

Auf dem Rückweg ging es leicht bergab, und ich brauste im zügigen Tempo auf den Campingplatz. Leider kam just in der Sekunde ein Auto aus dem vorderen Parkplatz gebogen. Ich bremste scharf, mein Hinterreifen rutschte weg. Einen halben Meter vor dem Wagen kam ich zum Stehen.

»Entschuldigung!«, rief ich und schaute mit einem Lächeln ins Wageninnere. Wo Bent auf dem Fahrersitz saß und mit grimmiger Miene eine eindeutige Geste à la »Pass doch auf!« machte.

»Krieg dich mal ein, ist ja nichts passiert, außerdem hatte ich Vorfahrt«, murmelte ich und schob mein Rad weiter. Hinter mir hörte ich, wie Bent Gas gab. Was für ein Typ!

Kopfschüttelnd brachte ich das Fahrrad zurück in den Unterstand. Von Bent würde ich mir diesen Abend sicherlich nicht vermiesen lassen. Ich versuchte, nicht länger an die Begegnung zu denken. Er schien einfach ein komischer Kerl zu sein.

In der Hütte bereitete ich mir Spaghetti mit Tomatensoße zu und setzte mich damit auf meine Veranda. Mit solch einem Ausblick schmeckte die Pasta gleich, als käme sie frisch aus einer Sterneküche, obwohl es sich bei der Sauce um eine Fertigmischung aus dem Supermarkt handelte. Manchmal war das Leben so simpel wie schön.

Als ich aufgegessen hatte, wählte ich Janines Nummer, um sie auf den neuesten Stand zu bringen.

»Hallöle Zuckerschnecke!«, rief sie fröhlich ins Telefon, sodass ich lachen musste.

»Hallöle?«, fragte ich belustigt.

»Hat sein Ziel erreicht, ich höre dein Lachen. Geht's dir gut? Wanderst du noch?«

Ich erzählte ihr von den nicht eingelaufenen Schuhen und ihren Folgen – dass ich Lara besucht und nun als Aushilfe auf einem Campingplatz angeheuert hatte und vor unserem Telefonat mit Aussicht auf die Ostsee zu Abend gegessen hatte.

»Moment mal ... Du arbeitest auf einem Campingplatz?«

»Ja, es ... bot sich an.«

»Jetzt beginne ich, mir Sorgen zu machen. Wer will denn unbedingt arbeiten, wenn er Urlaub hat?«

»Ich habe keinen Urlaub. Ich hänge in einem Loch zwischen zwei Jobs und ... und überhaupt baumele ich zurzeit in der Luft wie ein vergessenes Wäschestück an der Leine und warte darauf, dass Markus zur Besinnung kommt.«

»Verstehe, du brauchst Ablenkung, um nicht durchzudrehen.«

»Ja und nein, ich brauche ein wenig Erdung, einen Anker, damit ich nicht untergehe in dem Chaos, in das Markus mich geschubst hat.«

Ich schniefte unterdrückt auf, als sich ein Tränenschleier über meine Pupillen zog.

»Ach Mensch, willst du nicht doch zurückkommen? Vielleicht wäre es das Beste.«

»Nein, dann hätte ich noch mehr das Gefühl, nur auf Markus' Anruf warten zu können«, erklärte ich entschieden.

»Aber das hört sich schon alles arg … seltsam an.« Janine lachte, aber es klang nicht sonderlich echt.

»Mag sein, aber ich habe einfach auf mein Bauchgefühl gehört. Mir blieb auch nichts anderes übrig.«

»Na ja, du hättest hierbleiben können, oder nach München fahren und mit Markus reden. Ich sehe nur nicht, wie dich das, was du dort machst, weiterbringt.«

»Vielleicht geht es gar nicht darum, dass es mich weiterbringt.«

Schweigen waberte zwischen uns.

»Du wirst schon das Richtige tun. Ich hätte mich nur gefreut, dich noch ein paar Wochen länger in Münster zu haben«, sagte Janine schließlich.

Das verstand ich, aber ich hatte dort weggemusst. In Münster hätte ich ständig das Gefühl gehabt, am Rande eines Lebensabschnittes zu stehen, bereit, zum nächsten zu springen – doch da war plötzlich nichts mehr gewesen außer einem Abgrund voller Ungewissheit. Aber Janine hatte recht: Was ich gerade tat, war verrückt.

Kapitel 12

IN DEN NÄCHSTEN zwei Tagen blieben mir weitere Begegnungen mit Bent erspart, weder brannte abends Licht in seinem Wohnwagen, noch stolzierte er über den Campingplatz. Womöglich hatte meine Pechsträhne endlich ein Ende. An der Rezeption spielte sich auch alles ein, und ich genoss es, mit den Gästen darüber zu plaudern, wo sie herkamen oder wohin sie ihr Weg als Nächstes führte. Die meisten Camper waren entspannt und freundlich und immer für einen kleinen Schnack – wie es hier oben hieß – zu haben.

Am Donnerstagnachmittag kam Peter gemeinsam mit seiner Frau und dem Sohn aus der Mittagspause zurück.

»Ich muss doch dringend die Frau kennenlernen, die meinem Mann ermöglicht, mit uns zu Mittag zu essen. Ich bin Susanne, aber nenne mich einfach Susi«, sagte sie und strahlte mich an. Ihre roten Haare umrahmten ein rundes, fröhliches Gesicht mit Sommersprossen auf der Nase und den Wangen. Ihre grünen Augen waren in den Augenwinkeln von einem Fächer feiner Lachfältchen umgeben.

»Schön, dich kennenzulernen, Susi. Ich bin Nora.« Ich

streckte ihr die Hand über den Tresen entgegen. Susi war mir auf Anhieb sympathisch – genau wie Peter.

»Und das ist Jeppe«, verkündete mein Chef stolz, der mit seinem Sohn auf dem Arm hinter Susi stand.

Jeppe war noch so winzig, dass ich sofort das Bedürfnis verspürte, über seine Fingerchen zu streichen – so klein und dennoch vollkommen.

»Du bist aber ein Süßer!«, begrüßte ich ihn.

»Wenn er nur immer so friedlich wäre wie tagsüber«, sagte Susi seufzend. »Leider schreit er nachts extrem viel.«

»Das muss sehr anstrengend sein.«

Sie nickte und gähnte zur Bestätigung. »Aber gleich haben wir den Termin bei einer Osteopathin, und mit einer Frau, die eine Schlafberatung gibt, stehen wir ebenfalls in Kontakt.«

Das Telefon klingelte, und ich entschuldigte mich, um ranzugehen. Susi und Peter unterhielten sich gedämpft miteinander, während ich eine Reservierung für September annahm und anschließend das Telefonat beendete.

»Ich muss auch wieder los«, verkündete Susi. »Peter will mir noch die SUPs am Strand zeigen, für die Bent die Halterung gebaut hat. Vielen Dank für deine Unterstützung, Nora. Du hilfst uns ungemein.«

»Das ist mein Job, und dafür darf ich mit Meerblick wohnen.« Ich grinste. »Dürfte ich mir von den Boards auch mal eins leihen? Frühmorgens, wenn die Camper noch schlafen?« Ich hatte sie bereits unten am Strand gesehen.

»Klar, du darfst dir jederzeit eins nehmen. Der Schlüssel für das Schloss hängt am Brett im Backoffice. Du kannst morgens dann gleich offenlassen. Wir sichern sie nur über Nacht.«

»Mach ich. Dann viel Erfolg bei der Osteopathin und bis bald!«

»Bis bald!«, rief Susi von der Tür aus, hielt aber auf dem Weg nach draußen noch einmal inne. »Nächste Woche an Mittsommer läuten wir offiziell die Saison mit einem Grillfest ein. Da bist du doch dabei, oder?«

»Gern! Wenn ich etwas helfen oder beisteuern kann, gebt mir bitte Bescheid.«

Drei Tage hielt ich es aus, Markus nicht auf Instagram hinterherzuspionieren. Dann träumte ich in der Nacht zu Freitag, dass ich in München war. Doch in der Wohnung, die unsere sein sollte, traf ich auf eine andere Frau. Sie schlief in meinem Bett und mit meinem Freund.

Mitten im Traum schreckte ich hoch. Danach konnte ich nicht mehr einschlafen und wälzte mich auf der Matratze hin und her. Draußen dämmerte es inzwischen, und die Vögel zwitscherten lautstark bei ihrer Suche nach Futter. Ich griff zum Handy und öffnete Instagram.

Auf Markus' Profil gab es keine neuen Beiträge, in seiner Story hingegen hatte er gestern Abend etwas hochgeladen. Ich tippte drauf. Ein Foto an einem See wurde mir angezeigt. Es war ein Selfie, auf dem sich mehrere Leute aneinanderdrängten. Direkt neben Markus stand eine attraktive Blondine, die mir ein ungutes Gefühl im Magen bescherte.

»Das muss nichts zu bedeuten haben«, murmelte ich in die Stille des schummrigen Zimmers. Aber das Gefühl blieb.

Ärgerlich schlug ich wenig später die Bettdecke zurück. Ich war eigentlich kein eifersüchtiger Typ, und es wurmte mich, dass diese ganze Sache mich plötzlich zu einer misstrauischen Person machte, die hinter einem harmlosen Foto gleich eine Affäre vermutete. Wäre es überhaupt eine? Wie würde Markus das sehen, in seiner *Beziehungspause*? Wollte er sie womöglich sogar, um sich nochmal auszuleben, bevor es richtig ernst wurde mit uns? Aber konnte er mich dann überhaupt aufrichtig lieben, wenn er so was brauchte?

Diese Unsicherheit trieb mich in den Wahnsinn. In mir stieg der Wunsch auf, ihn anzurufen, mit ihm darüber zu reden, aber er wollte Abstand, und ich hatte mir geschworen, mich nicht als Erste zu melden.

Ich musste dringend den Kopf freibekommen und beschloss, mit einem der SUPs in die Bucht hinauszufahren. Eilig putzte ich mir die Zähne und schlüpfte in meinen Bikini, darüber zog ich ein weites Shirt. In Flip-Flops trat ich kurz darauf auf die Veranda der Hütte. Die Sonne schickte ihre ersten Strahlen über den Rand des Horizonts, und der Campingplatz lag noch still und friedlich vor mir.

Zuerst holte ich den Schlüssel aus der Rezeption. Auf dem Weg zum Strand begegnete mir nur Herr Runge mit seiner älteren Hündin Hilde, der gestern bei mir eingecheckt hatte.

»Morgen«, grüßte ich ihn.

»Guten Morgen, die alte Dame hier muss häufiger raus.« Er deutete auf den Hund. »Aber was hat Sie so früh aus dem Bett getrieben?« Gähnend rieb er sich über seine grauen Bartstoppeln.

»Ich konnte einfach nicht mehr schlafen«, antwortete ich. »Aber der Morgen ist herrlich, oder?«

»Mit Ihrem Lächeln zumindest gleich ein wenig mehr. Ist ja gut, Hilde, ich komme ja schon«, sagte er zu seiner Dackeldame und stiefelte hinter ihr her.

Ein herrliches Duo, die zwei. Ich schaute ihnen einige Sekunden nach, ehe ich meinen Weg zum Strand fortsetzte. Der war wie erwartet menschenleer, der helle Sand leuchtete im ersten Licht, und das Wasser warf glänzende Lichtreflexe. Mit einem dünnen Drahtseil waren die Boards an der Holzhalterung befestigt, dessen Ende mit einem Schloss gesichert war. Nachdem ich es geöffnet hatte, griff ich nach dem untersten Board und sprang erschrocken zur Seite, als etwas Weiches um meine nackten Beine strich. Im nächsten Moment nahm ich rotes Fell wahr, und für die Dauer eines Wimpernschlags dachte ich, es sei ein Fuchs.

Doch es war nur eine Katze. Aber dieses Mal keine schwarze, auf dem Rücken war sie rotgetigert und an der Brust und den Vorderbeinen weiß.

»Hast du mich erschreckt!«, sagte ich atemlos und beugte mich zu ihr hinunter, um sie hinter den Ohren zu kraulen. Das rotgetigerte Fell war weich und glänzend. Nur an einer Stelle auf dem Rücken sah es etwas strubblig aus. Und dann entdeckte ich, dass ihr ein halbes Ohr fehlte. »Bist du eine Katze oder ein Kater? Du siehst auf jeden Fall ganz schön ramponiert aus.«

Das Tier streckte mit einem selbstgefälligen Blick seinen Kopf nach vorn, als wolle es dieser Behauptung trotzen. »Ich glaube, du bist ein Kater.« Ich schmunzelte und nahm mir noch ein paar Minuten, in denen er die Streicheleinheiten sichtlich genoss und sie mit lautem Schnurren kommentierte.

»Jetzt muss ich aufs Wasser«, sagte ich schließlich entschuldigend zu ihm. Der Kater folgte mir über den Strand bis ans Ufer, passte aber auf, dass seine Pfoten trocken blieben. Ich schob das Board ein paar Meter, bis das Wasser tief genug war, dann kniete ich mich drauf und paddelte los.

Nach einigen Minuten stellte ich mich hin. Die Wasseroberfläche kräuselte sich durch die Brise, die von Westen über das Land aufs Meer wehte. Daher entdeckte ich den Schwimmer nicht gleich, der in gleichmäßigen Zügen durch die Bucht kraulte. Fasziniert schaute ich ihm eine Weile zu, ehe ich weiterpaddelte und die Spitze der Halbinsel ansteuerte. Es dauerte nicht lange, bis sich die Geister der Nacht verflüchtigten, genauso wie das ungute Gefühl in meinem Magen. Die Sonne auf den Schultern, die salzige Seeluft in der Nase und das Geräusch des eintauchenden Paddels waren wie eine Einladung zur Meditation. Zufrieden kehrte ich um.

Als ich noch dreißig Meter vom Ufer entfernt war, stieg der Schwimmer aus dem Wasser. Die Wasserperlen auf seinem Rücken reflektierten die Sonne und glitzerten, während er mit großen Schritten die letzten Meter bis zum Strand zurücklegte. Dort wartete der rot-weiße Kater auf ihn, zumindest saß er am Ufer im Sand und strich dem Mann gleich darauf um die Beine. Der nahm ihn hoch und drehte sich etwas seitlich. Da rutschte mir fast das Paddel aus der Hand. Bent! Weil sein Haar nass war, hatte ich ihn nicht gleich erkannt. Aber nun gab es keinen Zweifel. Um eine Begegnung mit ihm zu vermeiden, wollte ich schnell umkehren, ehe er mich bemerkte, und stieß das Paddel hektisch ins Wasser. In der Eile wurde ich unaufmerksam und verlor das Gleichgewicht. Ich versuchte noch, die Schlagseite mit dem Ruder auszubalancieren, doch zu spät. Mit einem lauten Klatscher landete ich mit dem Po voran im kühlen Nass.

Prustend tauchte ich wieder auf. Das Paddel hatte ich bei dem Sturz nicht losgelassen und wuchtete es zurück aufs Brett. Mit den Ellenbogen auf dem Board abgestützt, riskierte ich einen Blick zum Strand – wo Bent natürlich in meine Richtung sah. Und wenn mich nicht alles täuschte, verzogen sich seine Lippen zu einem breiten Grinsen, bevor er sich abwandte und zum Campingplatz hochlief. Der Kater folgte ihm.

Verdrossen pustete ich mir eine nasse Haarsträhne aus dem Gesicht und schwamm die restlichen Meter bis in die flache Uferzone. Immerhin hatte die Abkühlung mich bestens erfrischt.

Kapitel 13

ICH SPAZIERTE AM Strand entlang zu dem anderen Campingplatz, von dem der Bus nach Flensburg abfuhr. Die Werkstatt hatte angerufen, mein Auto war endlich fertig, und passenderweise hatte ich heute frei. Die freien Tage würde ich jede Woche neu mit Peter absprechen, was mich nicht störte – ich war an einen unregelmäßigen Rhythmus aus dem Krankenhaus gewöhnt.

An diesem Abschnitt der Bucht herrschte eine andere Stimmung. Es waren mindestens dreimal so viele Touristen unterwegs, Kinder rannten quer über die Promenade Richtung Wasser, mit Sandschaufeln bewaffnet. Das Café mit den hübschen roten Sonnenschirmen und Meerblick war bis auf den letzten Platz gefüllt, und eine neue Minigolfanlage zog zahlreiche Familien an. Faszinierend, wie groß der Unterschied war, obwohl kein Kilometer zwischen den beiden Campingplätzen lag.

Da ich ein paar Minuten Zeit hatte, bevor der Bus fuhr, studierte ich die Karte des Cafés und beschloss, demnächst mal mit Lara hier zu frühstücken. Seit ich auf dem Campingplatz arbeitete, hatten wir uns kaum gesehen. Die erste Woche war regelrecht verflogen. Mit dem Gefühl, gebraucht zu werden, war es mir deutlich leichter gefallen, meine Freizeit zu genießen. Sogar allein. Ich fühlte mich weniger haltlos. Am Samstag hatte Lara sich ursprünglich frei nehmen wollen, aber Linn hatte sie mal wieder hängengelassen. Am Sonntag hatte ich arbeiten müssen. Daher freute ich mich auf unser heutiges Treffen.

Wenig später stieg ich in den Bus und genoss die grüne Landschaft, die am Fenster vorbeizog, bis wir die Flensburger Stadtgrenze erreichten. Im Industriegebiet nahm ich schließlich meinen kleinen Opel Adam in Empfang – ich hatte ihn echt vermisst! Endlich war ich wieder mobil. Die Rechnung hielt sich mit 237 Euro in Grenzen. Als alles erledigt war, musste ich mich sputen, um Lara abzuholen. Sie hatte uns für eine SUP-Yoga-Stunde in Glücksburg angemeldet. Früher hatte ich regelmäßig Yoga gemacht, aber in den letzten Jahren nicht mehr. Markus war der Ansicht, das sei kein Sport, und ich war ihm zuliebe umgestiegen auf *richtigen* Sport wie Laufen oder Mountainbiken. Aber nach einer Zwölfstundenschicht im Krankenhaus war er sowieso meist allein losgezogen.

Kurz vor knapp eilten Lara und ich zur Promenade in Glücksburg und bekamen in letzter Minute von der Yoga-Lehrerin ein Board zugewiesen, ehe sie sich selbst eines nahm und damit zum Wasser ging.

»Puh, ich bin mir sicher, so gestresst sollte niemand eine Yogastunde beginnen«, keuchte ich, immer noch außer Atem.

»Ach, das atmen wir gleich weg«, erwiderte Lara pragmatisch. Sie grinste mich verschmitzt über die Schulter hinweg an. Ihre Wangen waren gerötet, und ihre Stirn schien ebenso feucht wie meine, da tat die Brise nur allzu gut.

Wir befolgten die Anleitungen der Lehrerin, bis unsere SUPs in einem großen Kreis aneinandergebunden waren, damit wir nicht zu weit wegtrieben. Die Spitzen zeigten zur Mitte. Und dann ging es los.

»Setzt euch in den Schneidersitz, legt eure Hände in den Schoß oder auf die Knie, je nachdem, wie es für euch angenehmer ist. Dann konzentriert euch auf euren Atem, nehmt euch die Zeit, hier auf dem Wasser anzukommen. Spürt den Kontakt eurer Sitzbeinhöcker mit dem Board, die sanften Bewegungen des Wassers ...«

Die Stimme der Trainerin war angenehm, und allein diese Eingangsübung genügte, mir wieder klarzumachen, wie wohltuend Yoga war. Das leichte Schaukeln durch die Wellen, die warme Sonne auf der Haut und die Geräuschkulisse des Strandes hüllten mich angenehm ein, und ich merkte, wie ich entspannte und losließ. Das war einfach mehr mein Ding, als einen Berg hinaufzustapfen.

Doch statt mich völlig auf das Hier und Jetzt zu konzentrieren, fragte ich mich, warum ich mich in den letzten Jahren bei so vielen Dingen von Markus hatte mitziehen lassen und nicht lieber etwas für mich getan hatte. Die Antwort, die ich darauf fand, gefiel mir nicht. Denn die Wahrheit lautete: Es war bequem gewesen. Doch hier in Glücksburg, mit etwas Abstand zu den drei M–München, Münster und Markus – wurde mir klar, dass ich mich selbst dabei ein bisschen verloren hatte. Ich beschloss, das in Zukunft zu ändern, und konzentrierte mich danach wieder gänzlich auf meinen Atem.

Wir waren zu acht auf dem Wasser. Sieben Frauen und ein Mann. Außer ein paar jüngeren Mädels war eine ältere Dame um die fünfzig dabei. Die anfänglichen Übungen waren leicht umzusetzen, auch die ersten im Vierfüßlerstand stellten keine große Herausforderung dar. Als nur noch drei Gliedmaßen das Board berührten, wurde es anspruchsvoller.

»Dadurch, dass sich der Untergrund bewegt, aktivieren die Übungen viel mehr die Tiefenmuskulatur. Sie sind effizienter als an Land«, erklärte die Trainerin, just als eine der Teilnehmerinnen vom Board plumpste. »Und wenn ihr reinfallt, ist es erfrischend und bringt euch zum Lachen – denn es ist nur Wasser!«

Mir und Lara blieb ein unfreiwilliges Bad erspart, und wir zogen eine Stunde später zufrieden unsere Bretter zurück an Land.

»Hat es euch gefallen?«, erkundigte sich die Trainerin, die Sandra hieß.

»Auf jeden Fall.«

»Dann seid ihr nächste Woche wieder mit dabei?«

Lara und ich schauten uns an.

»Wenn wir es mit der Arbeit einrichten können, gern«, antwortete ich und hoffte, dass es klappte.

Wir verabschiedeten uns und liefen mit den Schuhen in der Hand am Strand entlang. Der Sand quoll durch meine nassen Zehen und massierte angenehm meine Füße.

»Und jetzt gehen wir im Deli vom Glückselig eine Kleinigkeit essen«, beschloss Lara.

»Glückselig?«, fragte ich mit hochgezogener Augenbraue.

»Wir sind in Glücksburg – da wird der Name schnell zur Marke.« Lara lachte. »Es ist sehr schön in dem Restaurant, es liegt direkt am Strand.«

Sie hatte recht, das flache Gebäude schmiegte sich unaufdringlich ans Ufer, und seine Front bestand vorwiegend aus Glas. Auf dem Sandstrand vor dem Restaurant standen Strandkörbe für die Besucher.

Wir entschieden uns für Fingerfood im Strandkorb.

»Hach, der Name ist hier tatsächlich Programm«, seufzte ich und biss in ein Stück Bruschetta.

»Bei der nächsten Yogastunde musst du mich aber nicht extra abholen. Wenn du Lust hast, kannst du von Holnis mit dem Rad größtenteils am Wasser entlang bis hierherfahren. Du musst nur auf die andere Seite der Halbinsel nach Schausende, da wo der Leuchtturm steht.«

»Schausende? Lustiger Name. Aber danke für den Tipp, das werde ich auf jeden Fall ausprobieren«, sagte ich.

»Es tut mir übrigens total leid, dass ich die letzte Woche so wenig Zeit hatte«, bemerkte Lara und wischte sich ein paar Krümel vom Shirt.

»Du musst doch nicht deine komplette Zeit mit mir verbringen, nur weil ich aus heiterem Himmel beschlossen habe, für einige Wochen herzukommen!«

»Das mache ich aber ausgesprochen gern, nur letzte Woche war irgendwie der Wurm drin. Endlos viele Auslieferungen nach Feierabend, und der Steuerberater wollte auch ständig irgendwas.« Lara schnitt eine Grimasse. »Aber genug davon. Wie läuft es denn auf dem Campingplatz?«

Ich kaute zunächst zu Ende, ehe ich ihr antwortete. »Gut. Ich mag Peter und seine Frau echt gern, du musst sie unbedingt kennenlernen. Diesen Freitag wird die Sommersaison mit einem Grillfest eingeläutet, komm doch auch, falls es bei dir passt.«

Lara schaute unglücklich drein. »Das würde ich liebend gern tun, aber da haben wir ein Treffen mit den anderen Mietern im Hinterhof, und das dauert für gewöhnlich recht lange.«

»Nicht schlimm, dann eben ein andermal. Geht es bei dem Treffen darum, dass diese Martha ihren Laden aufgeben möchte?«

»Genau, ich hoffe, wir können sie überzeugen zu bleiben.«

»Ich drücke euch die Daumen.«

»Danke. Ist sonst alles okay bei dir? Hast du was von Markus gehört?«

»So weit ist alles in Ordnung, mach dir keine Sorgen. Ich bin ja schon ein großes Mädchen«, sagte ich und grinste flüchtig. »Von Markus habe ich nichts gehört, aber das ist ja wohl der Sinn einer Beziehungspause.« Ein Seufzer entwich mir bei diesen Worten, aber ich verdrängte Markus energisch aus meinen Gedanken. Unerwünschterweise schob sich daraufhin Bent in den Vordergrund.

»Weißt du, was ich total vergessen habe, dir zu erzählen? Bent, dieser Bierlieferant, ist der Bruder von Peter!«

»Echt jetzt? Dann musste er für dich die Hütte räumen?«

Ich lachte über Laras ungläubiges Gesicht und nickte. »Und nun lebt er neben der Hütte in einem Wohnwagen. Ich meine, welcher erwachsene Typ lebt in einem Wohnwagen auf dem Campingplatz seines Bruders? Gestern stand ganz passend eine leere Kiste Bier davor – fehlt nur noch das fleckige weiße Feinrippunterhemd. Und dann schwimmt er auch noch immer ausgerechnet zu der Zeit, wenn ich morgens mit dem SUP rausfahre! Er scheint nichts Besseres vorzuhaben, als zu trainieren oder mitten am Tag ein Nickerchen zu halten. Zumindest stieg er letztens, als ich gerade Feierabend machte, gähnend und mit strubbeligen Haaren aus seiner Behausung und streckte sich genüsslich.« Ich hatte mich richtiggehend in Rage geredet und merkte, wie sich die Entspannung der Yogastunde verflüchtigte. Wusste ich doch, warum ich das Thema bisher vermieden hatte – es oder vielmehr gesagt *er* regte mich auf!

Lara hingegen grinste, wobei ihre Augen amüsiert funkelten. »Wie sieht er denn eigentlich aus? Vielleicht kenne ich ihn ja doch.«

Ohne es zu wollen, tauchte ein Bild von Bent in Badeshorts vor meinem inneren Auge auf. Ich schluckte. »Ähm ja, wie sieht er aus – groß, mittelbraunes Haar, etwas heller als meines, oben ein wenig von der Sonne ausgebleicht, blaue Augen, recht durchtrainiert.«

»Da hast du ihn dir aber ganz genau angeschaut«, neckte Lara mich.

»War leider nicht zu vermeiden, wenn er ständig vor meiner Nase schwimmen geht.«

Lara prustete hinter vorgehaltener Hand los. »Sag mal, Nora, kann es ein, dass du diesen Bent heiß findest?«

»Nein! Wie kommst du denn darauf?«, erwiderte ich unwirsch und schob mir das letzte Stück Bruschetta in den Mund.

»Hm«, machte Lara und zuckte mit den Achseln. »Ist nur so ein Gefühl.«

»Na schön, äußerlich ist er vielleicht eine zehn, aber sein Charakter zieht ihn glattweg in den Minusbereich.«

In den letzten Tagen war ich eher unfreiwillig zur Expertin in Bezug auf Bents Muskeln geworden. Ich konnte einfach nicht wegsehen, wenn er nach der morgendlichen Schwimmrunde aus dem Wasser stieg, wo jeden Tag der Kater auf ihn wartete. Er hatte ein Tattoo auf der linken Brust, das aber leider aus der Entfernung nicht zu erkennen war. Sein Oberkörper war braun gebrannt und wohldefiniert, und ich hatte mich mehrmals dabei ertappt, dass ich mir vorstellte, wie das Wasser in der Rille zwischen seinen Brustmuskeln hinabrann. Fairerweise musste ich zugeben, dass er es optisch durchaus mit Zac Efron und Chris Hemsworth aufnehmen konnte. Ich unterdrückte einen Seufzer und schüttelte das Bild ab.

»Ich könnte Tom ein wenig über ihn ausfragen«, bot Lara an.

»Nein, bloß nicht! Der steckt das nur Bent, und der versteht das womöglich falsch.«

»Schade, ich wüsste gern, warum er dort lebt und warum er so ein Griesgram ist. Könnte doch gut sein, dass beides miteinander zu tun hat.«

»Vielleicht. Aber es ist mir egal. Womöglich bin ich momentan auch ein wenig empfindlich und projiziere meinen Frust über Markus auf ihn. Es sind schon zwei Wochen um, seit ich nichts mehr von ihm gehört habe, und wenn ich mir seine Bilder auf Instagram ansehe, habe ich nicht den Eindruck, dass er mich besonders vermisst.« Betrübt sah ich auf das Wasser hinaus, wo Boote mit aufgeblähten weißen Segeln fuhren.

»Du vermisst ihn sehr, oder? Ich meine, er kann dich ja nicht zwingen, bei dieser Beziehungspause mitzuspielen. Du könntest ihn vor die Wahl stellen und eine Entscheidung verlangen. Aber damit gehst du natürlich ein Risiko ein.«

»Natürlich vermisse ich ihn«, behauptete ich aus Reflex. »Obwohl«, setzte ich zögerlich hinzu, »die Sehnsucht ist nicht mehr so stark wie vor zwei Wochen, als er mich vor vollendete Tatsachen gestellt hat. Trotzdem hoffe ich nach wie vor, doch wieder da anknüpfen zu können, wo er auf Pause gedrückt hat. Daher werde ich ihm jetzt nicht die Pistole auf die Brust setzen.«

»Das verstehe ich. Und so lange, wie er braucht, um sich über seine Gefühle klar zu werden, bist du bei uns hier oben gut aufgehoben. Du kannst ja die Zeit nutzen, um dasselbe zu tun. Und du kannst auch jederzeit im Laden vorbeischauen und musst unbedingt noch ein paar Freunde von mir kennenlernen. Vielleicht gehen wir mal zusammen in den Pub.«

»Gern. Weißt du, ich habe tatsächlich das Gefühl, als fände ich hier ein wenig zu mir selbst zurück. Aber das

hat wohl eher etwas mit dem fehlenden Stress in der Klinik zu tun und weniger mit der Abwesenheit von Markus.«
Zumindest redete ich mir das ein.

Kapitel 14

AM NÄCHSTEN TAG schob ich wieder meinen Dienst an der Rezeption. Es war mitten am Vormittag – kurz vor dem heutigen Auschecken. Die Schlange der Camper erstreckte sich bis vor die Tür, weil natürlich alle gleichzeitig fortwollten. Nachdem eine junge Frau bezahlt und sich verabschiedet hatte, sah ich hoch, und mein Blick blieb an Herrn Runge hängen, dessen Gesicht gräulich schimmerte. Schweißperlen standen auf seiner Stirn.

»Wir wollen auschecken, Platz 21«, verkündete der Mann vor mir, aber ich sah weiter zu Herrn Runge. Womöglich nur der Kreislauf, dachte ich. Doch nachdem er sich fahrig über die Stirn gewischt hatte, fasste er sich an seine Brust.

»Entschuldigen Sie mich einen Moment«, murmelte ich und trat hinter dem Tresen hervor.

»Herr Runge, geht es Ihnen gut?«, fragte ich mit einem beruhigenden Lächeln.

»Nee, das Wetter ist heute so drückend – mein Kreislauf ...«

»Haben Sie Schmerzen?«

»Ja, in der Brust, das zieht bestimmt vom Rücken rum, da habe ich mich wohl verlegen heute Nacht.«

Unwahrscheinlich, dachte ich. »Wir rufen besser einen Arzt, und Sie legen sich so lange hin, einverstanden?«

»Einen Arzt? Das geht gleich bestimmt wieder«, wehrte er ab.

Ich wollte ihn nicht verunsichern und vermeiden, dass er mein Gespräch mit dem Rettungsdienst mitbekam. Aber der Anruf schien mir notwendig, ich hatte bei den Symptomen kein gutes Gefühl. Gott sei Dank kam Peter gerade zur Tür rein. Ich wandte mich an den jungen Mann, der neben mir stand. »Sorgen Sie bitte dafür, dass er sich hinlegt oder zumindest hinsetzt?«

Mein Ton war freundlich, doch gleichzeitig so eindringlich, dass er den Ernst der Lage begriff und meiner Bitte umgehend Folge leistete. Ich trat zu Peter, der mich fragend anschaute.

»Ruf bitte sofort den Krankenwagen. Verdacht auf Herzinfarkt«, sagte ich leise.

Peter sah mich erschrocken an, nickte und zog das Telefon aus der Tasche. Er wählte und trat dabei wieder nach draußen. Ich war erleichtert, dass er keine Fragen stellte, das kostete alles nur Zeit. Zum Glück wusste er, dass ich Krankenschwester war und mich auskannte.

»Frau Köhler!«

Ich fuhr herum und sah noch, wie Herr Runge in sich zusammensackte.

»Der Mann ist bewusstlos geworden!«

»Scheiße«, fluchte ich und kniete mich neben ihn. Der

Thorax war vollkommen ruhig, es waren keinerlei Atembewegungen erkennbar. Herr Runge hatte einen Herz-Kreislauf-Stillstand erlitten. Ich setzte rasch meine Hände auf seinen Brustkorb und begann mit der Herzdruckmassage.

Um mich herum murmelten die Anwesenden beunruhigt. Peter kam herein und stieß ein »Fuck!« aus, als er sah, dass ich Herrn Runge reanimierte. Er rannte kurz ins Backoffice und kniete keine fünf Sekunden später neben mir.

»Krankenwagen ist unterwegs. Brauchst du Hilfe?«

Ich schielte in den Notfallkoffer, den Peter geholt hatte, und erblickte einen Ambu-Beutel. »Kannst du mit dem Beatmungsbeutel das Beatmen übernehmen?«, fragte ich.

Er nickte und griff zielsicher zu. »Dreißig zu zwei«, sagte ich zu ihm, er nickte erneut. »... achtundzwanzig, neunundzwanzig und dreißig.«

Peter drückte den Beutel zweimal nacheinander und stieß dadurch Luft in die Lunge. Danach folgten wieder dreißig Stöße auf den Brustkorb, die ich sorgsam und kräftig ausführte, während ich im Kopf mitzählte.

»Ihr könnt so abfahren, die Rechnungen schicken wir per Post oder Mail. Bitte verlasst den Raum«, wies Peter zwischendurch die anderen Leute um uns herum an.

Als alle aus den Rändern meines Blickfelds verschwunden waren, wurde es bis auf meine schnellen Atemzüge bedrückend still. Es dauerte noch einige Minuten, bis ich in der Ferne endlich die Sirenen hörte. Herzdruckmassage war eine anstrengende Sache, der Brustkorb musste mindestens fünf Zentimeter eingedrückt werden, das schien auch Peter klarzuwerden, als ich vor Anstrengung keuchte.

»Soll ich dich ablösen?«

Ein Wechsel ohne Unterbrechung war kompliziert, außerdem wusste ich nicht, wie fit Peter in der Wiederbelebung war, auch wenn er bisher gut auf meine Anweisungen reagiert hatte. Daher schüttelte ich den Kopf. »Seine Frau«, sagte ich knapp, um nicht aus dem Rhythmus zu kommen.

Peter nickte und verschwand, während die Sirenen lauter wurden. Kurz darauf verstummten sie, die Tür zur Rezeption wurde aufgerissen, und jemand kniete sich neben mich.

»Okay, ich übernehme«, sagte eine Stimme, die mir seltsamerweise bekannt vorkam. Große Männerhände setzten die Herzdruckmassage fort, während ein zweiter Sanitäter mit dem Defibrillator kam.

»Seit wann wird er reanimiert?«

Ich schaute auf die Uhr. »Knapp fünfzehn Minuten, beobachtetes Eintreten der Bewusstlosigkeit, Alter und Vorerkrankungen unbekannt. Seine Frau wird gerade geholt.« Ich trat zurück, um nicht im Weg zu stehen. Erst da löste sich mein Blick von Herrn Runges Brust, und ich sah in die Gesichter der Sanitäter. Überrascht stockte mir der Atem. Die Hände, die die Reanimation fortführten, gehörten niemand anderem als Bent. Er trug ein dunkelblaues T-Shirt, auf dessen Rücken der Schriftzug *Feuerwehr* aufgedruckt war. Er musste Berufsfeuerwehrmann sein, die übernahmen in vielen Städten einen Teil des Rettungsdienstes, waren Feuerwehrmann und Notfallsanitäter zugleich.

Ehe ich weiter darüber nachdenken konnte, sprach die blecherne Stimme des Defibrillators nach der Analyse »Schock empfohlen«. Bent trat zurück, Herr Runges Körper zuckte bei dem Stromstoß. Danach reanimierte Bent weitere zwei Minuten, bis das Gerät einen erneuten Scan durchführte und im Anschluss »Puls fühlen« anordnete.

Erleichtert atmete ich auf. Das Herz schlug wieder! Inzwischen war der Notarzt eingetroffen und intubierte Herrn Runge, Bents Kollege hatte bereits einen Zugang gelegt und verabreichte nach Anweisung Propofol und Fentanyl.

Frau Runge war mittlerweile in die Rezeption gekommen, stand nun völlig aufgelöst neben Peter und machte Angaben zum Alter ihres Mannes, zu seinen Vorerkrankungen und Medikamenten. Die Hündin Hilde hielt sie die ganze Zeit fest an ihre Brust gepresst.

Ich trat zu ihr, strich ihr über den Arm.

»Das wird wieder«, sagte ich tröstend, obwohl ich das in dem Moment noch gar nicht wusste. Herr Runges Gesicht war unter der Beatmungsmaske verdeckt, als er an uns vorbeigeschoben wurde. Wir traten ebenfalls nach draußen.

Der Abtransport ging zügig. »Wohin bringt ihr ihn?«, rief Peter Bent noch zu, der in langen Schritten zur Fahrertür eilte.

»In die Diako.« Er schwang sich hinter das Steuer und schaltete das Blaulicht ein, sobald er die Straße erreichte.

»Einer sollte mit Frau Runge hinterherfahren«, sagte ich zu Peter, der selbst etwas blass um die Nase war und noch immer dorthin starrte, wo der Rettungswagen um die Ecke gebogen war. Er nickte, fuhr sich fahrig durchs Haar.

»Ich mache das«, bestimmte ich. In seinem Zustand war er Frau Runge keine moralische Stütze. »Kommen Sie, wir fahren mit meinem Auto.«

Sie nickte, während ihr Tränen über die Wangen liefen und die Angst sich in ihren Zügen abzeichnete.

Sie setzte sich in Bewegung, um mir zum Auto zu folgen, hielt dann aber nochmal inne. »Hilde ...«, sagte sie zerstreut.

Ich schaute zu Peter. »Könntest du ...?«

»Klar, ich kümmere mich um Hilde, bis Sie wieder hier sind.«

Nur zögerlich übergab sie die Hündin an Peter. »Ich hüte sie wie meinen eigenen Augapfel«, versicherte er ihr.

Während der Fahrt zum Krankenhaus, das sich unweit von Laras Laden befand, ließ der Schock bei Frau Runge langsam nach. Ich erklärte ihr, dass ihr Mann einen Herz-Kreislauf-Stillstand gehabt hatte und was dabei im Körper passierte, was für Untersuchungen folgten und welche Maßnahmen ergriffen werden konnten.

»Sind Sie Ärztin?«, fragte sie verwirrt. »Ich dachte, Sie arbeiten an der Rezeption.«

»Ich bin Gesundheits- und Krankenpflegerin und arbeite nur den Sommer über auf dem Campingplatz. Im Herbst trete ich in München eine Stelle auf der Intensivstation an.«

»Da hat mein Mann aber Glück gehabt, dass Sie zur Stelle waren ...«

»Jeder hätte Erste Hilfe geleistet.«

»Aber leider weiß nicht jeder, wie das geht, ich hätte auch nicht gewusst, was ich tun soll, vielleicht wäre er dann ... gestorben!« Ihre Stimme brach.

»Ist er aber nicht«, beruhigte ich sie und hoffte inständig, dass er tatsächlich überlebte.

Ich ließ Frau Runge vor dem Eingang der Notaufnahme

raus und versprach nachzukommen, sobald ich den Wagen geparkt hatte.

Als ich knappe zehn Minuten später das Krankenhaus betrat, empfing mich ein vertrauter Geruch. Ich steuerte den Fahrstuhl an und ließ mich auf die Intensivstation bringen. Erst dort erkundigte ich mich bei einer Schwester nach Herrn Runge.

»Sind sie eine Angehörige?«

»Nein, ich habe seine Frau hierhergefahren.«

Die Schwester nickte. »Kommen Sie, er ist eben erst aus dem Herzkatheterlabor gekommen. Frau Runge wartet dort drüben.«

Vor dem Warteraum hielt ich die Schwester am Arm auf. »Können Sie Frau Runge etwas im Auge behalten? Das alles hat sie sehr mitgenommen. Und – mir können Sie ehrlich sagen, wie es ihrem Mann geht, ich bin auch Krankenschwester. Wie viele Stents waren nötig?«

Sie stutzte kurz, und dann war es, als schaute sie mich zum ersten Mal genauer an. »Sind Sie die Frau, die ihn reanimiert hat, bis der RTW vor Ort war?«

Ich nickte.

»Und Sie arbeiten auf dem Campingplatz?« Verwirrt zog sie eine Augenbraue in die Höhe.

Ich fragte mich, woher sie das alles wusste, und antwortete knapp: »Nur als Überbrückung, bis ich eine neue Stelle auf der ITS in einem Münchener Klinikum antrete.«

»Ach so, dann hat dieser Umstand Herrn Runge wohl das Leben gerettet. Sie haben ihm drei Stents gesetzt. Hoffen wir, dass er die Kühlung überlebt.«

Die Kühlung – das war die therapeutische Hyperther-
mie, bei der der Patient für 48 Stunden auf 33 Grad her-
untergekühlt und in den nächsten 24 Stunden wieder auf
37 Grad gebracht wurde. Untersuchungen hatten gezeigt,
dass dadurch nach einem Herz-Kreislauf-Stillstand mehr
Hirnzellen überlebten als ohne eine solche Behandlung.

»Das hoffe ich auch. Er und seine Frau sind so liebens-
wert zusammen.«

»Danach fragt das Schicksal leider nicht.«

Ich nickte und seufzte leise, als ich Frau Runge auf dem
Stuhl hocken sah. Die schmalen Schultern herabhängend,
das Gesicht blass.

Als ich einen Schritt in den Raum trat, legte die Schwester ihre Hand auf meinen Arm.

»Wir können hier auch fähige Mitarbeiterinnen gebrauchen. Falls es Sie wieder an die Förde zieht und die Berge
Sie einengen.«

Ich schmunzelte. »Danke für das Angebot, aber ... ich
werde in München erwartet.« Ich brachte es nicht über die
Lippen zu sagen, dass mein Freund dort auf mich wartete.
Denn tat er das überhaupt noch? Das führte unweigerlich
zu der Frage, wo ich in München wohnen sollte, wenn sich
unsere Beziehung nicht wieder einrenkte. Vermutlich hielt
die Klinik Unterkünfte für den Übergang bereit, falls ein
Arzt oder anderes Personal länger für die Wohnungssuche
brauchten. Alles in allem wenig verlockende Aussichten –
doch ich schob diese allmählich drängenden Fragen beiseite, jetzt war nicht der Moment dafür.

Auch wenn ich mir sicher war, nicht auf das eben unterbreitete Angebot zurückzukommen, senkte sich mein Blick automatisch auf das Namensschild der Schwester. Carolin Herrmann.

Ich trat zu Frau Runge und berichtete, was die Schwester mir erzählt hatte. Dann beantwortete ich ihre Fragen dazu. Erklärte, dass ihr Mann für die nächsten 72 Stunden in ein künstliches Koma versetzt werden musste, weil seine Körpertemperatur gesenkt wurde. Meiner Erfahrung nach war die Ungewissheit für die Angehörigen oftmals am schlimmsten zu ertragen. Je besser sie verstanden, was mit ihren Liebsten geschah, desto leichter war es für sie auszuhalten und darauf zu vertrauen, dass alles Menschenmögliche getan wurde.

Und tatsächlich kehrte ein wenig Farbe in Frau Runges Wangen zurück. Ich holte uns einen heißen Kakao, obwohl es eigentlich viel zu warm dafür war. Aber in einigen Situationen benötigte man einfach etwas Wärme von innen.

Als Frau Runge endlich zu ihrem Mann konnte, verabschiedete ich mich und versprach ihr, Hilde zu mir in die Hütte zu nehmen. Ich ermunterte sie, so lange hierzubleiben, wie sie es für richtig hielt. Ihr Mann würde ihre Anwesenheit sicherlich spüren.

Mein Angebot, sie später abzuholen, lehnte sie jedoch ab. »Sie haben schon genug getan, ich nehme mir ein Taxi.«

»Wie gesagt, das hätte jeder.«

Der Hauch von einem Lächeln umspielte ihre Mundwinkel, und sie verzichtete dieses Mal darauf, mir zu widersprechen.

Die Flure des Krankenhauses waren lang und etwas verwinkelt. Auf dem Hinweg war mir der Weg ganz leicht erschienen, doch nun kam ich mir vor wie in Hogwarts, wo sich Treppen verschoben und man plötzlich woanders landete als geplant. Erst nachdem ich zweimal nachgefragt hatte, fand ich einen Ausgang, der mich an der Straße ausspuckte, an der auch das Parkhaus lag.

Die Sonne strahlte vom blassblauen Himmel, was so gar nicht zu den schrecklichen Ereignissen passte. Aber das Leben ging beharrlich weiter, und ich hoffte inständig, dass dies auch für Herrn Runges galt und er in drei Tagen aufwachen und sich erholen würde.

Ich rief bei Peter an, brachte ihn auf den neuesten Stand und fragte, ob es okay sei, wenn ich noch kurz Lara besuchte, ehe ich ihm Hilde abnahm. Auch als Krankenschwester ging eine solche Situation, in der es um Leben und Tod ging, nicht spurlos an mir vorbei.

»Klar, Nora. Ich kann den Dackel auch mit nach Hause nehmen.«

»Nein, ich denke, Frau Runge wird ihre Gesellschaft heute Nacht brauchen. Ich bin in eineinhalb Stunden wieder auf dem Campingplatz.«

Wir beendeten das Telefonat, und ich checkte auf meinem Handy, wie weit es von hier zu Laras Laden war. Mein Gefühl hatte mich nicht getäuscht, es waren zu Fuß nur zwölf Minuten. Ich ließ das Auto im Parkhaus stehen und spazierte los, merkte mit jedem Schritt, wie sich meine Schultern wieder lockerten.

Ilse wischte gerade die Außentische ab, als ich den kleinen Innenhof betrat, und sie winkte mir zu. Ich winkte zurück, dann stieg ich die Stufen zum *Hygge Up* hoch. Im

Inneren fiel mein Blick als Erstes auf das Letterboard. Lara hatte den Spruch ausgetauscht.

Genieße den Augenblick, denn der Augenblick ist dein Leben.

Einen Moment verharrte ich und ließ die Wörter auf mich wirken. Viel zu selten genossen wir die Gegenwart. Haderten zu oft mit der Vergangenheit oder fieberten der Zukunft entgegen, dabei war der Augenblick alles, was uns sicher war.

»Hey«, riss Laras Stimme mich aus meinen Gedanken. »Stimmt was nicht mit dem Spruch? Habe ich Buchstaben vertauscht?« Sie richtete ihre Augen auf das Letterboard.

»Nein, alles korrekt, ich habe mir nur vorgenommen, genau das bewusster zu machen. Den Augenblick zu genießen.«

»Ist alles in Ordnung?« Laras Augen musterten mich wachsam.

»Ja und nein. Ich komme gerade aus dem Krankenhaus. Ein Camper hat bei mir an der Rezeption einen Herz-Kreislauf-Stillstand erlitten.«

»Au Backe!«

»Aber es scheint, als würde es glimpflich ausgehen.«

»Weil du da warst?«

»Auch.«

»Weißt du was? Vielleicht *solltest* du in diesem Sommer einfach genau hier sein. An der wunderschönen Flensburger Förde. Vielleicht brauchten wir dich hier.«

»Sei nicht albern, Lara. Ich dachte, ihr Nordlichter seid nicht so gefühlsduselig?«, fragte ich schmunzelnd.

Doch sie zuckte nur ungerührt mit den Schultern und sagte: »Wir gehen nur sparsam damit um.« Sie zog ihren Pferdeschwanz zurecht und grinste. »Möchtest du einen Kaffee?«

»Gern.«

»Und dann erzählst du genau, was passiert ist.«

Wir setzten uns mit einer Tasse frisch aufgebrühtem Kaffee auf eine alte Küchenbank, die Lara liebevoll in Szene gesetzt hatte, und ich wünschte, ich hätte einige der Möbel mit nach München nehmen können. Vielleicht fand sich ein kleines Teil, das in mein Auto passte.

Dann berichtete ich ihr ausführlich von den Ereignissen der letzten Stunden.

»Und weißt du was?« Erst jetzt kehrten meine Gedanken zurück zu dem Umstand, dass ausgerechnet Bent mit dem RTW angerückt war.

»Was denn? Spann mich nicht auf die Folter!«

»Bent scheint doch nicht den ganzen Tag im Wohnwagen rumzuschimmeln. Er – also – er war einer der Notfallsanitäter, und auf seinem Shirt stand ›Feuerwehr‹.«

»Ach, echt?«

Ich nickte. Berufsfeuerwehr. So ganz wollte das in meinem Kopf nicht mit dem Bild, das ich mir von Bent gemalt hatte, zusammenpassen. Fast schämte ich mich dafür, wie schnell ich ihn in eine Schublade manövriert hatte. Zu unrecht, denn plötzlich ergaben das lange Schlafen und sein unregelmäßiges Auftauchen nun einen Sinn. Die Feuerwehren arbeiteten meist in unregelmäßigen Schichtsystemen.

»Dann hast du ihn wohl falsch eingeschätzt«, legte Lara

den Finger in die Wunde, und ich schaute verlegen in meine halb volle Tasse.

»Ähm, ja, aber nur teilweise. Auch wenn er kein Taugenichts ist, ist er immer noch ein Blödmann.«

Lara lachte, und ich stimmte mit ein.

*

Später saß ich mit Hilde auf der Veranda. Sie lag auf einer Decke neben mir, und der rot-weiße Kater hockte auf den Stufen von Bents Wohnwagen und spähte misstrauisch zu uns herüber. Hinter den Fenstern war es dunkel. Offenbar arbeitete Bent noch.

Während ich auf Frau Runge wartete, zog der Himmel zu, und der Wind frischte auf, sodass ich mir eine leichte Jacke holte. Plötzlich überkam mich eine Welle Sehnsucht nach Markus, und ich wünschte, ich könnte mich zu ihm aufs Sofa setzen, mich an ihn kuscheln und ihm von den Ereignissen erzählen. Der heutige Tag hatte mir wieder einmal vor Augen geführt, wie kostbar jede einzelne Stunde des Lebens war. Wir sollten keine Zeit verschwenden.

Ich ließ meinen Blick über die Ostsee schweifen, auf der sich kleine Schaumkronen ans Ufer schoben, und erstaunlicherweise hatte ich nicht mehr das Gefühl wie bei meiner Ankunft, dass ich hier Lebenszeit verschwendete. Im Gegenteil: Ich hatte verhindert, dass jemand starb, ich unterstützte Peter, damit er öfter bei seiner Familie sein konnte. Ich verbrachte Zeit mit Lara und war am Meer.

Die Sehnsucht nach Markus verebbte. Lächelnd hob ich

das Glas Selters in Hildes Richtung. »Auf das Leben und auf dein Herrchen, Hilde!«

Als Frau Runge kam, um ihre Hündin abzuholen, vollführte diese einen Freudentanz, den ich ihr in ihrem Alter gar nicht zugetraut hatte.

»Ja, Hildchen, dem Herrchen geht's bald wieder gut.« Frau Runge herzte den Dackel und ließ sich von ihm quer übers Gesicht schlecken.

Schmunzelnd betrachtete ich das Schauspiel.

»Wie geht es Ihnen?«, erkundigte ich mich dann.

»Es war ein großer Schock für mich, und ich hoffe so sehr, dass er bald die Augen aufschlägt!«, sagte Frau Runge mit einem tiefen Seufzen.

»Das wird er, und wenn Sie nochmal einen Sitter für Hilde brauchen, sagen Sie einfach Bescheid.«

»Danke, Frau Köhler. Aber ich werde für die nächsten Tage in ein Hotel nahe dem Krankenhaus ziehen.«

»Das klingt vernünftig, dann müssen Sie nicht immer hier rausfahren.«

»Ach, sollen wir uns nicht duzen? Ich bin die Irmi. Und mein Mann heißt Ingolf, aber der kann dir das Du hoffentlich bald persönlich anbieten.«

»Gern, Irmi. Ich bin Nora. Möchtest du noch etwas mit mir trinken?«

»Danke, aber der Tag steckt mir in den Knochen. Ich würde mich lieber hinlegen, damit ich morgen früh gleich wieder zu Ingolf kann.«

»Das verstehe ich, dann gute Nacht!«

»Gute Nacht, Nora, und ... nochmal vielen Dank!«

Kapitel 15

AM NÄCHSTEN MORGEN begrüßte Peter mich bereits von seinem Schreibtisch aus, als ich an der Rezeption durch die Tür trat.

»Morgen Nora! Na, das war was gestern! Herzlichen ...«

Ich hob die Hand, um ihn zu stoppen. »Bitte bedanke dich jetzt nicht auch noch. Jeder hilft in so einer Situation. Und außerdem ist das mein Job.«

»Nun ja, hier gehört das genau genommen nicht zu deinen Aufgaben. Bent hat gesagt, ohne dich wäre es nicht so glimpflich ausgegangen.«

»Noch ist er ja nicht durch«, murmelte ich und horchte gleichzeitig auf. Das hatte Bent gesagt? Ich ließ mir meine Überraschung nicht anmerken.

»Hat mich auf jeden Fall daran erinnert, meine eigenen Erste-Hilfe-Kenntnisse wieder aufzufrischen.«

»Da sitzt du bei Bent ja an der Quelle. Ist er bei der Berufsfeuerwehr in Flensburg?«

»Ja, wieder. Eine Zeit lang war er in Berlin.«

»Aha, über ein Austauschprogramm?« Ich hatte mal gehört, dass Feuerwehren so etwas anboten.

Das Telefon klingelte und unterbrach unser Gespräch. Ich nahm den Anruf entgegen, während mir Peter lautlos bedeutete, dass er draußen was zu tun hatte.

Der restliche Tag verlief im gewohnten Trott. Niemand erlitt einen Herzinfarkt. Alle Abreisenden erfreuten sich Gott sei Dank bester Gesundheit.

Auch der nächste Tag verstrich ereignislos, Bent lief ich nicht über den Weg, weder bei seinem Wohnwagen noch morgens am Strand, und zum ersten Mal fand ich es schade. Ich erinnerte mich an seine starken Hände, als er souverän die Herzdruckmassage übernommen hatte. Diese überraschende Facette an ihm machte mich neugierig, und ich ertappte mich abends mehrmals dabei, wie mein Blick durch mein Hüttenfenster hinüber zu seinem Wohnwagen wanderte. Mit dem Wissen, dass er Feuerwehrmann war, verstand ich allerdings noch weniger, warum er hier auf dem Campingplatz lebte.

Freitag kurz vor dem Mittag rief Irmi in der Rezeption an.

»Hallo Irmi, schön, von dir zu hören«, sagte ich, aber mein Puls schnellte etwas in die Höhe aus Angst, sie könnte keine guten Neuigkeiten zu berichten haben.

»Ingolf ist aufgewacht«, sprudelte es aus ihr heraus. »Er atmet selbstständig.« Jedes ihrer Worte verströmte pure Erleichterung.

»Das freut mich riesig. Vielen Dank, dass du Bescheid gesagt hast! Wir sind hier alle sehr froh, und wenn du noch etwas brauchst, meld dich jederzeit.«

Wir verabschiedeten uns gerade, als Peter reinkam.

»Du grinst ja, als hättest du im Lotto gewonnen.«

»Besser! Herr Runge ist aufgewacht.«

»Ach, wie schön! Dann steht dem Grillfest heute Abend ja nichts mehr im Wege. Ich hatte echt Zweifel, ob es richtig ist, es stattfinden zu lassen«, erwiderte er erleichtert.

»Ach, das habe ich völlig vergessen.«

»Ist etwas untergegangen in den letzten Tagen, aber soweit ist alles organisiert.«

»Soll ich euch zur Hand gehen?«, fragte ich.

»Wenn es dir nichts ausmacht, rufe doch Susi an und beschnack das mit ihr. Die Aufgabenverteilung übernimmt sie. Telefonnummer schicke ich dir!«

Kurz darauf besprach ich mit seiner Frau, dass sie einen Kartoffelsalat und ich einen Nudelsalat beisteuern würde. Ihre Schwiegermutter wollte einen grünen Salat vorbeibringen. Ich düste mit meinem Opel zum nächstgelegenen Supermarkt, kaufte eine riesige Portion Nudeln und weitere Zutaten, verbrachte den restlichen Nachmittag mit dem Vorbereiten des Salats und richtete mich im Anschluss selbst her.

War ich bisher immer sportlich in Shorts und Shirt unterwegs gewesen, entschied ich, dass heute der richtige Anlass für mein geblümtes Sommerkleid war, das ich mir vor einigen Monaten gekauft und mich damit schon in den Biergärten Münchens gesehen hatte. So konnte man sich täuschen.

Seufzend zog ich es aus dem Umzugskarton und schlüpfte hinein. Ich öffnete meinen Pferdeschwanz und kämmte mein Haar. Das Salzwasser und die Sonne hatten es in der kurzen Zeit bereits um einige Nuancen aufgehellt.

Ähnlich wie Bents, schoss es mir durch den Kopf. Irritiert über diesen Gedanken, schüttelte ich ihn schnell ab, griff nach den beiden Salatschüsseln – in eine hatte die Menge nicht gepasst – und trat auf meine Veranda.

Im selben Moment öffnete sich die Tür des Wohnwagens. Bents und meine Blicke trafen sich. Und auch, wenn sich im Grunde nichts geändert hatte, spürte ich doch ganz genau die seltsame Spannung in der Luft. Zunächst sah es aus, als wolle er loslaufen, aber dann drehte er sich überraschend zu mir um und wartete, bis ich auf seiner Höhe ankam. Er griff nach einer Schüssel.

»Nudelsalat?«

Ich nickte, perplex über diese freundliche Version von Bent. Nebeneinander spazierten wir zur Rezeption. Keiner von uns sagte dabei ein Wort. Auf den Platz vor dem Gebäude hatte Peter Bierbankgarnituren gestellt und baute gerade einen großen Grill auf. In der Rezeption stand ein Tisch, auf dem wir die Salate neben den anderen deponierten. Bent sah mich an, und sein Blick ging mir ungewollt unter die Haut.

»Gute Arbeit«, sagte er, und ich nickte – wohlwissend, dass er damit nicht den Salat meinte. »Gleichfalls.«

»Schön, dich zu sehen«, begrüßte mich Susi im nächsten Augenblick. »Bent, kannst du Peter kurz helfen? Sonst wird das nichts mit dem Grillen.« Sie wies nach draußen, wo ihr Mann mit dem Gestell des Schwenkgrills kämpfte.

Bent zog eine Augenbraue hoch und verschwand durch die Tür. Susi und ich richteten die Teller mit Servietten her und verteilten Grillsaucen auf den Tischen.

Bald trudelten auch schon die ersten Camper ein. Peter grillte Würstchen, Nackensteaks und Gemüsespieße, Bent zapfte Bier – natürlich von der Flensburger Biermanufaktur. Susi und ich unterhielten uns mit den Gästen. Der kleine Jeppe war heute bei Susis Mutter, und ich sah der jungen Mama an, dass sie die babyfreien Stunden genoss.

Die Stimmung war ausgelassen. Gelegentlich bemerkte ich, wie Bents Blick auf mir ruhte, und wenn ich ihn erwiderte, hielt er ihn für einige Augenblicke fest, ehe er sich abwendete.

Die Dämmerung setzte ein. Mit ihr kamen die Mücken aus ihren Verstecken, und wir stellten Duftkerzen auf. Die Brüder zündeten ein Feuer an, dessen Flammen in der Luft züngelten, und das Holz verbrannte knackend.

Der Abend verging mit Gesprächen und in einer angenehmen Atmosphäre. Vom ersten Tag an hatte ich es gemocht, mir die Geschichten der Gäste anzuhören. Sie waren so unterschiedlich wie das Leben selbst. Vom jungen Typen, der in seinem Van lebte, bis zu dem wohlsituierten Rentnerehepaar kamen sie alle durch die Leidenschaft Campen zusammen. *Auf dem Campingplatz sind alle gleich*, pflegte Peter stets zu sagen. Er hatte recht, und das gefiel mir.

Gegen dreiundzwanzig Uhr gingen die ersten Gäste zu ihren Wohnmobilen oder Wohnwagen zurück, und der Platz leerte sich nach und nach. Die Übriggebliebenen rückten die Bänke näher ans Feuer, denn die Luft war merklich abgekühlt. Ich unterhielt mich mit einem jungen Pärchen, das ebenfalls aus Münster stammte.

»Bent, hol doch deine Gitarre«, forderte Susi plötzlich ihren Schwager auf, der eine Bank weiter saß.

Er schüttelte den Kopf, aber Susi ignorierte das und drängte hartnäckig: »Komm schon, früher hast du sie bei jeder Gelegenheit mitgebracht, ich habe dich ewig nicht spielen hören.«

»Früher war das auch seine Masche, die Frauen zu beeindrucken, heute braucht er dafür keine Gitarre mehr«, unkte Peter und erntete einen finsteren Blick von seinem Bruder.

»Komm schon, du kannst deiner Schwägerin diesen Wunsch doch nicht an ihrem einzigen freien Abend abschlagen.« Susi lächelte ihn zuckersüß an, bis seine Züge sichtlich erweichten und er schließlich nachgab und sich erhob.

»Na schön«, brummte er, aber seine Mundwinkel zuckten dabei.

Wenig später kehrte Bent mit einer abgenutzten Akustikgitarre zurück und setzte sich auf den inzwischen frei gewordenen Platz neben mir. Eine Welle seines Parfüms wehte in meine Nase, und mein Herz machte ganz unerwartet einen kleinen Hopser. Reichte es nicht, dass er durchtrainiert war wie Zac Efron in der neuesten Baywatch-Verfilmung? Jetzt spielte er auch noch Gitarre wie Shawn Mendes? Und roch dabei so verdammt gut! Ich musste meine körperliche Reaktion auf ihn dringend in den Griff bekommen. Unauffällig rückte ich ein Stück von ihm ab, näher an Susi heran.

Bent stimmte ein Lied an, das mir vage bekannt vorkam. Mein Bruder Nico spielte ebenfalls Gitarre und hatte mich und meine Eltern früher mit seinen Übungssessions regelmäßig in den Wahnsinn getrieben. Ich versuchte, nicht ständig zu

Bent zu schauen, wie er da im Schein des Lagerfeuers saß, mit der Gitarre auf den Beinen, den Kopf leicht schräg vorgebeugt, sodass ihm einige Strähnen seiner Haare in die Stirn fielen.

Ich beschloss, mir noch ein Getränk zu holen. Das Bierfass war mittlerweile leer, und ich nahm mir stattdessen eine Flasche, setzte mich damit auf Susis andere Seite. So saß ich zwar nicht mehr direkt neben Bent, doch es fiel mir noch schwerer, ihn nicht ständig anzustarren. Es war, als zöge er meinen Blick automatisch an.

Dann schlug Susi vor, »Wer kennt's?« zu spielen. Bent stöhnte, kam aber auch diesem Wunsch seiner Schwägerin nach. Sie schien wild entschlossen, diesen Abend bestmöglich auszukosten. Mittlerweile waren wir nur noch eine kleine Truppe, bestehend aus Bent, Peter, Susi, einem jungen Pärchen aus der Eifel, das mit dem Bulli hier war, zwei weiteren Paaren um die fünfzig, die ich bisher nur kurz beim Einchecken gesehen hatte, und mir.

Bent stimmte zunächst ein Lied an, das ich nicht kannte, doch einer der älteren Männer wusste nach wenigen Takten, was es war. Dann spielte er ein Stück, das mein Bruder ebenfalls in seinem Repertoire gehabt hatte.

»Sportfreunde Stiller, ›Kompliment‹«, sagte ich.

»Richtig.« Nach kurzem Überlegen spielte Bent den nächsten Titel an.

»›Auf uns‹ von Andreas Bourani!«, rief ich und summte die Melodie weiter.

»Okay«, sagte Bent gedehnt und überlegte kurz, bevor er einen weiteren Song anstimmte, den ich ebenfalls schnell erkannte. Langsam war ich warmgelaufen. Mein Blick klebte an Bents Fingern, wie sie die Akkorde griffen. Im Hintergrund rauschten die Blätter an den Bäumen, und eine Brise kühle Seeluft strich mir über den Nacken.

»Du kennst dich aus«, stellte Susi unterdessen anerkennend fest.

»Ich habe einen Bruder, der aus denselben Gründen Gitarre gespielt hat wie Bent«, erwiderte ich schmunzelnd.

»Singt er auch dazu? Bent weigert sich leider hartnäckig. Ich habe ihn noch nie singen gehört, obwohl ich nun schon acht Jahre mit Peter zusammen bin.«

»Ja, Nico singt manchmal«, entgegnete ich, erinnerte mich aber auch an die Male, die mein Bruder Gitarre gespielt und ich dazu gesungen hatte. Das hatte ich immer genossen. Plötzlich fehlte er mir sehr, und ich nahm mir fest vor, ihn spätestens kommendes Jahr zu besuchen, egal ob mit oder ohne Markus.

Die Melodie des nächsten Songs drang an meine Ohren, und ich schloss die Augen, noch nicht bereit zu sagen, dass es sich um »Save Tonight« von Eagle-Eye Cherry handelte. Einen Song, den ich seit jeher liebte und den mein Bruder damals nur für mich auf der Gitarre spielen lernte. Es war lange her, dass ich ihn zuletzt gehört hatte.

Ich schloss die Augen und summte leise mit, dann kam der Text automatisch über meine Lippen. Fühlte es sich bei den ersten Zeilen noch ungewohnt an, floss jede weitere leichter. Beim Refrain setzte Susi neben mir mit ein. Lächelnd öffnete ich die Augen und sah sie an. Sie grinste. Danach ließ ich meinen Blick in die Runde schweifen, einige sangen mit, andere lauschten nur.

Bent zupfte die Saiten und wippte mit dem Fuß im Takt. Auf seinen Lippen lag ein kleines Lächeln, das komische Sachen mit mir anstellte. Ich wollte den Blick von ihm abwenden, doch in dem Moment hob er seinen, und irgendwie verhakten sie sich ineinander. Ich war nicht imstande wegzusehen, während ich die Zeilen des Refrains sang. *Save tonight and fight the break of dawn, Come tomorrow – tomorrow I'll be gone, Save tonight ...*

Die Klänge der Gitarre verstummten kurz darauf, und als Susi mich leicht mit dem Ellenbogen anstieß, gelang es mir endlich, den Blickkontakt mit Bent zu beenden.

»Du hast eine wunderschöne Stimme! Ich bin ganz neidisch«, sagte sie fröhlich.

»Ach Quatsch, deine ist genauso schön«, erwiderte ich ein bisschen verlegen. Ich schaute in die tanzenden Flammen und trank einen Schluck vom kühlen Bier. Ein tiefer Atemzug kam seufzend aus meiner Brust, und plötzlich fröstelte ich in meinem Sommerkleid.

Es war, als hätte das Singen etwas in mir gelöst, als wäre eine Schale aufgeknackt, in der ich all meine Ängste und Sorgen, die durch Markus' Beziehungspause entstanden waren, eingesperrt hatte. Nun strömten sie ungefiltert durch mich hindurch, und ich fühlte mich plötzlich wieder so verloren wie am Tag des geplanten Umzugs.

In drei langen Zügen trank ich mein Bier aus und erhob mich. »Ich gehe dann mal, ich bin müde. Es war ein schöner Abend mit euch«, sagte ich und lief ins Dunkle hinein, ohne mich noch einmal umzusehen.

Kapitel 16

IN DER HÜTTE ließ ich mich aufs Bett fallen. Meine Haare breiteten sich auf dem Kopfkissen aus und verströmten einen rauchigen Duft. Ich sollte duschen, dachte ich, doch stattdessen nahm ich mein Handy und checkte Markus' Instagram-Account. In seiner Story waren neue Bilder, sie schienen von heute Abend zu sein. Die Blondine war erneut mit darauf zu sehen.

»Nur eine Arbeitskollegin«, redete ich gegen das mulmige Gefühl in meinen Magen an, während die Bilder nacheinander angezeigt wurden. Auf dem letzten hatte sie einen Arm um Markus geschlungen und lachte gemeinsam mit ihm in die Kamera. Abermals stieg in mir der Verdacht auf, Markus wolle eine Trennung mit Sicherheitsnetz.

Wut wallte auf, pulsierte heiß durch meinen Körper. Ungeachtet der späten Uhrzeit, wählte ich Markus' Nummer. Es klingelte achtmal, ehe er ranging.

»Nora?«, fragte er verdutzt. Im Hintergrund spielte Musik, und Stimmen surrten durcheinander. »Alles in Ordnung?«

»Ja, schon.« Ich hatte mir nicht überlegt, was ich sagen wollte. »Ich dachte, ich höre mal, wie es dir geht.«

»Gut, aber wir wollten doch eigentlich für eine Weile Abstand halten.« Seine Stimme klang gleich weniger freundlich. Was war nur los mit ihm? Fehlte ich ihm gar nicht? Ich verspürte das Bedürfnis, ihm von all den Ereignissen der letzten Wochen zu erzählen, aber stattdessen sagte ich: »*Du* wolltest das. Ich vermisse dich und … nun ja …«

»Was, Nora? Hör zu, ich bin unterwegs und …«

»Und ich frage mich«, fuhr ich dazwischen, bevor er mich abwimmeln konnte, »ob *du* mich eigentlich schon vergessen hast und da womöglich etwas mit der blonden Frau läuft, die ständig auf deinen Fotos zu sehen ist.« Ich schloss verschämt die Augen, sobald das letzte Wort meinen Mund verlassen hatte.

»Melanie?«, fragte er.

»Keine Ahnung, wie sie heißt«, blaffte ich ungehalten und legte eine Hand auf meinen Magen, der sich plötzlich drehte.

Markus schien nach draußen zu gehen, denn im Hintergrund wurde es leiser. »Nein, da läuft nichts. Aber selbst wenn …« Er stockte, und ich kniff die Augen noch fester zusammen, als könne das etwas an dem ändern, was er als Nächstes sagen würde. Er seufzte. »Wir machen eine Pause, Nora.«

»Ach, und das bedeutet, jeder kann machen, was er will? Mit *wem* er will?« Ich hasste es, dass ich klang wie eine eifersüchtige Furie und dass ich mich so hilflos fühlte wie ein verliebter Teenie, dessen Liebe nicht erwidert wurde.

»Theoretisch ja, Nora … aber da läuft nichts mit Melanie.«

Ich schnaubte. Ich konnte es nicht leiden, wenn er ihren Namen sagte. Tränen drückten mir in die Augen, doch ich würde jetzt gewiss nicht heulen. Ich presste Daumen und Zeigefinger in die Augenwinkel.

»Gut, dass wir das geklärt haben«, stieß ich hervor. »Jedenfalls etwas.«

»Nora«, sagte er in diesem belehrenden Ton, der dafür sorgte, dass ich mein Telefon an die Wand klatschen wollte.

Ich schluckte, blinzelte die Tränen zurück. »Ich verstehe einfach nicht, wie man nicht wissen kann, ob man jemanden noch liebt oder nicht.«

»Das hatten wir doch schon.«

»Markus?«, drang aus dem Hintergrund eine Frauenstimme an mein Ohr.

»Ich muss dann jetzt wieder rein«, sagte er tonlos.

»Wie stellst du dir das überhaupt vor? Wo soll ich ab August wohnen, wenn sich die Pause ›für immer‹ ausweitet?«

»Du weißt, dass ich dich nie im Stich lassen würde.«

Plötzlich war ich mir da nicht mehr sicher. Schließlich hatte er mich gerade erst übelst hängenlassen.

»Lass uns ein anderes Mal reden, ich muss …«

»Du musst da wieder rein. Verstehe. Na dann, viel Spaß.«

Ohne eine weitere Verabschiedung unterbrach ich die Verbindung, sprang auf und stolperte zur Tür hinaus. Ich brauchte frische Luft, musste mich bewegen. In der Dunkelheit lief ich zum Strand hinunter, dessen Sand sich an meinen nackten Füßen immer noch warm anfühlte, aber die Luft war kühl. Der Wind wehte mäßig, die kleinen Wellen verursachten ein schwappendes Geräusch, als sie auf dem Strand ausliefen.

Ich spazierte einmal die Bucht entlang bis zu der Stelle, die noch ganz der Natur und den Seevögeln gehörte. Dort machte ich kehrt und setzte mich auf Höhe des Campingplatzes in den Sand. Ließ meinen Tränen freien Lauf und warf Muscheln in das Wasser.

»Du kannst all *unsere* Muschelmomente wiederhaben, du Vollidiot«, schluchzte ich dabei und stellte mir bei jedem Wurf einen schönen Moment vor, den Markus und ich gemeinsam erlebt hatten und die er nun alle zerstört hatte. Eine Muschel für das Wochenende in Prag, eine für seine leckeren Pastakreationen bei Kerzenschein, eine für die gemeinsamen Serienabende auf der Couch … Bei jedem Augenblick, den ich mir ins Gedächtnis rief, wurde mir klarer, dass kaum welche aus den letzten Wochen oder Monaten dabei waren, was mich noch trauriger stimmte. Tränen rannen weiterhin über mein Gesicht, und ich ließ sie laufen, hoffte, dass ich mich danach besser fühlen würde.

Als sich jemand neben mir im Sand niederließ, zuckte ich zusammen. Doch ich musste nicht hinsehen, der Duft seines Parfüms verriet mir, dass es sich um Bent handelte. Unauffällig wischte ich mir über die Wangen und hörte auf, Muscheln zu werfen, blickte aber weiter geradeaus aufs nachtschwarze Meer, auf dem sich das Licht des Mondes spiegelte.

»Alles in Ordnung?«, fragte er leise.

Ich zuckte mit den Schultern, nicht sicher, ob er das in

dem fahlen Licht sehen konnte. »Blöde Nachricht«, erklärte ich daher knapp. »Und du, was treibt dich so spät an den Strand?«

Es dauerte, bis er antwortete. »Ich habe gesehen, wie du aus der Hütte gestürmt bist und … wollte nachsehen, ob alles in Ordnung ist.«

Ich lachte auf und erwiderte in leicht spöttischem Ton: »Das ist unerwartet.«

»Hör zu«, begann er, und ich spürte, wie er sich neben mir bewegte. »Ich fürchte, ich habe dich falsch eingeschätzt, und will mich bei dir entschuldigen für mein Verhalten bei unserer ersten Begegnung.«

Überrascht drehte ich mein Gesicht zu ihm, versuchte, seine Mimik zu erkennen.

»Und was ist mit unserer ersten Begegnung hier auf dem Campingplatz?«, fragte ich trocken. »Und mit … «

»Für alle«, sagte er hastig. »Für mein ganzes bisheriges Verhalten. Ich … ich habe einfach gedacht, dass du jemand bist, der nur sorg- und rücksichtslos durchs Leben flattert. Heute hier, morgen da, was interessiert mich übermorgen.«

Ich runzelte die Stirn. »Und das hast du dir alles auf den ersten Blick bei Rune gedacht?«, fragte ich zweifelnd. »Außerdem ist das noch lange kein Grund, um dermaßen unhöflich zu sein.« So ganz nahm ich ihm die Begründung nicht ab.

Bent ging nicht darauf ein. Mehr als diese Erklärung würde ich offensichtlich nicht bekommen. Ich fischte eine Muschel aus dem Sand und schleuderte sie Richtung Meer. Sie war zu leicht und landete nur knapp im Spülsaum.

Die nächsten Minuten saßen wir schweigend nebeneinander, und irgendwie tat mir Bents Anwesenheit gut. Sie lenkte mich von meinem Kummer ab.

»Ich habe mir auch ein falsches Bild von dir gemacht. Also sind wir wohl quitt«, gab ich irgendwann zu.

Ich war froh, dass Bent nicht nachbohrte, was genau ich über ihn gedacht hatte.

»Du frierst«, sagte er stattdessen unvermittelt. Ich hatte gar nicht bemerkt, dass ich zitterte. Dafür war ich viel zu aufgewühlt.

»Ich habe meine Jacke vergessen«, erklärte ich überflüssigerweise.

Ich hörte einen Reißverschluss, und einen Augenblick später legte er mir seine Sweatshirtjacke über die Schultern.

»Danke, aber jetzt wird dir kalt.«

»Ich friere nicht so leicht, und – ich hätte es wohl verdient«, sagte Bent mit einem Grinsen in der Stimme.

Ich zog den weichen Stoff enger um mich und kam nicht umhin, den Duft, den die Jacke verströmte, tröstlich zu finden. Das Schweigen zwischen uns fühlte sich nun anders an, fast versöhnlich.

»Du hast einen deiner Pullover in der Hütte vergessen. Ich wollte ihn dir eigentlich rüberbringen, aber als mir klar wurde, dass *du* Peters Bruder bist ... nun ja ... da habe ich es wohl unbewusst rausgezögert«, sagte ich irgendwann.

Bent lachte fast lautlos. »Ich hole ihn mir bei Gelegenheit ab.«

Ich beschloss, das Thema zu wechseln. »Ihr wart schnell

da am Dienstag, oder?« Im Nachhinein war mir aufgefallen, dass der RTW es ganz schön weit hier heraus hatte.

»Das war purer Zufall, wir hatten gerade einen anderen Einsatz in Meierwik beendet, das ist kurz vor Glücksburg.«

»Ein Glück für Herrn Runge.«

»Doppeltes Glück, denn hättest du ihn nicht sofort reanimiert, hätte es selbst mit kurzer Anfahrt schlecht ausgesehen.«

»Er ist heute aufgewacht.«

»Das freut mich.«

»Hoffentlich kommt er wieder vollständig auf die Beine.«

»Bestimmt.«

Ich nickte. Bent hatte recht, wir sollten positiv denken, sonst brauchte man solche Jobs wie die unseren gar nicht machen.

»Du hast übrigens wirklich eine schöne Stimme«, sagte er und riss mich damit aus meinen Gedanken. Überrascht von dem Kompliment, stieg mir die Röte in die Wangen, was er in dem fahlen Licht vermutlich nicht erkennen konnte.

»Danke, und du spielst gut Gitarre. Es ist lange her, dass ich von einer Gitarre begleitet gesungen habe. Mein Bruder Nico und ich haben das früher oft gemacht. Auf Partys nannte man uns schon das Köhler-Duo. Hat meinem Bruder wohl das ein oder andere Date verschafft, weil die Mädels sich vorgestellt haben, künftig würde er für sie auf der Gitarre spielen.« Ich schmunzelte bei der Erinnerung, und Bent lachte erneut leise auf. Der raue Ton strich über meine Haut wie eine sanfte Berührung. Ich erwischte mich bei dem Gedanken, dass ich mehr davon wollte.

»Und die Männer sind nicht reihenweise schwach geworden, wenn sie deine Stimme gehört haben?«

Nun war ich es, die auflachte. »Ich bin keine Sirene, die die Männer auf die tosende See hinauslockt.«

»Schon mal probiert? Ich glaube, du unterschätzt deine Stimme.«

»Sehr witzig.« Ich stieß ihn leicht mit dem Ellenbogen in die Seite und bildete mir ein, dass diese simple Berührung eine Wärme auf meiner Haut hinterließ. Doch vielleicht war es auch nur, weil mir immer noch etwas kühl war.

»Wie kommt es, dass du hier auf dem Campingplatz lebst?«, wagte ich einen Vorstoß, denn mir brannte diese Frage auf der Zunge.

Ich konnte förmlich spüren, wie sich sein Körper neben mir versteifte. Die Sekunden zogen sich, bis er antwortete. »Es hat sich eben so ergeben.«

Das war alles? Und dafür hatte er so lange nachgedacht? Das bedeutete wohl eher so viel wie: Ich möchte nicht mit dir darüber reden.

»Und du? Was macht eine Krankenschwester, die eigentlich auf einem Selbstfindungstrip ist, an der Rezeption eines Campingplatzes am nordöstlichsten Zipfel von Deutschland?«, drehte er den Spieß geschickt um. Doch ich verspürte ebenfalls nicht den Wunsch, mein Innerstes vor ihm nach außen zu kehren. Der Moment war zu friedlich, als dass ich von Markus und unserer Pause erzählen wollte.

»Hat sich eben so ergeben«, antwortete ich daher mit seinen eigenen Worten, und er lachte erneut auf.

»*Touché!*«

»Deinem Bruder stand das Wasser bis zum Hals, als ich hier eintraf. Selbst wenn ich nicht vorgehabt hätte, mich auf diese Stelle zu bewerben, hätte ich es in dem Moment wahrscheinlich getan.«

»Ja, der Laden brummt mittlerweile das ganze Jahr über, in den Sommermonaten ist es ohne Hilfe nicht zu schaffen.«

»Und dass er ohne Hilfe dastand, war scheinbar deine Schuld.« Ich konnte mir das Grinsen, das wohl deutlich in meinen Worten mitschwang, nicht verkneifen.

Bent stöhnte auf. »Das hat er dir erzählt?«

»Jup, und er hat sogar zur Bedingung gemacht, dass ich nicht auch deinem Charme erliege, so wie Elina.«

Bent ließ sich nach hinten in den Sand fallen und legte einen Unterarm über seine Augen, es war ihm sichtlich unangenehm. »Ich habe ihr von Anfang an gesagt, dass ich nichts Ernstes möchte ...«

»Uhh – das ist deine Entschuldigung? Die ist echt lahm.«

»Ich weiß.« Er lachte, und ich konnte mich definitiv nicht daran satthören.

»Na ja, zumindest besteht bei uns nicht die Gefahr, dass sich das Ganze wiederholt – auch ohne Peters fragwürdige Bedingung.«

Es funktionierte, Bent lachte abermals.

Mit einem Lächeln auf den Lippen fuhr ich fort, Muscheln ins Wasser zu werfen.

»Warum machst du das?«, fragte er und lag dabei immer noch rücklings mit angewinkelten Beinen im Sand. Ich zögerte und hielt kurz inne, entschied mich dann doch für die Wahrheit.

»Eine Muschel für jeden schönen Moment mit meinem …
ich weiß nicht einmal, wie ich ihn nennen soll. Pausierenden Freund? Er kann sie alle wiederhaben, diese scheißschönen Momente.«

»Scheißschöne Momente?«

»Ja, genau das sind sie. Sie waren schön, und nun sind
sie scheiße, weil sie wehtun.«

»Die Gefahr besteht bei schönen Momenten wohl gelegentlich – also, im Nachhinein.«

»Hm …« Es klang, als spräche er aus Erfahrung.

»Dann ging die Pause nicht von dir aus?«

»Nein, ich wollte nur nicht so armselig dastehen, wie ich
mich an dem Tag gefühlt habe, als wir uns bei Rune begegnet sind. Deswegen habe ich die Sache etwas … nun ja –
anders dargestellt.« Ich seufzte. Jetzt hatte ich ihm doch
meine Geschichte erzählt.

»Verstehe«, sagte Bent schlicht, und ich fragte mich,
ob er das wirklich tat oder sich einfach nicht weiter mein
Gejammer anhören wollte.

Eine Weile saßen wir noch dort im Sand und schauten aufs Meer, auf dem still das Mondlicht tanzte, bis ich
mehrmals gähnen musste. Meine Wut war von den sanften Wellen hinausgetragen worden, und ich fühlte mich
deutlich besser. Ich stand auf, strich mir den Sand vom
Kleid.

»Ich gehe dann mal besser ins Bett.«

Bent rappelte sich ebenfalls auf und begleitete mich
wortlos auf dem Weg zurück zu den Hütten. Nur in wenigen Fenstern brannte noch Licht, die meisten Bewohner

des Campingplatzes schliefen um diese Uhrzeit. Als wir an Bents Wohnwagen vorbeikamen, blieb er stehen.

»Ist es dein Wohnwagen, oder gehört er wie die Hütten zum Campingplatz?« Ich zog seine Jacke von den Schultern und reichte sie ihm. Sofort vermisste ich den weichen Stoff auf der Haut.

»Das ist meiner. Es war eines der ersten Dinge, die ich mir nach der Ausbildung geleistet habe. Fühlt sich fast wie ein Zuhause an.«

»Muss schön sein, ein Zuhause zu haben, das man immer mitnehmen kann.« Erneut wurde mir bewusst, dass ich aktuell überhaupt keines hatte.

Die Grillen zirpten, und das Rauschen der Blätter und des Meeres vermischten sich miteinander, während wir uns einen Augenblick schweigend gegenüberstanden.

»Also dann – gute Nacht«, sagte Bent schließlich.

»Gute Nacht«, erwiderte ich und nahm im selben Moment an Bents Wohnwagen eine Bewegung wahr. Wieder dachte ich für den Bruchteil einer Sekunde, dass dort ein Fuchs um die Ecke strich. Doch es war der Kater.

»Du wirst erwartet.« Ich nickte in Richtung der Trittstufe, auf der sich der Kater hingesetzt hatte. Bent folgte meinem Blick. »Ach so, das ist Fox. Ihr habt euch ja schon am Strand kennengelernt.«

»Fox?«, fragte ich schmunzelnd.

»Ja, weil seine Fellfärbung ein wenig an einen Fuchs erinnert.«

»Das passt«, antwortete ich und versuchte, dieses seltsame Gefühl in meiner Magengegend einzuordnen.

Bent wandte sich zum Gehen, und ich legte ebenfalls die letzten Meter bis zu meiner Hütte zurück. Als ich noch einmal zum Wohnwagen sah, stand Bent mit Fox auf dem Arm in der geöffneten Tür und schaute zu mir herüber. Erst nachdem ich in der Hütte verschwunden war, ging auch er hinein.

Kapitel 17

ALS ICH AM nächsten Morgen aus dem Bett stieg, trat ich auf eine Muschel. Die musste aus einer meiner Taschen gefallen sein. Ich bückte mich, um sie aufzuheben. Sie war noch ganz. Kurzentschlossen ging ich zu dem Muschelglas und legte sie hinein. »Für die Begegnung gestern Abend am Strand«, murmelte ich und lächelte. Verrückt, wie rasant sich Dinge manchmal änderten.

Ich war zu spät dran, um vor der Arbeit eine Runde auf dem SUP zu drehen. Fast bedauerte ich das, denn heute hätte ich nichts dagegen gehabt, dabei auf Bent zu treffen.

Als der größte Abreisetrubel kurz vor dem Mittag vorbei war, setzte ich mich mit einem Kaffee auf die Bank vor dem Gebäude. Ich hatte gerade den ersten Schluck getrunken und mir dabei die Lippe verbrannt, als Bent auftauchte.

»Du warst heute Morgen gar nicht mit dem SUP draußen.« Für ein paar Sekunden sah ich ihn nur an und versuchte, diese Wendung zwischen uns einzuordnen.

»Ich habe verschlafen«, erklärte ich schließlich und pustete in den Kaffee, während er sich neben mich setzte.

»Hier hat mein Opa auch immer gesessen, um seinen Kaffee zu trinken.«

»Dann betreibt deine Familie den Campingplatz in der dritten Generation?«

»Mein Opa hat diesen Ort geliebt und kam in den Siebzigern auf die Idee, einen Campingplatz anzulegen, damit mehr Menschen etwas von diesem schönen Stück Erde haben. Heute würde man niemals eine Genehmigung dafür bekommen. Na ja, und damals ließ sich mehr schlecht als recht davon leben. Aber meine Großeltern brauchten nicht viel. Ihnen war wichtig, dass sie Zeit miteinander verbringen konnten und ihre Kinder hier draußen am Meer aufwuchsen. Und genau so erging es dann auch Peter und mir.«

»Muss schön gewesen sein.«

»Das war es.«

»Und dennoch wolltest du den Platz nicht gemeinsam mit Peter weiterführen?«

Bent lehnte sich zurück, verschränkte die Hände hinter seinem Kopf und streckte die langen Beine aus. »Peter ist der Ältere und der Verantwortungsbewusstere.«

»Sagt der Feuerwehrmann«, neckte ich ihn.

»Peter war aber schon als Kind ständig an der Seite von unserem Vater und ist ihm bei Reparaturen zur Hand gegangen, während ich lieber am Strand rumhing.«

»Es hat sich also quasi nichts geändert seit damals.«

Bent grinste. »Sieht so aus.«

»Lebst du deswegen auf dem Campingplatz? Um nah am Strand zu sein?«

Sofort verdunkelte sich sein Gesicht, zwar kaum merklich, doch ich registrierte den angespannten Muskel an seinem Unterkiefer.

»Nein, aber das macht es erträglicher.«

Ich rollte innerlich mit den Augen, weil er jedes Mal dichtmachte, sobald ich dieses Thema anschnitt. Wenn sich die Gelegenheit ergab, würde ich mal unauffällig bei Peter nachhorchen. Bents Geheimniskrämerei weckte meine Neugierde.

Mein Handy piepte lautstark und verkündete den Eingang einer Textnachricht. »Sorry«, murmelte ich und zog es aus der Tasche.

Lara hatte mir geschrieben.

Wie war das Grillfest? War Mr Miesepeter auch da?
Dienstag ist im Pub am Hafen Quizabend – hast du Lust,
mit mir hinzugehen? Was wäre ein Flensburg-Aufenthalt
ohne den Besuch in einem irischen Pub? :-D
P. S. Meine Freundin Hanna kommt vielleicht auch mit,
wenn das okay für dich ist.

»Warst du schon mal im Pub beim Quizabend?«, fragte ich Bent, während ich Lara antwortete und darauf achtete, dass Bent nicht aufs Display sehen konnte.

Ja, gern, und kein Problem, ich freue mich, Hanna
kennenzulernen. Wann soll ich da sein? Mr Miesepeter
sitzt gerade neben mir ...

»Im Irish Pub am Hafen?«

Ich nickte.

»Ja, war ganz nett. Ist aber schon eine Weile her, vor der
Pandemie. Wieso?«

»Nur so. Eine Freundin will Dienstag mit mir hingegen.«

»Die Freundin mit dem Laden in der City?«

»Genau, Lara. Wir haben zusammen die Ausbildung zur
Gesundheits- und Krankenpflegerin gemacht. Aber mittlerweile verkauft sie Möbel im *Hygge Up*. Gemeinsam mit
ihrer Schwester Linn.«

Ein kleines Wohnmobil fuhr vor die Schranke, und ich
erhob mich. »Dann werde ich mal weitermachen.«

»Früher haben die Leute zwei Wochen lang hier Urlaub
gemacht, heute bleibt über die Hälfte nur für ein oder zwei
Nächte. Als müssten sie immer weiter, um nur ja nichts zu
verpassen.«

Ich dachte an den Spruch auf Laras Letterboard.

»Dabei ist doch der Augenblick unser Leben«, sagte ich.

Bent suchte meinen Blick, seine blauen Augen bohrten
sich intensiv in meine, und sein Mund verzog sich zu einem
Lächeln.

»Genauso ist es. Und wenn der Augenblick schön ist,
reicht das völlig aus. Egal, ob der Strand irgendwo anders
weißer und das Meer türkiser ist.«

»Tja, in Zeiten von Social Media hat wohl jeder schnell

das Gefühl, er könnte was verpassen. Und bei all den schönen Orten, die es auf der Welt gibt, kann ich es sogar verstehen. Es lebt halt auch nicht jeder direkt am Meer so wie
du.«

»Ich verstehe es trotzdem nicht«, sagte er, und ich benei-
dete ihn plötzlich um diese Verbundenheit mit dem Ort seiner Kindheit, mit seiner Heimat und dem Meer.

*

Am nächsten Morgen lief ich auf dem Weg zum Strand den
Kiesweg entlang, an dem die wenigen Dauercamper unter-
gebracht waren. Hecken und Zäune säumten die meisten
der Parzellen, um etwas Privatsphäre zu schaffen. Danach
kamen die Stellplätze für die Wohnmobile, die häufig nur
kurz blieben.

Die Sonne versteckte sich heute hinter einer Wolkende-
cke, und obwohl es windstill war, fühlte sich die Luft kühl
an. Daher war ich überrascht, Fox unten am Strand zu
entdecken. Wenn der Kater dort war, war Bent nicht weit.
Und auch wenn ich es mir nicht so recht eingestehen wollte,
freute ich mich darüber.

Bevor ich der Versuchung erlag, diese Gefühle genauer
zu analysieren, machte ich mich am Schloss der SUP-
Boards zu schaffen und schnappte mir eines. Automatisch
scannte mein Blick dabei die Bucht, und ich entdeckte Bent
weit außerhalb der weißen Bojen. Nur seine Armschläge
waren von hier aus zu erkennen. Am Ufer kraulte ich kurz
den Kater, ehe ich das Brett ins Wasser zog. Fox mauzte

und schlug mit dem Schwanz auf den Strand, dann beugte er seinen Kopf hinunter, wackelte mit dem Hinterteil. In einem weiten Satz sprang er anschließend auf mein Board.

»Fox!«, rief ich erschrocken. Der Kater stolzierte mit erhobenem Schwanz zu mir an die Spitze des SUPs. Irritiert betrachtete ich ihn. »Katzen mögen kein Wasser«, sagte ich, als könne ihn diese Aussage dazu bewegen, wieder an Land zu gehen. Fox blieb jedoch völlig ungerührt von meinen Worten und setzte sich hin. »Na schön, wenn du dir sicher bist … «

Das Wasser war heute glatt wie ein Spiegel, die Wahrscheinlichkeit zu kentern demnach gering. Aber was machte ich, wenn er unterwegs vom Board sprang? Katzen konnten zwar schwimmen – aber wie weit? Ich beschloss, zunächst nahe an der Uferkante entlangzupaddeln, um ihm die Chance zu geben, es sich anders zu überlegen.

Ich stellte mich hin und paddelte los, erst rechts, dann links. Beim Wechsel der Seiten perlte Wasser am Paddel entlang und tropfte dem Kater auf den Kopf. Der daraufhin die Ohren anlegte und mich mit einem abschätzigen Blick bedachte, dazu schlug er permanent mit dem Schwanz, machte aber keinerlei Anstalten abzuspringen.

»Eine letzte Chance bekommst du.« Ich steuerte zurück zum Ufer, bis die Spitze im Sand steckte. Doch Fox rührte sich keinen Millimeter.

»Okay – du hast es nicht anders gewollt.« Ich seufzte und setzte zurück, paddelte parallel zum Ufer bis ans Ende der Bucht und fuhr dann in einem Bogen auf Bent zu, der auf dem Rückweg zum Strand war. Als er mich bemerkte, hielt er in seinen Kraulzügen inne und schwamm uns entgegen. Kurz vor uns richtete er sich im Wasser auf und nahm die Taucherbrille ab.

»Wieso fährt Fox bei dir mit?«, fragte er verdutzt und schaute vom Kater zu mir.

»Das war nicht meine Idee. Im Gegenteil – ich habe versucht, es ihm auszureden. Aber er scheint so sehr an dir zu hängen, dass er sogar eine Fahrt auf dem Wasser in Kauf nimmt, um in deiner Nähe sein zu können. Das muss wahre Liebe sein.«

Bent lachte. Wassertropfen rannen ihm aus den Haaren über sein Gesicht. Seine Augen leuchteten blauer als das Wasser und der Himmel zusammen. Ich schluckte und sah dann schnell zum Horizont, an dem sich die Wolken langsam gräulich verfärbten.

»Das kommt bestimmt daher, weil ich ihn gerettet habe.«

»Du hast ihn gerettet?«

Bent strich Fox einmal über den Kopf, was der gar nicht lustig fand, weil Bents Hand patschnass war.

Ich kam mir blöd vor, im Stehen auf Bent hinabzusehen, und kniete mich aufs Board. Dabei kam ich mir heute trotz des Shirts über meinem Bikini nackter vor als üblich.

»Wir waren auf einem Löscheinsatz bei einem leer stehenden Hof. Beziehungsweise war der schon vorbei, und wir waren am nächsten Tag zur Ursachenforschung dort. Und da hat es ganz kläglich aus den Büschen gemauzt. Er hat sich wohl selbst vor dem Feuer in Sicherheit gebracht, dabei aber einige Verletzungen davongetragen. Ich habe ihn zum Tierarzt gefahren. Nachdem sich kein Besitzer fand, haben sie mich eine Woche später angerufen und gesagt, sie würden ihn jetzt ins Tierheim bringen. Da habe ich Peter davon überzeugt, dass ein Mäusefänger auf dem Campingplatz super wäre. Der Deal ist, er darf bleiben, wenn er nicht in die Sandkiste macht. Aber er ist ein schlaues Kerlchen, er wird das nicht tun.«

Auf den Knien hockte ich immer noch erhöht im Vergleich zu Bent, der sich mit den Armen auf dem Board abstützte. Ich starrte auf ihn und den Kater hinab und spürte wieder mal ein Kribbeln im Bauch. Er war Feuerwehrmann, rettete Katzen … Hallo? Gab es ein Klischee, das er nicht bediente? Fehlte nur noch, dass er samt Uniform in sexy Pose für einen entsprechenden Kalender posierte – am besten mit einem Katzenbaby auf dem Arm! Unwillkürlich formte sich dazu ein Bild in meinem Kopf, und mein Blick blieb an den schwarzen Linien seines Tattoos hängen. Es handelte sich um einen Kompass, der verwoben war mit Wellen und Koordinaten. Ich ertappte mich, wie ich mich vorbeugte, um die Details besser zu erkennen. Verlegen räusperte ich mich, als ich mir dessen bewusst wurde. Bent blickte mich aus funkelnden Augen an.

»Vielleicht denkt er, er müsse nun auf dich aufpassen, nachdem du sein Leben gerettet hast«, sagte ich hastig.

Fox schien allmählich genug zu haben, er tippelte unruhig hin und her und mauzte.

»Ich denke, das heißt so viel wie: Bring mich an Land!«, übersetzte Bent trocken.

»Wie Sie wünschen, Majestät Fox«, alberte ich rum und hob das Paddel. Bent ließ das Brett los und schwamm voraus, während ich das Paddelblatt ins Wasser trieb und ihm folgte.

Am Nachmittag tauchte Bent erneut an der Rezeption auf und wuselte hinter der Theke rum. Ich studierte gerade die Flyer mit den Ausflugtipps in der Umgebung.

»Was suchst du denn? Vielleicht kann ich dir helfen?«, bot ich an, während ich ihm beim Kramen zuschaute.

»Schon gut – hab es gleich – irgendwo hat Peter eine Liste für den Baumarkt hingelegt.«

Während er den Ablagestapel durchwühlte, war er mir so nah, dass ich die Wärme spürte, die von ihm ausging. Sein Arm befand sich nur wenige Zentimeter von meinem entfernt.

»Meinst du diese?«, fragte ich, griff dabei zielsicher in einen Stapel und zog die besagte Aufstellung heraus.

»Ah, du bist ein Schatz!« Bent griff nach dem Zettel, unsere Finger streiften sich, und während meine Haut an der Stelle prickelte, ging ihm anscheinend auf, was er da gesagt hatte.

»Ähm, ja, danke, die meine ich«, murmelte er, vergrößerte rasch den Abstand zwischen uns und deutete dann auf die Flyer. »Möchtest du die Gegend erkunden?«

Mir war ein wenig schwindelig, wie nach einer Achterbahnfahrt, und ich benötigte zwei Sekunden, um ihm folgen zu können.

»Auch, aber vor allem möchte ich nicht immer ahnungslos dastehen, wenn die Gäste mich nach Ausflugtipps fragen. Was kannst du denn empfehlen?«

»Puh …« Er lehnte sich an den Schreibtisch und begutachtete die Flyer. »Eine Wanderung um die Landspitze ist auf jeden Fall Pflicht, aber auch der Naturerlebnispfad im Siegumer Wald ist interessant. Ein Surfkurs. Oder mit dem Rad nach Glücksburg und von da mit der Fähre zu den Ochseninseln und nach Flensburg, um dort an einer Stadtführung teilzunehmen. Und natürlich das Pubquiz und eine Führung in der Flensburger Biermanufaktur.« Er zwinkerte mir zu.

Ich nickte und machte mir Notizen. Über den Erlebnispfad war ich bisher in keinem Flyer gestolpert.

»Ich kann also von Glücksburg nach Flensburg mit der Fähre übersetzen?«

»Jap, allerdings bist du ohne Ochseninsel schon eine Dreiviertelstunde unterwegs. Als tägliches Verkehrsmittel eignet es sich daher nur begrenzt.«

»Ochseninseln? Gibt es da Ochsen?«, fragte ich scherzend.

Bent grinste. »Heute nicht mehr. Allerdings fährt die Fähre nur noch ringsherum. Früher haben sie dort auch angelegt.«

»Okay. Und wo fährt sie ab?«

»Direkt von der Seebrücke an der Strandpromenade in Glücksburg.«

»Ach da, dort sind Lara und ich zum SUP-Yoga gewesen. Das werde ich demnächst mal ausprobieren, danke für den Tipp!«

»Gern.« Sein Blick ruhte noch eine Weile auf mir, bevor ein Ruck durch seinen Körper ging und er sich vom Schreibtisch abstieß. Er hob den Zettel. »Ich fahr dann mal zum Baumarkt.«

Kapitel 18

GUT GELAUNT BRAUSTE ich in Richtung Flensburg, um mit Lara in den Pub zu gehen. Ich freute mich auf den Abend mit ihr, nachdem ich sie einige Tage nicht gesehen hatte, weil sie ihrer Freundin beim Gestalten von Einladungskarten und anderen Hochzeitsvorbereitungen geholfen hatte. Bei ihr war wirklich eine Menge los, und ich fragte mich, wie sie dieses Pensum an Arbeits- und Freizeitstress überhaupt schaffte. Hoffentlich übernahm Linn morgen Vormittag mal den Laden. Einen meiner freien Tage hatte ich in dieser Woche extra auf morgen gelegt, falls es heute spät werden würde.

Ein weiterer Grund für meine gute Laune war Irmis gestriger Besuch auf dem Campingplatz. Ihrem Mann ging es stetig besser. In solchen Augenblicken vermisste ich die Arbeit im Krankenhaus. Es waren schließlich die Happy Ends, die einen antrieben. Das Leben schrieb auch schöne Geschichten, neben all den Dramen und Tragödien.

Daher war heute ein guter Tag, um das Leben zu genießen, und es versetzte mir nicht einmal einen Stich, als ich an Markus dachte. Es würde letztlich schon alles so kommen, wie es sollte. Ich wünschte nur, ich wäre in der Lage, das jeden Tag so zu betrachten. Doch meine Gefühle glichen noch einer stetigen Wellenbewegung.

Ich parkte mein Auto in dem Hof hinter Laras Wohnung, und von dort spazierten wir wenig später gemeinsam am Hafen entlang zum Pub. Ihre Freundin Hanna hatte für heute leider abgesagt, und so waren wir nur zu zweit. *Klähblatt* hieß das Lokal und war nur durch die Straße vom Kai getrennt. Über eine große, hölzerne Außenterrasse gelangten wir in den urig gestalteten Pub. Wir ergatterten einen Platz an einem der Tische und bestellten uns jede ein Alster von der Flensburger Biermanufaktur.

»Ist es nicht cool, wenn die Leute überall euer Bier trinken?«, fragte ich begeistert.

»Nun ja, *überall* ist wohl übertrieben.« Lara grinste. »Cooler würde ich es außerdem finden, wenn überall Möbel aus dem *Hygge Up* stehen würden.«

»Das kann ja noch werden.«

»Darauf trinken wir, Prost!«

Wir stießen an, und dann teilte auch schon ein Kellner Zettel und Stifte aus, auf denen die Teilnehmenden ihre Antworten notieren sollten. Nach jeder Runde, die jeweils fünf Fragen umfasste, gab es einen Gewinn.

Es knackte aus den Lautsprechern. »Seid ihr bereit für eine Runde quizzen?«, fragte ein Typ etwa in unserem Alter durch ein Mikro. Als Antwort erklang leichter Jubel aus dem Publikum.

»Okay, okay, so richtig bereit seid ihr wohl noch nicht.

Vielleicht ändert sich das, wenn ich euch sage, dass das Team, das eine Runde gewinnt, eine Runde Kurze ausgegeben bekommt. Runde für Runde sozusagen.«

Der Jubel wurde etwas lauter.

»Ah – verstehe, heute ist ein Wochentag, und ihr wollt euch zurückhalten, aber ich kann euch beruhigen, die Fragen sind schwer, deswegen braucht ihr euch eh keine Hoffnung zu machen, mehr als einen Schnaps zu bekommen.«

Buhrufe ertönten, und der Moderator lachte.

»Könnt ihr noch Unterstützung für euer Team gebrauchen?«, drang eine Männerstimme an mein Ohr, und während ich den Kopf drehte, rief Lara: »Tom, schön dich zu sehen! Klar, setzt euch zu uns.«

Vor unserem Tisch stand ein großer, dunkelhaariger Typ mit grünen Augen und neben ihm … Bent. Automatisch hoben sich meine Mundwinkel.

»Hi«, sagte ich. Das Wort verließ meinen Mund etwas piepsig, und ich räusperte mich.

»Moin, du bist sicherlich Nora. Ich heiße Tom.«

Ich schüttelte seine Hand. »Dann hast du das Bier gebraut, das in unserem Alster ist?«, fragte ich und deutete auf das Glas.

»Jo«, erwiderte er grinsend, was ihn gleich jünger aussehen ließ. Er schob sich an uns vorbei und zog sich einen Hocker an den Tisch.

Ich schaute derweil wieder zu Bent, der etwas unschlüssig neben uns stand.

»Spontan Lust auf eine Runde Pubquiz bekommen?«, fragte ich in einem neckenden Tonfall.

»Sieht so aus.« In seinen Augen funkelte es, ehe er sich meiner Freundin zuwandte. »Dann bist du wohl Lara«, begrüßte er sie und hob die Hand zum Gruß.

»Schön, dich kennenzulernen«, verkündete Lara mit einem ausgesprochen breiten Grinsen.

Bent zog sich einen Hocker zwischen Lara und mich. »Vom Sehen kennen wir uns aber auch, oder?«

Meine Freundin nickte, und Bent fuhr fort: »Tom und ich dachten, ihr könnt vielleicht etwas Unterstützung gebrauchen. Tom ist nämlich ein wandelndes Lexikon des Nonsens.«

»Ey! Nonsens? Das ist absolut nicht korrekt!« Er beugte sich zurück und boxte seinem Kumpel hinter Laras Rücken gegen den Arm.

»Hast du was von meinen Eltern gehört?«, erkundigte sich Lara bei Tom. Ich hingegen war damit beschäftigt, das nervöse Flattern in meinem Magen, das durch Bents Nähe ausgelöst worden war, mit einigen Schlucken Alster zu beruhigen. Mein Körper sollte eigentlich nicht derart auf einen anderen Mann reagieren in einer Beziehungspause – einer, die ich wohlgemerkt überhaupt nicht gewollt hatte. Stoisch notierte ich unsere Namen auf dem Zettel.

Wir saßen alle an einer Seite des Tisches, damit wir den Moderator im Blick hatten. Bei jedem Atemzug inhalierte ich daher eine volle Ladung Bent-Duft, und ein wohliger Schauer im Nacken kitzelte mich. Was war nur los mit mir? Seit Bent nicht nur gut aussah, sondern mir auch seine charmante Seite präsentierte, gerieten meine Sinne in seiner Gegenwart zunehmend außer Kontrolle. Unter dem Vorwand, etwas in meiner Tasche zu suchen, rückte ich ein Stück von ihm ab. Doch es dauerte keine fünf Sekunden, da spürte ich wieder Bents Bein an meinem.

So, Nora, jetzt mal zusammenreißen! Warum waren die Tische auch so schmal? Ich konzentrierte mich auf die Unterhaltung zwischen Lara und Tom.

»Heute habe ich mit deinem Vater telefoniert. Du kennst ihn, einmal die Woche ruft er an, um zu hören, wie es läuft.«

Lara lächelte. »Seit ich den Laden habe, verstehe ich ihn, was das angeht, nur allzu gut.«

»Es ist auf jeden Fall alles in Ordnung bei ihnen. Sie kommen Ende August zurück. Wo ist Linn denn eigentlich heute?«

»Keine Ahnung. Wenn ich sie den ganzen Tag im Laden sehe, brauche ich nicht auch noch den Abend mit ihr zu verbringen.«

In dem Moment fielen mir die Neuigkeiten von Ingolf Runge ein, und ich wandte mich an Bent. »Herr Runge ist vollständig über den Berg!«

»Habe ich schon von Peter gehört.« Bent lächelte, und ich verspürte plötzlich eine seltsame Art der Verbundenheit. Er und ich – wir hatten beide ein Stück dazu beigetragen, dass Ingolf Runge noch lebte.

»Oh, es geht los«, sagte Tom, und ich zückte prompt den Stift.

»Ich glaube, da ist jemand ehrgeizig«, neckte Bent mich.

»Klar, wenn ich spiele, will ich auch gewinnen.«

»Ganz mein Reden«, pflichtete Tom mir bei.

Der Moderator rief: »Aufgepasst – das Quiz startet jetzt! In dieser Kategorie geht es rund um die Welt. Die erste Frage lautet: Wie viele Zeitzonen haben die USA? Und lasst ja die Handys in den Taschen, sonst kostet euch das eine Lokalrunde!«

»Vier«, antwortete ich, ohne darüber nachzudenken.

»Bist du dir sicher?«, fragte Tom.

»Mein Bruder lebt in Florida, und er hat es mir kürzlich erzählt. Eastern, Central, Mountain und Pacific.«

»Überzeugt. Schreib auf jeden Fall die Namen der Zeitzonen mit auf, das kann entscheidende Extrapunkte geben, wenn wir mit einem anderen Team gleichauf liegen.«

»Zweite Frage: Wie heißt der tiefste natürliche Ort auf der Erde?«

»Marianengraben«, raunte Tom.

Ich notierte die Antwort.

»Wie heißt der längste Fluss der Welt?«

Ich zuckte mit den Schultern, Lara schaute ebenfalls ratlos. Selbst Tom blieb stumm.

»Ich glaube, das müsste der Nil sein«, sagte Bent zögerlich, und wir schrieben es auf.

Es folgten zwei weitere Fragen, dann war die Runde zu Ende. Wir gaben unseren Zettel ab, und kurz darauf wurde verkündet, dass wir diesen Durchgang gewonnen hatten.

»Yess!«, rief Lara und klatschte mit Tom, Bent und mir ab.

Der Kellner brachte uns vier kleine Gläser mit einer klaren Flüssigkeit.

»Ich muss noch fahren«, wehrte ich ab.

»Na, zu einem zweiten Obstler sagt man doch nicht nein«, bemerkte Tom und zog mein Glas zu sich rüber.

»Kann ich mit dir nach Hause fahren?«, fragte Bent.

Nach Hause fahren – wie sich das anhörte!

»Ähm, ja klar.«

»Nichts da«, mischte sich Lara nun ein und schob das Glas zu mir zurück. »Du kannst bei mir schlafen. Oder ihr teilt euch ein Taxi«, schlug sie vor.

»Und wie komme ich dann morgen an mein Auto?«

»Wir könnten mit der Fähre von Glücksburg herfahren.« Verwundert über den Vorschlag von Bent, drehte ich den Kopf und schaute ihn an. Seine Augen leuchteten in der leicht schummrigen Beleuchtung in solch einem tiefen Blau, dass ich drohte, mich in diesem Ozean zu verlieren.

»Ich habe die nächsten drei Tage frei«, fügte er hinzu.

Lara warf mir einen vielsagenden Blick zu, nachdem ich es geschafft hatte, meinen wieder von Bents zu lösen.

Ich schluckte. Ein kleiner Teil von mir kam noch gar nicht hinterher bei dieser Kehrtwende vom Griesgram zum netten Kerl. Der weitaus größere Rest wollte unbedingt morgen mit Bent mit der Fähre und heute zusammen mit ihm nach Hause fahren.

Gekünstelt lachte ich auf und griff nach dem Glas. »Von mir aus«, purzelte dabei aus meinem Mund.

Auf Bents Gesicht breitete sich ein Lächeln aus, und auch Lara schaute zufrieden, nur Tom schien es nicht zu passen, dass er deswegen nur einen Schnaps trinken konnte.

»Prost, auf Herrn Runge und das Leben«, verkündete Bent.

»Wer ist Herr Runge?«, fragte Tom verwirrt, führte dann aber das Schnapsglas an seine Lippen.

Der Alkohol brannte sich einen Weg meine Kehle hinunter bis in den Magen, wo er hoffentlich die aufdringlichen Flattertiere beruhigen würde.

Kaum hatten wir die leeren Gläser auf den Tisch gestellt, startete die nächste Runde.

»Diesmal sind die Land- äh … Leseratten gefragt«, scherzte der Moderator. »Welches ist das meistverkaufte Buch der Welt?«

»Boa, keine Ahnung, Harry Potter?«, riet Tom.

Fragend sah ich Lara an. Ich wusste, dass sie gern und viel las.

»Die Bibel, würde ich sagen.«

»Klingt plausibel!« Ich griff nach dem Stift, um die Antwort zu notieren. Bent hatte offenbar dieselbe Idee, und unsere Finger stießen aneinander.

»Sorry«, murmelte ich und zog meine Hand zurück, wobei es an der Stelle, an der wir uns berührt hatten, noch einige Sekunden nachkribbelte.

»Mein Fehler«, sagte Bent und hielt mir den Stift hin. Ich nahm ihn und glaubte, dabei erneut die Wärme seiner Haut zu spüren, obwohl wir uns diesmal nicht berührten. Ich schluckte und schrieb die Lösung auf, als bereits die nächste Frage durchs Mikro ertönte.

»Wie heißt der Autor des Bestsellers ›Der Hundertjährige, der aus dem Fenster stieg und verschwand‹?«

»Jonas Jonasson, oder?«, sagte Bent.

»Ja, genau.« Lara nickte.

Ich notierte es.

»Woher weißt du so was?«, fragte Tom lachend.

»Ich habe es gelesen. Solltest du auch mal probieren.«

»Witzig, Mann, es ist ja nicht so, dass ich nicht lese. Nur lieber Thriller«, rechtfertigte Tom sich.

»Oder Asterix und Obelix«, warf Lara auf ihre staubtrockne norddeutsche Art ein, die mir so oft ein breites Grinsen entlockte.

»Wie bist du denn drauf? Ich gehöre quasi zu deiner Familie, und du fällst mir in den Rücken?« Tom griff sich theatralisch an sein Herz.

»Dafür ist Familie doch da, oder nicht?«

»Leute! Jetzt haben wir wegen Toms Comicvorlieben die nächste Frage verpasst!«

Ich blickte mich um, die anderen Tische notierten schon fleißig Lösungen. »Hm, schade Marmelade.«

»Schade Marmelade?« Bent sah mich mit hochgezogenen Augenbrauen an.

»Das sagt man doch so, oder hier nicht?«

»Doch klar. Genauso wie ›hätte, hätte, Fahrradkette‹ und ›du bist mein Held im Erdbeerfeld‹«, unterstützte Lara mich.

Ich sah Bent mit einem vielsagenden Blick an. »Siehst du, da haben wir bei dir wohl eine Wissenslücke enttarnt.«

»Für den Nonsens ist ja auch Tom zuständig«, konterte er.

»Könnt ihr mal aufhören, auf mir rumzuhacken? Wir haben deswegen schon wieder eine Frage verpasst«, maulte Tom.

Wie zu erwarten, ging diese Gratisrunde an ein anderes Team. Unseren Spaß hatten wir trotzdem. Tom war echt ein netter Kerl, und Bent neben mir sitzen zu haben, mit ihm zu quatschen, zu lachen, gefiel mir erschreckend gut und ließ alle Fragen rund um meine Beziehung zu Markus so weit weg erscheinen, als gehörten sie zum Leben einer anderen.

Während ich glücklich in die Gesichter am Tisch schaute, öffnete sich die Tür, die sich unweit unseres Platzes befand, und ein Typ mit tätowierten Armen kam herein. Mit ihm ein Schwall kühler Abendluft. Das dunkle Shirt und die schwarze Hose betonten die Verzierungen auf seiner Haut. Er schaute einmal in die Runde, und sein Blick blieb an unserem Tisch hängen. Seine Miene erhellte sich. Zunächst dachte ich, er würde Bent und Tom kennen, doch es war Lara, die er ansah. Laras Gesicht hingegen war unlesbar, als der Typ auf uns zukam.

»Hey, schön, dich mal wieder zu sehen«, grüßte er und schaute meine Freundin an, aber ihre Miene wirkte so verschlossen wie eine Auster.

»Ich bin Lara, nicht Linn«, blockte sie seine Begrüßung unwirsch ab.

Die Augenbrauen von dem Typen zogen sich zusammen. »Weiß ich doch«, sagte er.

»Na klar.« Lara lachte spöttisch auf. »Muss dir nicht unangenehm sein. Du bist nicht der Einzige, der mich für meine Schwester hält.«

Nun kräuselte sich seine Stirn. »Oookay, dann noch einen schönen Abend.« Kopfschüttelnd wandte er sich ab, schob sich durch die Menge und verschwand aus unserem Sichtfeld.

»Was war das denn?«, fragte ich Lara.

»Klassische Verwechselung mit Linn. Passiert mir mindestens einmal, wenn ich ausgehe. Linn ist … bekannt in der Stadt. Und das ist ein Ex von ihr.«

»Aber was, wenn er dich tatsächlich erkannt hat?«, fragte Tom. »Ich kann euch nämlich ziemlich gut auseinanderhalten.«

»Hat er nicht, glaub mir. Dieses Leuchten in seinen Augen galt ganz klar meiner Schwester, das habe ich schon früher bei ihm gesehen. Und jetzt lasst uns zuhören, damit wir keine Frage mehr verpassen.«

Nachdenklich betrachtete ich Lara und spähte anschließend nochmal über die Köpfe der Leute, aber Mr Tattoo war nirgends zu entdecken.

Beim Thema Musik waren wir unschlagbar. Vom Geburtsort von John Lennon über die Frage, wie viele Tasten ein klassisches Klavier hat – wir wussten alles und holten uns damit den Gesamtsieg.

Lara und ich jubelten angemessen mit hochgerissen Armen, die Männer hingegen hielten sich da – ganz die harten Kerle – eher zurück.

»Und was haben wir gewonnen?«, fragte ich, an die anderen gewandt.

»Den ersten Auftritt beim anschließenden Karaoke«, unkte Ben. In seinen Augen blitzte es, und sein linker Mundwinkel zuckte.

»Karaoke? *Ich* singe gern vor Publikum, die Frage ist

wohl eher, ob *du* dich überwinden kannst«, feixte ich und lächelte ihn herausfordernd an. Mein Herz stolperte dabei abermals unverhofft, und für einen Moment traten alle Geräusche und die anderen Gäste in den Hintergrund. Nur noch Bent und ich existierten in diesem Pub. Es fühlte sich an, als wäre ich einer Hochspannungsleitung zu nahe gekommen und die elektrische Ladung auf mich übergesprungen.

Als mein Blick automatisch zu seinen Lippen glitt, die so weich und verlockend aussahen, schüttelte ich leicht den Kopf, um wieder Ordnung darin zu schaffen. Die Musik und das Stimmengewirr drängten zurück in den Vordergrund.

Ich räusperte mich und schaute zu Lara. »Bist du bei einer Runde Karaoke dabei?« Ich brauchte dringend etwas Abstand. Zu diesem Bierlieferanten, der eigentlich ein Feuerwehrmann war, der Katzen rettete und aus Gründen, die er nicht nennen wollte, auf dem Campingplatz lebte. Den ich doch eigentlich nicht ausstehen konnte und in dessen Gegenwart ich mich dennoch so lebendig fühlte wie schon lange nicht mehr.

»Nur wenn ich den Song auswählen darf«, holte Lara mich aus meinen Gedanken.

»Klar.« Während unserer Ausbildung hatten wir am Wochenende gelegentlich einen Karaoke-Mädelsabend mit der Playstation veranstaltet. Daher wusste ich, dass Lara auch gern sang.

»Gewonnen haben wir übrigens noch eine Runde Getränke«, erklärte Tom grinsend. Ich verdrehte die Augen.

Dann galt wohl für den Quizabend, dass die, die am meisten wussten, am Ende die Betrunkensten waren.

Lara und ich schoben uns durch die Leute zum DJ, während ein Typ ›Don't stop believin‹ von Journey zum Besten gab.

Lara las sich die Liste mit den verfügbaren Songs durch und tippte darauf, um dem DJ zu zeigen, für welchen sie sich entschieden hatte.

»Ich habe den perfekten Song für dich«, sagte sie dann.

»Für mich?«, fragte ich leicht alarmiert.

»Jup, komm – der Typ vor uns ist schon durch, wir sind die Nächsten.«

Wir stiegen auf die Bühne, die aus einer kleinen erhöhten Empore bestand. Ich nahm mir eins der Mikros und sah abwartend auf den Bildschirm. Dann setzte die Musik ein. Ich schaute kurz zu Lara und grinste. Auf dem Monitor erschien der Text von »I Will Survive« von Gloria Gaynor.

»Der alte Schinken? Meinst du, das ist hier das richtige Publikum dafür?«

»Klar, das ist ein Klassiker, jeder liebt dieses Lied, weil es jeder fühlen kann. Vertrau mir.«

»Na schön, es ist deine Stadt.«

»Dann mache sie jetzt zu deiner, Nori-Schätzchen.«

»Wie viele Kurze hattest du noch gleich?«

Lara lachte und warf dabei den Kopf in den Nacken. Ihr blondes Haar leuchtete unter dem Scheinwerfer, der die Bühne anstrahlte.

Mein letztes Mal Karaoke war eine Weile her, und ich merkte, dass ich nervös war. Ein Blick ins Publikum zeigte, dass nur die Hälfte der Anwesenden zu uns schaute, der Rest war in Gespräche vertieft und beachtete uns nicht. In einer Ecke sah ich Mr Tattoo an der Wand lehnen, mit einer Bierflasche in der Hand. Seine Augen waren fest auf Lara gerichtet, und ich war mir sicher, er hatte nicht gelogen, als er sagte, er hätte sie erkannt. Dann schaute ich zu unserem Tisch. Tom und Bent sahen ebenfalls zur Bühne. Während Tom grinste und einen Daumen nach oben reckte, saß Bent mit verschränkten Armen und unleserlicher Miene auf seinem Hocker.

»Okay, Flensburg«, sagte Lara in das Mikrofon. »Dieser Song ist für euch, damit ihr nicht vergesst, dass man jeden Herzschmerz überlebt. *We will survive*!«

Ich schüttelte grinsend den Kopf, bevor ich mich auf den Bildschirm mit dem Text konzentrierte, und dann ging es los. Zunächst sangen wir zusammen, und es dauerte bis zum Ende des ersten Verses, ehe wir eine Harmonie gefunden hatten. Laras Stimme war heller als meine und sehr klar, während meine etwas tiefer und voller klang. Eine schöne Kombination. Ich sang eine Strophe allein, und dann schmetterten wir den Refrain gemeinsam.

Ich fühlte jedes der Worte, vergaß alle Leute und genoss den Moment der Unbeschwertheit. Auch wenn Lara das Lied sicherlich als Ansage an Markus ausgesucht hatte, dachte ich beim Singen nicht an ihn, sondern eher an den Aspekt des Textes, der davon handelte, dass man sich aufgerichtet hatte und nach vorn schaute – und es einem wieder gut ging.

Mit Lara gemeinsam ein Lied zu performen erinnerte mich zudem an die Zeit der Ausbildung, an unbekümmerte, leichtere Tage. Aber ich würde die Krise überstehen, dieser

Augenblick zeigte mir das so deutlich wie keiner in den letzten drei Wochen – was nicht nur an dem Song lag, sondern auch an dem Glück, das ich an diesem Abend verspürte. Als die Musik endete, ertönte lautstarker Jubel, und alle Blicke waren auf uns gerichtet.

»Zugabe!«, rief jemand, und Lara und ich sahen uns strahlend an, während wir Platz für die Nächsten machten.

Tom empfing uns mit den Worten »Alle Achtung, Mädels!«, und schob uns zwei Wasser hin. Dankbar trank ich einige Züge.

Nachdem ich mich gesetzt hatte, sagte Bent: »Das war echt schön.« Er sagte es so leise, dass ich glaubte, es sei nur für meine Ohren bestimmt. Diese Tatsache verlieh dem Ganzen etwas Intimes, und in meinem Bauch flatterte es schon wieder.

»Danke. Und was ist mit euch, Jungs?«, fragte ich, um die seltsame Spannung zu vertreiben.

»Ich wäre dabei«, erklärte Tom und stützte sich abwartend auf den Tisch.

Ich war äußerst gespannt, ob Bent sich drückte oder es durchzog. Ich meine, hey – es war Karaoke, da kam es nicht darauf an, jeden Ton zu treffen. Es ging um den Spaß. Außerdem hatte Susi nicht behauptet, dass er nicht singen könne – er wollte es nur nicht.

»Na schön«, grummelte Bent kurz darauf zu meiner Überraschung. Verdutzt sah ich den beiden hinterher, wie sie zum DJ gingen, die Liste studierten und dabei diskutierten. Irgendwann schienen sie sich einig zu sein und stiegen auf die Bühne.

»Machen sich gut da oben, die zwei, oder?« Lara war mit ihrem Hocker an mich herangerückt.

Ich nickte, konnte aber meinen Blick nicht abwenden. Denn – verdammt ja – Bent sah heiß aus. Die Musik setzte ein, und Lara lachte auf, während ich weiterhin ratlos wegen des Titels war.

»Das ist SDP mit ›Die schönsten Tage‹. Als Tom jünger war, hat er die ziemlich gefeiert.« Sie jubelte und klatschte mit erhobenen Händen. Tom grinste in Laras Richtung, und ich fragte mich, warum da nicht mehr war zwischen den beiden. Aber es konnte ja noch werden – ich beschloss, ihr übermorgen beim SUP-Yoga auf den Zahn zu fühlen.

Tom fing an zu singen, nicht überragend gut, aber auch nicht schlecht. Bent war nicht anzusehen, ob er sich unwohl fühlte. Tom sang die ganze erste Strophe, und Bent setzte im Refrain mit ein. Trotz der Zweistimmigkeit hörte ich Bents Stimme klar heraus. Dunkel, etwas kratzig, sie verschaffte mir Gänsehaut. Warum, zum Teufel, sang er wohl nicht häufiger? Jedenfalls nicht, weil er es nicht konnte. Das Publikum ließ sich mitreißen von der Stimmung, die die zwei verbreiteten. Beim nächsten Refrain sprangen sie im Takt auf und ab, und plötzlich fingen die Leute an, vor der Bühne zu tanzen. Tom genoss den Auftritt sichtlich und riss die Arme hoch, als der Song endete. Bent grinste nur und sprang als Erster von der Empore hinunter.

Er kam durch die Menge auf mich zu, und als mich der Blick aus seinen Augen traf, konnte ich mir nicht länger etwas vormachen: Allein sein Anblick genügte, um mir wackelige Knie zu bescheren.

Kapitel 19

UM KURZ NACH Mitternacht traten wir in die kühle Nachtluft vor dem Pub, und ich rieb mir über die Arme, weil ich fröstelte.

»Die schönsten Tage waren schon immer die Nächte«, sang Lara leise.

»Kein' Plan zu haben, war schon immer der Beste«, ergänzte ich die nächste Zeile und summte die Melodie weiter.

»Freut mich, dass euch meine Songauswahl so nachhaltig begeistert«, feixte Tom. »Aber jetzt muss ich dringend ins Bett.«

»Hat Spaß gemacht«, flüsterte Lara mir ins Ohr, als sie mich in ihre Arme zog.

»Finde ich auch.« Ich drückte sie an mich, ehe ich mich löste und anschließend kurz Tom umarmte. »War schön, dich kennenzulernen.«

»Gleichfalls! Kommt gut nach Hause! Und – Nora?«

»Hm?«

»*Keep your head up high*«, zitierte er eine Songzeile aus »I will survive«.

»Immer doch.«

Lara und Tom warteten, bis Bent und ich unser Taxi erreicht hatten. Nachdem wir beide auf der Rückbank Platz genommen hatten, nannte Bent dem Fahrer die Adresse auf Holnis. Der Wagen fuhr an, und Stille senkte sich über uns. Das Radio spielte leise den Song »You Said You'd Grow Old With Me« von Michael Schulte, den der Moderator als Flensburger Jung anpries. Ich schaute aus dem Fenster, hinter dem die Lichter der Hafenstadt vorbeizogen, während wir sie nordöstlich verließen. Eine der Songzeilen, die ich aufschnappte, sagte so viel wie: Du hast dich nicht verabschiedet, nun bin ich eingefroren in der Zeit. Kurz dachte ich, dass das Lied gut zu mir und Markus passte. Doch dann wurde mir klar, dass es mittlerweile nicht mehr zutraf. Heute Abend hatte ich zwar hin und wieder an Markus gedacht, aber anders. Nicht traurig und sehnsüchtig, sondern fast schon emotionslos, als hätten sich die Gefühle für ihn in mir abgekapselt. Ich steckte nicht mehr in dem Moment vor drei Wochen fest, als ich den Brief erhielt. Ich war weitergegangen, zwar ohne Ziel und wohin der Wind mich wehte, aber zumindest für heute war das genug. *Dieser Augenblick* war genug. Es fühlte sich gut an.

Zum ersten Mal fragte ich mich, ob Markus recht gehabt haben könnte mit der Forderung nach dieser Pause. Ob sie uns davor bewahrte zusammenzubleiben, obwohl nicht genügend da war für ein »Für immer«. Ich seufzte unterdrückt. Viele Fragen, auf die man die Antworten wohl nicht mitten in der Nacht in einem Taxi mit einem anderen Mann fand. Oder doch, wenn ich an die Zeile unseres

Karaoke-Songs dachte, in der es darum ging, das Ganze mit einem Fremden an der Seite zu überstehen.

Ohne Bent anzusehen, war ich mir seiner Anwesenheit in jeder Sekunde nur allzu deutlich bewusst. Als würde er Wellen auf einer Frequenz aussenden, für die ich besonders empfänglich war. Und sein Duft – nach einem Hauch Parfüm, Duschgel und der schweren Luft des Pubs – nahm es sogar mit dem Duftbäumchen vorn im Taxi auf. Aber im Gegensatz zu dem Lufterfrischer roch Bent nicht aufdringlich, im Gegenteil – ich ertappte mich dabei, wie ich tiefer einatmete, um mehr davon zu bekommen.

Im Radio spielten sie inzwischen das Lied »Lost on You« von LP. Während ich mit dem Kopf im Takt wippte, fiel mir auf, was ich in den letzten Jahren verloren hatte: Die Musik – mich in Melodien zu verlieren und mich gleichzeitig in den Texten zu finden, zu Konzerten zu gehen, oder auch mal in einen Klub, in einem vollen Pub zu tanzen. Musik spielte für Markus keine große Rolle, zu Konzerten ging er nicht gern – zu viele Leute. Und zu Hause lauschte er lieber einem Podcast als der Lieblingsplaylist.

Als wir uns irgendwo zwischen Flensburg und Glücksburg befanden, sprach Bent das erste Mal, seit er dem Taxifahrer die Adresse genannt hatte.

»Du hast also mit Lara deine Ausbildung zusammen hier im Norden gemacht?«, erkundigte er sich und musterte mich dabei interessiert. Die vorbeiziehenden Straßenlaternen erhellten in regelmäßigen Abständen sein Gesicht.

»Ja, es war eine tolle Zeit«, antwortete ich und überlegte

gleichzeitig, ob er Tom danach gefragt hatte. Ich war mir relativ sicher, ihm bisher nicht erzählt zu haben, *wo* wir unsere Ausbildung gemacht hatten.

»Aber du wolltest nicht hierbleiben?«

Abwägend bewegte ich den Kopf. Es hatte mir schon gut gefallen drüben an der Westküste Schleswig-Holsteins.

»Der Wechsel hat sich eher beiläufig ergeben. Die Kliniken hier oben sind nicht die größten, daher sah ich für mich bessere Chancen in den Städten, und Münster ist nur eine knappe Stunde von dem Ort entfernt, in dem meine Eltern leben.«

»Und wenn …« Er stockte, und ich sah abwartend zu ihm hinüber, froh, dass der mittlere Sitzplatz zwischen uns lag. Bents Präsenz war auch trotz dieses Abstands überwältigend.

Sein Blick glitt aus dem Fenster, und er tippte mit seinen Fingern auf der Armlehne.

»Und wenn was?«, hakte ich nach.

Ich hörte, wie er einatmete, ehe er sich wieder zu mir umdrehte. »Wenn eure Beziehungspause vorbei ist, gehst du zurück nach Münster?«

Ein seltsames Gespräch zum Abschluss dieses Abends. Warum interessierte ihn das plötzlich? Zudem war das ein Thema, über das ich nicht unbedingt mit ihm reden wollte. Lotete er damit etwa aus, wie lange ich seinen Bruder unterstützen würde? Oder ob ich alles fallen lassen würde, sobald Markus sich meldete?

»Äh, nein«, antwortete ich zunächst spröde. Für einen Wimpernschlag las ich Überraschung in seinen Zügen, doch das verflüchtigte sich rasch, als ich weitersprach. »Er, also Markus, ist nach München gezogen, und ich … «

Alles in mir sträubte sich, mit Bent darüber zu sprechen. In diesem Moment wollte ich überhaupt nicht an Markus denken. Das warf einen Schatten über den wundervollen Abend. Und brachte wieder drängende Fragen mit sich, die ich so beharrlich beiseiteschob.

»Ich werde dort in vier Wochen eine Stelle antreten«, erklärte ich knapp.

»In München?«, fragte Bent halb überrascht, halb lachend.

»Ja. Hast du ein Problem mit München?«, fragte ich leicht pikiert.

»Nein, überhaupt nicht. Es ist nur … ziemlich weit weg.«

Trotzig zuckte ich mit den Schultern. »Für die Zeit dieser *Pause* wollte ich halt möglichst weit weg von München sein.« Das Wort *Pause* sprach ich in einem abfälligen Ton aus. Bent lachte erneut leise auf, doch dieses Lachen war mir deutlich sympathischer.

»Hast du noch mehr Fragen? Vielleicht nach meiner Schuhgröße, dem Tag meiner Entjungferung oder meiner IBAN-Nummer? Für jemanden, der selbst nicht viel über sich preisgibt, bist du ganz schön neugierig.« Bei dem Wort Entjungferung weiteten sich seine Augen, und der Taxifahrer fuhr einen kleinen Schlenker. Aber bei der Erwähnung meiner IBAN grinste Bent schon wieder. Seine weißen Zähne stachen in dem schummrigen Licht des Wagens hell aus seinem Gesicht hervor.

»Du kannst mir alles erzählen«, entgegnete er und wackelte mit seinen Augenbrauen. »Aber nicht alles wissen.«

Ich lachte. »Und *du* machst dich lustig über meinen Schade-Marmelade-Spruch?«

Bents Lächeln vertiefte sich. »Die Redewendung geht doch eher so – du darfst alles essen, aber nicht alles wissen.«

»Von mir aus«, murmelte ich. »Woher kennst du Tom eigentlich?«

Der Versuch, das Thema endgültig weg von mir und Markus zu lenken, gelang. Bent erzählte, dass sie sich über einen gemeinsamen Surfkumpel kennengelernt hatten.

Wenig später bog das Taxi auf den Campingplatz, und ich fischte meine Geldbörse aus der Tasche.

»Lass nur, ich übernehme das, ich habe dich ja quasi überredet, dein Auto stehen zu lassen.«

Kurz wollte ich Einwände erheben, ließ es dann aber sein und öffnete die Tür. Bent verabschiedete sich von dem Taxifahrer, und der rief uns »Einen schönen Urlaub noch!« nach.

Wir sahen uns an und prusteten gleichzeitig los.

Kopfschüttelnd setzte Bent sich in Bewegung. »Die Leute vergessen immer, dass auch Menschen auf dem Campingplatz arbeiten müssen.«

»Nun ja, aber für gewöhnlich leben die dann nicht dort, oder? Und strenggenommen arbeite auch nur *ich* hier.«

Ich spürte seinen Blick auf mir, während ich beharrlich weiter den Weg entlangmarschierte.

»Da hast du wohl *strenggenommen* recht«, äffte er mich nach, woraufhin ich ihn im Gehen in die Seite knuffte.

»Klugscheißerin«, murmelte er und verbarg das Wort halbherzig hinter einem Huster.

»Das habe ich gehört!«

»Was denn? Ich habe nur gehustet, Frosch im Hals.« Erneut räusperte er sich.

»Es ist mir ein Rätsel, warum dein Bruder besorgt war, zwischen uns könnte was laufen. Was hat die vorherige Aushilfe nur in dir gesehen?«, stichelte ich. Aber es gelang mir nicht, mir das fette Grinsen zu verkneifen, das permanent an meinen Mundwinkeln zerrte. Denn ich wusste nur zu gut, was diese Elina in ihm gesehen hatte. Einen attraktiven Mann, der witzig und charmant war – vorausgesetzt, er mochte einen. Der Leben rettete, Brände löschte und streunende Katzen bei sich aufnahm. Ich sah all das selbst. Leider so deutlich, dass es mir in manchen Augenblicken unheimlich war. So wie in diesem.

Als wir vor den Stufen meiner Hütte ankamen – warum war er bis hierher mitgelaufen? –, wandte er sich mir zu. Der Sternenhimmel über ihm glitzerte, und Funken ließen die Luft zwischen uns knistern. Spürte er das eigentlich auch? Sein Blick fiel auf meine Lippen, und für die Dauer eines Atemzuges glaubte ich, er würde mich gleich küssen. Ich wollte schon die Augen schließen und mich ihm entgegenbeugen.

Doch die Stimme der Vernunft schaltete sich ein und beschuldigte das Bauchgefühl vorwurfsvoll falschzuliegen. Bent konnte mich unmöglich küssen wollen, bis vor wenigen Tagen hatte er mich nicht einmal sympathisch gefunden. Genauso wenig wie ich ihn. Zweifelsohne waren mir die Schnäpse zu Kopf gestiegen.

Nun war ich diejenige, die sich räusperte, weil ich meiner

Stimme nicht traute. Etwas fahrig trat ich gleichzeitig einen Schritt zurück. »Dann schlaf gut, und bis …«

Seine Augen fixierten mich, und ich kam mir kurz vor wie das Reh im Visier eines Wolfes.

»Bis morgen«, beendete er meinen Satz. »Wir können gegen Mittag mit der Fähre nach Flensburg fahren.«

Eine unangebrachte Freude breitete sich in mir aus bei dem Gedanken, mit ihm gemeinsam diesen Ausflug zu unternehmen. Ging es ihm ebenso, oder bereute er womöglich schon, es mir vorhin in der ausgelassenen Stimmung im Pub angeboten zu haben? Aber dann hätte er es wohl kaum jetzt nochmal angesprochen.

»Hm, ja, schauen wir mal«, murmelte ich und schlüpfte in die Hütte.

»Gute Nacht«, hörte ich ihn noch sagen, bevor ich die Tür ins Schloss zog.

Kapitel 20

ICH WACHTE ERST gegen halb zehn auf. Ein bisschen bedauerte ich, meine morgendliche SUP-Runde verpasst zu haben. Aber es tat auch gut, mal einen Morgen auszuschlafen. Genüsslich reckte ich mich und lauschte den Geräuschen, die durch das gekippte Fenster ins Innere der Hütte drangen. Der Campingplatz war längst zum Leben erwacht. Mit Sicherheit spazierten bereits die ersten Camper mit ihrem Frühstücksgeschirr zum Waschraum. In der Zeit auf dem Platz hatte ich bemerkt, dass es hier – vor allem bei den älteren Pärchen – eine strikte Aufteilung gab. Die Frauen kochten und die Männer kümmerten sich anschließend um den Abwasch.

Während ich so dalag, wanderten meine Gedanken zurück zum gestrigen Abend. Es war eine tolle und lustige Zeit gewesen, in der ich über Stunden nicht ein einziges Mal irgendeine Schwere verspürt hatte. Ein Bild von Bent und mir formte sich vor meinem inneren Auge, wie wir vor meiner kleinen Veranda standen und ich kurz glaubte, er würde mich küssen.

»O Nora«, stöhnte ich leise und zog mir die Decke über den Kopf, als könne ich damit die Bilder vertreiben. Wieder fragte ich mich, ob nur ich es so empfunden hatte. Immerhin wollte er heute mit mir nach Flensburg fahren. Auch wenn mich der Umschwung in seinem Verhalten verwirrte, freute ich mich auf den kleinen Ausflug. Und nicht nur auf die Fahrt mit der Fähre, sondern genauso darauf, Zeit mit ihm zu verbringen. Was das über mich und meine pausierende Beziehung aussagte, wollte ich lieber nicht genau ergründen. Dabei wäre es sicher ratsam gewesen, schon mal nach Wohnungen in München zu schauen. Aber die Vorstellung, allein in dieser Stadt zu wohnen, behagte mir nicht.

Um diesen unangenehmen Themen zu entgehen, schlug ich die Decke zurück und stellte mich unter die Dusche. Ich würde das Ganze auf mich zukommen lassen, es brachte doch nichts, nach Wohnungen zu schauen, wenn ich gar nicht wusste, wie es mit mir und Markus weiterging. Und egal wie, es würde sich dann schon eine Übergangslösung finden.

Auf der Veranda aß ich anschließend ein Toastbrot und schielte dabei zu Bents Wohnwagen, der still und verlassen dalag. Entweder schlief Bent noch, oder er war zum Schwimmen.

Nachdem ich die letzten hundert Seiten in dem Roman gelesen hatte, den ich aus dem Bücherschrank an der Rezeption geliehen hatte, klappte ich das Buch zu und schaute etwas ratlos nach nebenan.

Langsam konnte Bent mal wieder auftauchen oder aufstehen – je nachdem. Schließlich war es mittlerweile Mittag, und mein Magen knurrte auch. Ich beschloss, erst mal das Buch zurückzubringen.

Auf dem Weg zur Rezeption kam ich am Wohnwagen von Irmi und Ingolf vorbei. Hilde lag unter der Markise im Schatten und wedelte freudig mit dem Schwanz, als sie mich entdeckte.

»Waff, waff!«, bellte sie.

»Hilde, wen bellst du an?«, fragte Irmi aus dem Inneren und steckte den Kopf aus der Tür.

»Ach, Nora, du bist es!«

»Hallo Irmi, schön, dich hier zu sehen, wie geht es Ingolf?«

»Besser! Er wird voraussichtlich noch diese Woche entlassen. Unser Sohn reist heute mit seiner Freundin an, deswegen muss ich hier mal nach dem Rechten schauen. Er fährt uns dann nach Hause. Die lange Strecke traue ich mir nicht zu mit dem Gespann, und Ingolf soll sich noch schonen.«

»Das klingt nach einem vernünftigen Plan, schön, dass euer Sohn es einrichten kann.«

»Ja, obwohl es sich komisch anfühlt, plötzlich auf sein Kind angewiesen zu sein, wo es doch sonst immer andersherum war.«

»Das verstehe ich. Aber dein Sohn ist sicher froh, euch helfen zu können.«

»Wäre er nicht mit seiner Trixi zusammen, dann hätte ich euch glatt miteinander bekannt gemacht.« Sie zwinkerte mir verschwörerisch zu, und ich schmunzelte, froh darüber, dass mir – dank Trixi – dieser Verkupplungsversuch erspart blieb. In mir herrschte auch so genügend Gefühlswirrwarr.

»Richten Sie bitte schöne Grüße aus!« Ich hob die Hand zum Abschied und setzte meinen Weg zur Rezeption fort. Zwei weitere Male wurde ich aufgehalten, weil Camper Fragen hatten. Inzwischen verstand ich, warum Peter nicht auf dem Platz lebte – trotz der herrlichen Umgebung und Aussicht. Feierabend hatte man dann offensichtlich niemals.

»Moin Peter«, begrüßte ich ihn wie eine echte Norddeutsche, als ich endlich das kleine Verwaltungsgebäude erreicht hatte.

»Moin Nora.« Peter grinste und ging dann ans Telefon, das lautstark nach seiner Aufmerksamkeit verlangte.

Ich stöberte in den Büchern nach einem neuen Schmöker. Einige Romane, die an hiesigen Schauplätzen spielten, stammten von Peter und Susi. Aber im Lauf der Jahre hatten sich viele ausgelesene Bücher von Gästen dazugesellt. Ich hatte selbst schon beobachtet, wie Camper hier Bücher hinterließen.

Aus dem obersten Regalbrett zog ich einen Thriller von Anette Hinrichs hervor, der in Flensburg spielte, und wartete anschließend, bis Peter das Gespräch beendet hatte. Während er die Reservierung des Anrufers eintrug, fragte ich möglichst beiläufig: »Hast du Bent heute schon gesehen?«

Peter hörte auf zu tippen und sah zu mir auf. »Ach ja, ich soll dir ausrichten, ihm ist was dazwischengekommen. Sorry, hatte ich fast vergessen. Vanessa hat ihn vorhin abgeholt. Ich kann dich zu deinem Auto bringen, wenn ich Feierabend mache.«

Enttäuschung durchfuhr mich, aber ich zwang mich, ein unbekümmertes Lächeln aufzusetzen.

»Kein Problem. Du brauchst mich nicht zu fahren.«

»Wie kommt es überhaupt, dass ihr zusammen unterwegs wart?«, fragte Peter, und ich las in seinen Augen die Befürchtung, ich könnte die Nächste sein, die Bents Charme zum Opfer fiel. Ich fühlte mich ein wenig ertappt – als ob er gewusst hätte, dass er damit mehr recht hatte, als mir lieb war.

»Wir waren nicht zusammen unterwegs, sondern haben uns zufällig getroffen. Und Bents Freund kennt meine Freundin aus Flensburg.«

»Ach so«, sagte Peter, aber an seinem Blick erkannte ich, dass er weiterhin skeptisch war.

Ich hob das Buch. »Ich werde dann mal lesen gehen«, erklärte ich und schlüpfte eilig durch die Tür nach draußen.

Auf dem Weg zu meiner Hütte ärgerte ich mich über mich selbst. *Er schafft es doch nicht ... Vanessa hat ihn abgeholt ...* Grrr, zumindest hatte ich jetzt eine Antwort auf die Frage, ob er den beinahe-Kuss-Moment genauso empfunden hatte wie ich. Nein, den hatte es wohl nur in meiner Fantasie gegeben.

Doch davon würde ich mir nicht die Laune verderben lassen. Es war sowieso besser so. Worauf sollte das sonst hinauslaufen?

Eine Stunde später saß ich im Bus nach Glücksburg. Ich wollte die Tour mit der Fähre allein machen, so wie ich es ursprünglich vorgehabt hatte. Ein Hoch auf meine neue Selbstständigkeit!

Als wollte das Wetter mich aufheitern, verzogen sich die Wölkchen vom Himmel, und die Sonne schien auf mich herab. Ich kramte meine Sonnenbrille aus der Tasche und stieg an der Haltestelle unweit der Promenade in Glücksburg aus.

Auf dem Weg zur Seebrücke trat die kurzfristige Enttäuschung über Bent endgültig in den Hintergrund. Der kleine Küstenort umhüllte mich mit seiner ausgelassenen Stimmung. Auf der Promenade stiegen mir die Düfte des Imbisses in die Nase, und ich kaufte mir rasch einen Crêpe, weil vor diesem Fenster die Schlange kürzer war als die vor dem Fenster für die deftigen Speisen. Danach genoss ich ein paar Minuten die Aussicht auf den Strand mit den weißen Strandkörben. Davor wehten Fahnen seicht in der heutigen Brise. Ja, in Glücksburg war man irgendwie glücklich. Alles hier war hell, einladend, strahlend, der Ort bot alles, um sofort ein Urlaubsgefühl in einem aufkommen zu lassen.

Nachdem ich den Crêpe aufgegessen hatte, lief ich weiter zur Seebrücke. Mein Ticket hatte ich zuvor online gebucht, und so konnte ich gleich an Bord gehen, als die kleine Fähre anlegte. Mit mir strömten zahlreiche weitere Touristen an Bord, und alle wollten bei dem sonnigen Wetter draußen auf dem oberen Deck sitzen. Ich ergatterte einen der letzten freien Außenplätze.

Kurz darauf legte das Schiff ab und nahm recht zielstrebig Kurs auf Flensburg. Meines Wissens lagen die Ochseninseln in die andere Richtung. Ich beugte mich zu meinem Sitznachbarn.

»Entschuldigen Sie, fahren wir nicht um die Ochseninseln herum?«

»Auf dem Hinweg nicht, da fährt die Fähre direkt nach
Flensburg, aber auf dem Weg zurück macht sie einen Abste-
cher zu den Inseln«, erklärte mir der ältere Herr freundlich.

»Schade. Ich fahr leider nur hin.«

Ich drehte mich wieder zur anderen Seite, um die Aussicht zu genießen. Meine Pechsträhne hatte offenbar einen
geringfügigen Rückfall. Aber Ochseninseln hin oder her –
es war herrlich, auf dem Wasser zu sein. Um uns herum
fuhren kleine und mittelgroße Segelboote mit aufgeblähten
weißen Segeln. Links zogen nacheinander der Glücksburger
Jachthafen, ein dichter Wald und die Marineschule vorbei,
die praktisch die Einfahrt in den Flensburger Hafen mar-
kierte. Das eindrucksvolle rote Backsteingebäude thronte
erhöht auf einem Hügel über dem Ufer, und eine imposante
Treppe führte hinunter zum Wasser. Unten an ihrem Fuße
befand sich ein gemauerter Durchgang, der mich ein wenig
an das Nordertor erinnerte.

Hinter einigen Industriegebäuden tauchte der nächste
Jachthafen auf, zahlreiche weiß lackierte Bootsrümpfe
glänzten in der Sonne. Von Luxusimmobilien aus hatte man
offensichtlich einen fantastischen Blick über die Förde, und
ich geriet ins Träumen. Als dann auch noch bei der Einfahrt
in die Spitze der Förde ein Segelboot dicht an uns vorbeizog,
verspürte ich den Wunsch, hierzubleiben und das Segeln zu
lernen. Ich würde an jedem freien Tag rausfahren, mitten
auf der Förde den Anker werfen und mich den ganzen Tag
sachte von den Wellen schaukeln lassen. Himmlisch!

Ich lachte innerlich auf, als ich mir meiner Gedanken bewusst wurde. Kurzentschlossen griff ich zum Handy und rief Janine an. Wir hatten schon einige Tage nichts mehr voneinander gehört.

»Hey Nora«, flüsterte sie, und ich vernahm, wie sie eine Tür hinter sich schloss.

»Du bist bei der Arbeit, ich kann später wieder anrufen.«

»Nein, nein, es ist gerade ruhig, ein paar Minuten habe ich. Wie schön, von dir zu hören! Wie geht's dir? Ist es so windig bei dir?«

»Eigentlich geht's mir ganz gut, ich fahre gerade auf einer Fähre über die Förde, und das ist der Fahrtwind, der ins Mikro bläst.« Ich drehte mich etwas aus dem Wind. »Ich wollte dir nur kurz erzählen, dass ich vor ein paar Sekunden den Wunsch verspürt habe, hier zu leben. So ganz scheine ich diesen Traum doch noch nicht aufgegeben zu haben.« Ich lachte, während die Fähre die Schiffsbrücke in Flensburg ansteuerte.

»Na ja, wer hat nicht irgendwann mal den Traum, am Meer zu leben! Du weißt, ich würde mich freuen, wenn du nach Münster zurückkommst. Und ist das mit Markus denn jetzt schon abgehakt?«

Etwas irritiert über ihre Reaktion, runzelte ich die Stirn. »Nein, da ist nichts geklärt, und was ich gesagt habe, war nur so dahergedacht. Das Meer tut mir einfach gut, das wollte ich damit sagen.«

»Das glaube ich dir, gegen einen Wellness-Trip an die Nord- oder Ostsee hätte ich auch nichts einzuwenden.«

»Ich werde darauf zurückkommen, aber ich muss jetzt

Schluss machen, wir haben angelegt«, behauptete ich, obwohl es noch ein paar Meter waren.

»Genieß die Zeit!«

»Mach ich«, antwortete ich und hatte im nächsten Moment schon wieder Mühe, dass Bild von Bent aus meinem Kopf zu vertreiben, das plötzlich aufploppte. Genau in der Sekunde eingefroren, in der ich gestern gedacht hatte, er würde mich küssen.

»Wollte er aber gar nicht«, murmelte ich zu mir selbst, während ich mein Handy wegsteckte und das Schiff sachte gegen den Anleger stieß.

Im Strom der Menschen verließ ich die kleine Fähre. An Land orientierte ich mich zunächst – wir hatten etwas nördlich vom Pub angelegt, und zu Laras Wohnung und meinem Auto war es nicht weit. Ich beschloss, kurz bei Lara im *Hygge Up* vorbeizuschauen, bevor ich nach Holnis zurückfuhr.

In den kleinen Gassen der Stadt herrschte reger Betrieb, und auch der Laden von Lara und Linn war gut besucht. Beim Eintreten fiel mein Blick wie stets auf das Letterboard.

Wenn man immer nur das tut, was sich gehört, verpasst man den ganzen Spaß – Katherine Hepburn.

Ich schob mich zwischen drei Kundinnen hindurch zum Tresen.

»Hallo Linn«, sagte ich. Mittlerweile erkannte ich die beiden Schwestern relativ zuverlässig. Zwar ähnelten sie sich äußerlich extrem, und mir war bisher kein Merkmal aufgefallen, anhand dessen ich sie unterscheiden konnte, bis auf die Länge der Haare. Doch wenn sie die zusammenbanden, war das auch hinfällig. Aber ihre Ausstrahlung unterschied sich dafür umso mehr. Während Lara warm und herzlich war, strahlte Linn etwas Unnahbares aus. So als wollte sie einen nicht sehen lassen, was wahrhaftig in ihr vorging. Im Gegenzug dazu war Lara wie ein offenes Buch.

»Hej Nora, Lara ist nicht da, die macht Auslieferungen.«

»Ah, okay, danke. Dann sag ihr bitte, ich habe mein Auto geholt, und wir sehen uns morgen zum SUP-Yoga.« Die Trainerin hatte die Yoga-Stunde auf den frühen Abend am Donnerstag verlegt. Das passte Lara und mir auch besser als mitten am Tag.

»Wenn ich dran denke … Schau mal, ist der nicht süß?« Sie hielt mir ihr Handy vor die Nase. Es war eine Kleinanzeigen-App geöffnet, und auf einem Foto war ein Welpe zu sehen. »Knuffig, oder? Der würde doch super zu unserem Laden passen. Er könnte draußen vor den Stufen liegen und die Leute schwanzwedelnd begrüßen.«

»Ja, sehr niedlich«, stimmte ich ihr zu.

Dann trat eine Kundin neben mich. »Haben Sie einen Zollstock für mich? Ich würde gern den Schrank dort hinten ausmessen.«

»Klar, ich helfe Ihnen«, erwiderte Linn und legte ihr Handy weg.

Nach einem Zwischenstopp mit Kaffee und Kuchen bei Ilse machte ich mich auf den Weg zu meinem Auto.

Ein bisschen fürchtete ich mich nach dem gestrigen Abend vor der nächsten Begegnung mit Bent. Doch diese Befürchtung blieb unbegründet, denn er tauchte für den Rest des Tages nicht bei seinem Wohnwagen auf.

Kapitel 21

»NORA, KÖNNTEST DU morgen nochmal deinen Nudelsalat machen?«

Ich schaute vom Reservierungsprogramm auf. »Ist schon wieder ein Grillfest?«

Peter kratzte sich am Kopf. »Ja, ab jetzt jede Woche.«

»Okay«, entgegnete ich überrascht.

»Früher blieben die Gäste durchschnittlich eine Woche, und seither wird in der Hauptsaison einmal pro Woche gegrillt. Ich dachte, ich hätte es dir gesagt.«

»Das ist kein Problem, ich mache einen Salat.«

Peter hielt auf dem Weg nach draußen nochmal inne. »Wir sind wirklich sehr froh über deine Unterstützung, und – also, falls du es dir vorstellen könntest, würde ich dich auch fest anstellen.«

»Das ehrt mich sehr, Peter. Aber ...«

Nun bereute ich es, ihm nicht von Beginn an erzählt zu haben, dass ich bereits im August eine Stelle in München antreten musste.

Das Klingeln des Telefons rettete mich vorerst.

»Denk einfach drüber nach, wir reden ein andermal in Ruhe.« Er hob die Hand und zog die Tür hinter sich zu.

Ich nahm den Anruf an.

Mein Feierabend verschob sich an diesem Tag etwas, und ich musste mich beeilen, um rechtzeitig zum Yoga zu kommen. Ein bisschen abgehetzt, erreichte ich die Strandpromenade in Glücksburg, wo Lara bereits mit zwei SUPs auf mich wartete.

»Sorry, das Telefon stand einfach nicht still, und Peter wurde auf dem Platz aufgehalten. Ich hätte nie gedacht, dass es auf einem Campingplatz so viel zu tun gibt.«

»Kein Problem, sie haben noch nicht angefangen. Quatschen können wir auch später im Glückselig, wenn du Lust hast. Jetzt entspann dich erst mal.«

Wir schoben die Boards ins Wasser und gesellten uns zu den anderen.

Dieses Mal wackelte mein Brett schon deutlich weniger bei den schwierigen Übungen, obwohl mehr Wellen für unruhigeres Wasser sorgten.

Nach der Yogastunde schlenderten wir zum Glückselig und machten es uns mit einer Rhabarberschorle in einem Strandkorb gemütlich.

»Hat gestern bei deinen Auslieferungen alles geklappt?«

Lara schaute mich verdutzt an. »Habe ich dir davon erzählt?«

»Ich war bei euch im Laden, als ich mein Auto geholt habe. Hat Linn dir das nicht gesagt?«

»Nein. Was sie sich nicht aufschreibt, vergisst sie.« Lara

rollte mit den Augen und nahm dann einen großen Schluck Schorle. »Aber erzähl du jetzt erst mal, wie es gestern mit Bent war!« Sie wackelte vielsagend mit den Augenbrauen.

»Da gibt es nichts zu erzählen, er hatte keine Zeit, und ich bin allein gefahren. War aber eine schöne Überfahrt, da bekomme ich glatt Lust, ein eigenes Boot zu besitzen.«

Lara ließ sich leider nicht beirren und stieg nicht auf das Boot-Thema ein.

»Er hatte keine Zeit? Schade. Aber es hat so was von eindeutig zwischen euch beiden geknistert! Ist dir aufgefallen, wie er dich angesehen hat, als wir gesungen haben?« Sie fächerte sich mit der Speisekarte Luft zu.

»Hör auf, Lara. Schließlich war er bis vor kurzem noch unausstehlich zu mir. Du weißt doch, was ich dir von meiner Rückfahrt vom Wandern erzählt habe.«

»Ja, aber dann hat er seine Meinung wohl geändert, oder seine Unfreundlichkeit hatte gar nichts mit dir zu tun, sondern ihm hatte etwas anderes die Laune verdorben.«

Ich schüttelte seufzend den Kopf und ersparte mir, ihr zu erklären, dass er bei den darauffolgenden Begegnungen ebenfalls nicht sonderlich erfreut gewirkt hatte, mich zu sehen. Aber ich konnte auch schlecht behaupten, sie hätte sich das Knistern gestern nur eingebildet, da ich es selbst gespürt hatte.

»Lara, wir können das hier abkürzen, denn er hatte heute keine Zeit, weil er etwas mit einer Vanessa unternommen hat. Außerdem … bin ich quasi noch in einer Beziehung, und ich …« Irgendwie wollten die Worte ›und ich liebe Markus‹ nicht über meine Lippen. »… ich möchte Markus und mich noch nicht aufgeben«, beendete ich daher diplomatisch den Satz. »Selbst wenn es keine Zukunft für unsere Beziehung gibt, stürze ich mich bestimmt nicht gleich in die nächste.«

»Nun – du könntest die Pause auch einfach genießen.«

»Was soll das bringen? Ich bin nicht der Typ für flüchtige Sexabenteuer. Das gibt mir nichts.«

»Wenn du das sagst, klingt es so schmutzig! Und es bringt dir zumindest Ablenkung, das Gefühl begehrt zu sein. Meine Schwester macht das ständig so, und sie scheint nie ernsthaft unter Liebeskummer zu leiden.«

Den Einwand mit dieser Vanessa schien Lara irgendwie überhört zu haben.

»Deine Schwester, so, so. Und wie sieht es bei dir aus?«, versuchte ich eine andere Taktik, um mein verworrenes Liebesleben aus dem Fokus zu nehmen.

»Bei mir? Also – ich habe keine Zeit für romantische Abenteuer.«

Wir schauten uns an und kicherten.

»Was ist denn mit dir und Tom? Mir scheint, er wäre ein Typ für mehr als ein bloßes Abenteuer.«

»Tom?«, fragte Lara entgeistert und verschluckte sich am Rest ihrer Schorle. »Nora, Tom ist wie ein Bruder für mich! Das würde sich – uhhh – absolut falsch anfühlen.«

»Okay.« Ich lachte.

»Ist denn wenigstens etwas Gutes bei eurer Mieterversammlung herausgekommen?« Die hatte ja am vergangenen Freitag zeitgleich mit dem Mittsommer-Grillfest stattgefunden, aber Lara hatte noch gar nichts davon berichtet.

»Nein, wir konnten die Besitzerin des Krimskramsladens nicht überzeugen. Sie wird ihn ab sofort zur Vermietung ausschreiben und einen Ausverkauf starten. Hoffentlich findet sie einen Nachmieter, der sich gut zwischen die anderen Läden einfügt.« Sie seufzte und ließ ihren Blick über das Wassers schweifen. »Und meine Schwester treibt mich zurzeit mehr als üblich in den Wahnsinn, sie hört einfach nicht auf, davon zu faseln, dass wir uns einen Welpen anschaffen sollten. Dass ein Teil dieses *Wir* – ich nämlich – absolut dagegen ist, registriert sie überhaupt nicht. Ich meine, so ein Hund kann wie alt werden? 15, 18 Jahre? Das übersteigt definitiv die Zeitspanne, für die meine Schwester gewöhnlich in der Lage ist, Begeisterung aufzubringen. Und ich möchte nicht mehr so lange mit ihr zusammenleben, nur um mich um ihren Hund zu kümmern.«

»Oje. Sie hat mir gestern ein Inserat im Internet gezeigt. Süß war der ja.«

»Süß – das ist wie mit Kindern, die sind auch süß, solange man sie abends wieder abgeben kann.«

Ich lachte laut los. »Ich dachte, du magst Kinder?«

»Ja, und Hunde genauso – aber momentan haben wir einfach nicht die Kapazitäten, und wenn ich daran denke, dass meine Kinder werden könnten wie Linn, überlege ich mir das Ganze sowieso nochmal. Ohne Mann wird es eh schwierig. Aber zurück zum Hund: Welpen pieseln überall hin und nagen Dinge an. Und wer soll ihn erziehen? Linn? Ha, die bekommt ja nicht mal ihr eigenes Leben auf die Reihe. Wusstest du, dass ich ihr immer einen Zahnarzt- und Frauenarzttermin vereinbare, wenn ich mir selbst

einen geben lasse? Oder dass ich ihre Steuererklärung mit-
mache?«

»Vielleicht solltest du einfach aufhören, diese Dinge für
sie zu erledigen.«

»Ich weiß«, jammerte Lara. »Es ist nur gar nicht so
leicht, aus seiner Rolle auszubrechen.« Sie knüllte ihre Ser-
viette zusammen. »Ach egal – lass uns lieber wieder von dir
und Bent reden!«

Kapitel 22

DA SUSI ZUM heutigen Grillfest nicht kommen würde, bat Peter mich für den Abend um Hilfe. Zu meinen Aufgaben zählte es, für Getränke zu sorgen und ab und an das Leergut von den Tischen zu räumen.

Für die restliche Saison fanden die Grillabende nicht mehr vor der Rezeption statt, sondern auf dem kleinen Grillplatz des Campingplatzes. Nur der an Mittsommer wurde im größeren Rahmen ausgerichtet.

Der Platz war überschaubar, aber gemütlich. An einer Anhöhe stand ein fest installierter Grill, davor drei Picknicktische. Zudem gab es eine Feuerstelle, um die große Baumstämme als Sitzmöglichkeiten platziert worden waren.

Mit der Schüssel voller Nudelsalat in den Händen, erreichte ich um zwanzig Uhr den Platz. Aber statt Peter wurschtelte Bent am Grill herum. Sein Anblick wirkte sich prompt auf meinen Herzrhythmus aus – wie bei einem verknallten Teenager. Kein Wunder, dass Lara so auf diesem Thema beharrte.

»Hallo«, sagte ich und stellte meine Schüssel neben die mit Susis Kartoffelsalat auf einen Tisch, den Bent zusätzlich aufgestellt hatte.

Er drehte sich zu mir um, und sein Gesicht erhellte sich. »Nora! Schön, dass du da bist.«

Ich rümpfte die Nase, versuchte aber, mir meine Verstimmtheit wegen des ausgefallenen Ausflugs nicht anmerken zu lassen. Stattdessen lächelte ich ihn flüchtig an und gab dann vor, die Getränkekisten durchzugehen und sie zu sortieren – was absolut überflüssig war.

Nachdem Bent die Kohle aufgeschichtet und angezündet hatte, trat er zu mir.

»Hast du eine Cola für mich?«

»Klar.« Ich reichte ihm eine Flasche. Bent nahm sie entgegen, rührte sich aber nicht vom Fleck.

»Was machst du da? Die Flaschen nach Haltbarkeitsdatum sortieren?«

Peinlich berührt, ließ ich von der Kiste ab und richtete mich aus der Hockstellung auf. Bent stand dicht vor mir – zu dicht, und ich trat unwillkürlich einen Schritt zurück, wodurch ich gegen den Tisch stieß.

»Alles in Ordnung?« Bent musterte mich mit gefurchter Stirn.

»Natürlich.« Ich sah auf die Uhr. »Die ersten Hungrigen kommen bestimmt bald, ist die Kohle schon durch?«

Bent warf flüchtig einen Blick über seine Schulter. »Einen Moment dauert es noch. Tut mir übrigens leid wegen gestern, aber ein Kollege ist krank geworden, und ich musste für ihn einspringen.«

»Du warst arbeiten?«, fragte ich, und prompt löste sich etwas von den verknäulten Gefühlen in mir.

»Hat Peter dir das nicht erzählt?«

»Er hat lediglich gesagt, dass du es nicht schaffst und Vanessa dich abgeholt hat.«

Bent verdrehte die Augen. »Wir sollten besser Handynummern austauschen, dann muss ich mich nicht auf meinen Bruder verlassen. Vanessa ist eine Kollegin, die im Nachbarort wohnt, sie hat mich mit zur Schicht genommen, weil mein Auto ja in Flensburg stand.«

»Ach so. Na ja, war ja nicht schlimm«, gab ich mich gelassen. »Die Fahrt war auch ohne dich schön.«

»Du bist ohne mich gefahren?« Für einen Wimpernschlag blitzte Enttäuschung in seinen seeblauen Augen auf.

»Ich musste doch zu meinem Auto«, antwortete ich mit einem Schulterzucken.

»Ich dachte, Peter hätte dich gefahren. Schade, ich hätte die Tour gern mal wieder gemacht.« Der Blick, den er mir bei seinen Worten zuwarf, stahl sich tief in mein Innerstes und löste dort seltsame Reaktionen aus. Ich blinzelte und angelte mir dann selbst eine Flasche Cola aus der Kiste, um meine Hände zu beschäftigen.

»Die Ochseninsel habe ich leider verpasst, weil die Fähre ausschließlich auf dem Rückweg dort vorbeifährt. Apropos Peter – wo ist der überhaupt?«

»Ich habe angeboten, hier für ihn zu übernehmen, damit er bei Susi und Jeppe bleiben kann …«

Ach ja? Ein nervöses Giggeln sammelte sich in meiner Kehle, das ich entschieden runterschluckte.

»Moin!«, rief in dem Moment jemand hinter uns. Wir begrüßten die ersten Camper und machten etwas Small-talk mit ihnen. Dann war es an der Zeit, die Würstchen und Gemüsespieße auf den Grill zu legen. Bent war erst mal beschäftigt, und ich kümmerte mich um die Gäste. Es kamen ungefähr zwanzig Leute, und als alle vor einem vollen Teller saßen und sich beim Essen miteinander unterhielten, füllte ich mir ebenfalls etwas auf und hockte mich auf die Getränkekiste, weil die anderen Plätze besetzt waren. Bent verteilte das letzte Grillgut und gesellte sich dann mit einem Teller zu mir.

»Ist übrigens echt lecker, dein Nudelsalat.«

»Danke«, sagte ich mit vollen Wangen.

»Übrigens wurde Herr Runge gestern entlassen, ich habe ihn im Krankenhaus gesehen.«

Ich nickte. »Ich weiß, sie haben sich gestern Abend von mir verabschiedet. Der Sohn fährt den Wohnwagen nach Hause. War schön, ihn nochmal zu sehen. Er wird sicherlich noch eine Weile brauchen, um sich von dem Schreck zu erholen.«

Bent nickte und schaute mich intensiv an. Warum? Ich schluckte etwas umständlich den Bissen in meinem Mund herunter.

»Du hast da was.« Er deutete auf mein Gesicht, und ich hätte schwören können, dass seine Stimme rauer klang als noch vor einer Minute. Dann streckte er die Hand aus, legte seine Finger an mein Kinn und strich mir mit dem Daumen sanft am Mundwinkel entlang.

»Mayonnaise«, sagte er und leckte sie vom Daumen ab.

Mit dieser simplen Geste löste er ein kleines Inferno in mir aus. Während mein Blick an seinen Lippen hing, fragte ich mich, wie ein Mann, der beruflich Feuer löschte, einen anderen Menschen derartig in Brand setzen konnte. Und wenn ich in seine Augen sah, kam mir der Verdacht, dass er sich meiner Reaktion auf ihn durchaus bewusst war. Mit heißen Wangen gab ich vor, mich mit dem Aufspießen der Nudeln auf meinem Teller zu beschäftigen.

»Hey ihr zwei, setzt euch doch zu uns! Wir haben Stühle geholt!«, rief uns der Mann von Parzelle 11 zu.

»Setz du dich ruhig dazu, ich schaff erst mal ein wenig Ordnung.« Fast schon fluchtartig erhob ich mich, trat an den Tisch, deckte die Salate ab und stapelte das gebrauchte Geschirr.

Doch Bent kam zu mir und griff nach dem Teller, den ich gerade hielt. Dabei berührte seine leicht raue Hand meine. Ein heißer Schauer ergoss sich über meine Haut.

»Wir sind gemeinsam für den Abend zuständig, also setze ich mich bestimmt nicht hin, während du alles wegräumst.«

»Okay«, krächzte ich und zog meine Hand unter seiner hervor.

Zusammen hatten wir schnell aufgeräumt. Ihr Besteck hatten die meisten Camper selbst mitgebracht. Wir mussten vorrangig die leeren Flaschen einsammeln und die Grillsaucen in den Kühlschrank bringen. Als ich von dort zurückkam, hatte jemand eine Soundbox geholt und sie aufgedreht. Ein aktueller Popsong erklang. Eigentlich hatte ich nicht vorgehabt, länger als nötig zu bleiben, aber die

Gespräche waren sehr nett, und womöglich war ich ein wenig süchtig nach dem Gefühl, das Bents Blicke in mir auslösten.

Er saß schräg gegenüber und unterhielt sich mit zwei Norwegern. Die beiden waren es wenig später auch, die aufstanden und im Dämmerlicht des Tages anfingen zu tanzen. Einfach so – auf dem Rasen unter freiem Himmel. Zu meiner Überraschung blieben sie nicht die Einzigen.

Nachdem Bent in dem kleinen Steinkreis ein Feuer angezündet hatte, um die Mücken zu vertreiben, tanzten zwei Pärchen mittleren Alters Discofox zu einem schnelleren Stück. Ich sah ihnen zu und nippte an meiner Cola. Hin und wieder spürte ich Bents Blicke auf mir, doch ich erwiderte sie nur in Momenten, in denen ich mir sicher war, dass er es nicht bemerkte.

Dann kam einer der Norweger mit zwei Flaschen Champagner von seinem Wohnmobil zurück und erklärte, um Mitternacht beginne sein fünfzigster Geburtstag. Eilig lief ich zur Rezeption, besorgte ein Tablett mit Sektgläsern und fand im Backoffice ein paar Wunderkerzen. Aus einem Mini-Markt-Regal nahm ich einen der fertigen Marmorkuchen mit.

Tjove zeigte sich sichtlich gerührt von dem Kuchen und den Wunderkerzen, die ihre Funken in die Nachtluft versprühten. Während wir alle »Happy Birthday« sangen, schenkte Bent den Champagner aus und drückte jedem ein Glas in die Hand. Mit glänzenden Augen hob Tjove seines. »Danke, Freunde«, sagte er auf Deutsch. »*Cheers!*«

Wir stießen an, und Tjove zog seinen Freund an sich und

drückte ihm einen Kuss auf die Lippen. »*And now – let's dance!*«, rief er danach.

Der Champagner hatte offenbar die Hüften der übrigen Camper gelockert, und fast alle tanzten im Schein des Lagerfeuers. Lachen, Musik und das Knistern der Flammen erfüllten die klare Abendluft. Ich saß auf einer Bank und wippte mit dem Fuß im Takt. In jenem Augenblick war ich einfach nur glücklich, hier an diesem Ort zu sein. Alle Sorgen waren so fern wie die Sterne, die am Himmel leuchteten.

Bents Schatten fiel auf mich, als er sich zwischen mich und das Feuer stellte. »Lust auf einen Tanz?« Ein schiefes Grinsen lag auf seinen Lippen, seine Augen sahen in dem schwachen Licht dunkel aus. Kurz zögerte ich, doch dann gab ich mir einen Ruck. Der Moment ist alles, was wir haben, schoss es mir durch den Kopf – einer von Laras Letterboard-Sprüchen. Und wenn das gerade alles war, was ich hatte, dann wollte ich es verdammt noch mal auch genießen!

»Warum nicht«, antwortete ich mit einem leichten Lächeln und legte meine Hand in seine, genoss dieses Mal das aufkommende Prickeln und schloss die Finger um seine warme Haut.

Das Lied, das aus der Soundbox dröhnte, war ein schnelles. Kamrad mit »I believe«. Ich mochte den Song und war überrascht, als Bent meine Hand nicht losließ, sondern mich dichter an sich zog und mir einen Arm um die Taille legte. Nur allzu willentlich schmiegte sich mein Körper gegen seinen. Bents Brust war hart und weich zugleich.

Wir bewegten uns in einem langsamen Rhythmus, der nicht ganz zum Takt der Musik passte, dafür umso besser zu seinem Herzschlag, den ich spürte, als ich meine Hand auf seine Brust legte. Von dort wanderten meine Finger hinunter zu seiner Hüfte, tasteten sich weiter bis zum Rücken vor. Der Stoff seines Shirts fühlte sich weich an, die Wärme des darunterliegenden Körpers war deutlich spürbar. Ich atmete zittrig ein und ließ die Wange langsam an seine Schulter sinken.

Sein Arm schloss sich fester um meine Mitte. Eine Weile tanzten wir in dieser Haltung, dann spürte ich, wie Bent sein Kinn auf meinen Kopf legte. Nur federleicht, doch diese Geste katapultierte mich geradewegs in den vorderen Wagen einer Achterbahn, der kurz davor war, den Scheitelpunkt der höchsten Stelle zu passieren.

Der Song endete, und ein neuer begann. Dann verstummte die Soundbox abrupt.

»*Battery is low!*«, rief jemand, und ich spürte förmlich das Grinsen an meiner Kopfhaut und glaubte, den Hauch eines Kusses auf dem Haar zu fühlen. Wir lösten uns voneinander und standen uns für einige Augenblicke unschlüssig gegenüber, bis ein anderer Camper rief: »Ist vielleicht besser, es ist eh Ruhezeit!«

Enttäuschtes Murmeln war zu hören, und ich war mir sicher, die Geburtstagsparty würde gleich auf einer der Parzellen weitergehen, und morgen würde sich ein anderer Camper darüber an der Rezeption bei mir beschweren.

Ich brachte die Gläser weg, und Bent löschte das Feuer mit Sand. Wie es der Zufall wollte, machte er sich zur selben Zeit auf zu seinem Wohnwagen wie ich zu meiner Hütte.

Schweigend liefen wir nebeneinander her. Doch es war nicht mehr dasselbe Schweigen wie auf der Fahrt von Dänemark nach Flensburg. Es war ein angenehmes.

Vor meiner Veranda – ich wollte mich gerade verabschieden – sah ich es diesmal ganz deutlich in seinen Augen. Den Aufruhr, das Verlangen. Das war nichts, was ich mir einbildete. Sein Blick senkte sich eindeutig auf meine Lippen, und ich schluckte, ließ die Zunge darübergleiten, weil sie sich plötzlich trocken anfühlten. Bent strich mir eine Haarsträhne hinters Ohr, die der Wind jedoch gleich wieder löste, was ihn zum Schmunzeln brachte. O mein Gott, dieses Lächeln ließ meine Gliedmaßen zu Softeis werden!

»Vielleicht holen wir den Ausflug zu den Ochseninseln bald mal nach«, schlug er vor. Dabei kam er einen Schritt auf mich zu, stand kaum eine Fußlänge von mir entfernt. Zu nah, als dass ich noch klar denken konnte. Alles in mir wollte diese mickrige, restliche Distanz überbrücken und erkunden, ob sich seine Lippen so gut anfühlten, wie sie aussahen. Ich versuchte erneut zu schlucken, doch meine Kehle war zu trocken. Seine Finger strichen über mein Kinn, und automatisch schloss ich die Augen. Genoss den wohligen Schauer, der meine Haut elektrisierte.

»Weißt du eigentlich, wie lange ich dich schon küssen will?«, fragte er, seine Stimme rau und geschwängert von dem Verlangen, das auch ich empfand. Ich schüttelte den Kopf, unfähig zu sprechen. Statt seine Frage selbst zu beantworten, hob er sanft mein Kinn, damit ich ihn ansehen musste.

»Ich bin vernarrt in dein kleines Grübchen« – sein Finger glitt zu meiner rechten Wange – »und in die vereinzelten Sommersprossen auf deiner Nase. Und hier.« Der Finger wanderte weiter zu meinem Jochbein. »Jeden Tag, den du hier bist, kommt eine neue hinzu.« Die Berührung löste in meinem Inneren ein Pulsieren aus. Mit jedem Atemzug fühlte ich mich noch ein wenig stärker von ihm angezogen. Kurz war ich versucht, es einfach zu tun. Mich vorzubeugen und ihn zu küssen. Ihm all die süßen Worte zu glauben, die er mir in mein Ohr raunen würde. Aller Konsequenzen zum Trotz – egal was das für mein Herz und für Markus und mich bedeutete.

Markus.

Ich zog meinen Kopf zurück und hob die Hände. Aber seine blauen Augen ließen mich nicht los, hielten mich in ihrem Bann. Ich senkte den Blick, um dem zu entgehen.

»Ich ... ich kann nicht. Ich habe doch ...«, stammelte ich.

»Es sind nur du und ich, nur für diesen Moment. Genieß einfach das Hier und Jetzt.«

Langsam schüttelte ich den Kopf, versuchte, zur Besinnung zu kommen. Was würde das über mich und meine Gefühle für Markus aussagen? Ich hob den Blick, hielt seinem stand. Obwohl er lächelte, las ich Enttäuschung.

»Gute Nacht«, flüsterte ich und tastete hinter mir nach dem Holz des Geländers, stieg rückwärts die drei Stufen zu der kleinen Veranda hoch. Mit zittrigen Fingern schloss ich auf und rettete mich ins Innere. Ich schaltete kein Licht an, sondern warf mich mit dem Gesicht voran aufs Bett.

»ARRR!« Das Kissen dämpfte meine Frustlaute.

Ich wusste nicht, was mir mehr zusetzte: die nicht mehr zu leugnende Erkenntnis, dass meine Gefühle für Markus nicht mehr dieselben waren wie früher, oder dieser überwältigende Drang, diesen Mann, der in einem Wohnwagen auf einem Campingplatz lebte, küssen zu wollen.

Zittrig atmete ich aus. Ich war nicht bereit, mir einzugestehen, dass ich Markus nicht mehr so liebte, wie ich vor der Beziehungspause gedacht hatte. Nicht heute – und gleichzeitig war es mir erschreckend klar.

Noch nie hatte ich mich so weit von Markus entfernt gefühlt, und die Gedanken an ihn verpufften so schnell, wie sie gekommen waren. Stattdessen beherrschte Bent jede einzelne meiner Gehirnwindungen. Alle Sinne sehnten sich nach mehr Berührungen von ihm. Es war wie ein Feuer, das nur er löschen konnte. Was für ein grauenhaftes Klischee! Doch genau so empfand ich es.

Markus hatte gesagt, er sei in dieser Pause frei zu tun, was immer er wollte, mit wem er wollte.

Dann war ich es ebenso!

Einfach genießen, die Worte von Lara echoten in meinem Kopf. *Nur du und ich – in diesem Moment*, gesellten sich Bents hinzu.

Ich sprang vom Bett auf. Verdammt! Genau das würde ich tun!

Atemlos wie nach einem 100-Meter-Sprint, stand ich eine Minute später vor der Wohnwagentür und brachte es doch nicht fertig zu klopfen. Ich war nicht der Typ für so was. Ich trat einen Schritt zurück, da strich plötzlich Fox um meine Beine und mauzte, woraufhin sich fünf Sekunden später die Tür öffnete.

»Fox, da bist du ja … Nora?«

Der Kater sprang auf den Tritt.

»Alles okay?« Bent runzelte die Stirn. Er hatte sich sein Shirt ausgezogen, und ich musste mich mit Gewalt von dem Anblick loseisen. Ich blinzelte, um Ordnung in meinen Kopf zu bringen.

»Ja«, hauchte ich. »Ich habe es mir anders überlegt.«

Bents Miene war für einige ewig während Sekunden undurchdringlich, dann erhellte sie sich, während seine Augen sich gleichzeitig verdunkelten. Er trat zu mir vor den Wohnwagen, legte beide Hände an meine Wangen, und dann waren seine Lippen schneller auf meinen, als ich nochmal Luft holen konnte. Mit den Fingern strich ich begierig über seine nackte Haut, was ihm einen tiefen, rauen Ton entlockte, den unser Kuss verschluckte. Ich presste meinen Körper an seinen, spürte seine Erregung und drängte ihn in Richtung Wohnwagen.

Doch er hielt inne, brachte etwas Abstand zwischen uns, damit er mich ansehen konnte. »Wir sollten zu dir gehen.« Auf meinen fragenden Blick fügte er hinzu: »Feste Wände und keine Katze.«

Ich grinste. Ohne das Licht auszumachen, zog er die Wohnwagentür hinter sich zu. Fox mauzte beleidigt. Bents andere Hand blieb die ganze Zeit an meinem Gesicht, und dann waren seine Lippen zurück auf meinen, und er schob mich küssend Richtung Hütte. Kurz blitzte die Sorge auf, dass jemand von diesem Vorspiel zwischen Wohnwagen und Hütte Zeuge wurde. Aber sie war zu flüchtig, als dass sie mich dazu hätte bringen können aufzuhören. Meine Hände glitten an den Rand von Bents Jeans, und seine fanden ihren Weg unter mein Shirt. Bents Finger auf der empfindlichen Haut meiner Brüste zu spüren entlockte mir ein zittriges Seufzen.

Dann öffnete er mit einer Hand die Tür, und wenig später fiel sie krachend hinter uns ins Schloss.

Kapitel 23

BENTS FINGER STRICHEN sanft an meinem Rippenbogen entlang. Ich blinzelte und kämpfte mich aus dem Schlaf. Durch das Fenster drang weiches Morgenlicht.

»Guten Morgen«, murmelte ich und legte mir den Unterarm über die Augen. »Wie spät ist es?«

»Zeit zum Schwimmen. Wenn du zu müde bist, schlaf ruhig weiter.« Sanft zog er meinen Arm weg und küsste mich auf die Stirn. Mit den Gefühlen, die diese zärtliche Geste bei mir auslöste, war ich so früh am Morgen dezent überfordert. Doch ganz automatisch verzogen sich meine Lippen zu einem Lächeln.

Gestern Abend hatte ich mir nicht die Zeit genommen, jedes Detail von Bent aufzusaugen. Jetzt glitten meine Augen von den sonnengebleichten braunen Haaren zu den dichten dunklen Wimpern, weiter zu der kleinen Narbe über seiner linken Augenbraue, und zu den feinen Lachfältchen in den Augenwinkeln. Mit den Fingerspitzen berührte ich jede Stelle, die ich in Augenschein nahm. Sofort meldete sich das Verlangen pulsierend zwischen meinen Beinen.

Bisher hatte ich in der Überzeugung gelebt, Sex wurde im Laufe einer Beziehung besser, weil man sich kannte, wusste, was dem anderen gefiel. Aber mit Bent war es von der ersten Sekunde an süchtig machend gewesen. Aufregend, neu und gleichzeitig so, als passte alles perfekt zueinander. Als könnte er geradewegs in meinen Kopf schauen, hatte er mich zur richtigen Zeit an den richtigen Stellen berührt, geneckt, gereizt. Allein der Gedanke daran ließ mich innerlich erzittern.

»Wenn ich es mir recht überlege, könnten wir auch noch in einer halben Stunde schwimmen gehen.«

Es war mir fast unheimlich, dass er erneut auf das reagierte, was mir in diesem Moment durch den Kopf ging. Bent beugte sich zu mir herunter, während ich die Linien seiner Tätowierung mit einem Finger nachfuhr. Ohne dass er es mir gesagt hatte, wusste ich, welche Bedeutung es für ihn hatte – Heimat. Ich war mir sicher, die Koordinaten waren die von Holnis.

Diese Verbundenheit fand ich unheimlich sexy, und gleichzeitig wünschte ich mir, irgendwann genauso für einen Ort zu empfinden. Er küsste sich vom Hals zu meinen Brüsten hinab, zog alle meine Gedanken und Gefühle in seinen Bann. Ich schloss die Augen und streckte meine Hand aus, um ihn dichter an mich zu ziehen.

Als wir es endlich aus dem Bett schafften, hatte ich kurz Angst, dass es nun seltsam werden würde. Ich hatte bisher erst einmal Sex außerhalb einer Beziehung gehabt, und da war der Morgen danach nicht sonderlich ange-

nehm gewesen. Eher geprägt von beidseitigem Fluchtver-
halten.

Während ich überlegte, ob diese Nacht mit Bent als One-
Night-Stand zu werten war, betrachtete er mein Muschelglas.

»Noch mehr scheißschöne Momente?«

Ich trat neben ihn. »Die hier sind nur schön, es sind
meine eigenen, nicht von mir und …« Ich brachte es nicht
fertig, Markus' Namen laut auszusprechen. Es war, als
befänden wir uns momentan in einer Seifenblase, in der es
keine Vergangenheit und keine Zukunft gab. »Die gehören
mir ganz allein.«

»Verstehe.« Kurz wirkte Bent nachdenklich, dann streifte
er sich den Hoodie über, den er bei seinem Auszug aus der
Hütte vergessen hatte und der seitdem über der Stuhllehne
hing. »Dann bekommt der gestrige Abend keine Muschel?«
Seine Augen blitzten herausfordernd.

»Mal sehen«, erwiderte ich mit einem frechen Grinsen.
Für einige Sekunden verlor ich mich in seinem Anblick,
und ich hatte das Gefühl, ihm erging es genauso mit mir.

»Ich füttere rasch Fox und zieh mir Badeshorts an, komm
einfach rüber, wenn du fertig bist.«

Mein Herz vollführte einen freudigen Purzelbaum in
meiner Brust, weil unser Zusammensein nicht mit dem
Aufstehen endete. Ich fischte mein Shirt vom Fußboden
und sah ihm durch den Türrahmen nach, wie er zu seinem
Wohnwagen hinüberging. Dann putzte ich mir die Zähne
und bürstete ein paarmal durch mein zerzaustes Haar.

Im Bikini und mit einem Handtuch um die Schultern,

trat ich keine zehn Minuten später auf die Veranda. Bent saß schon auf dem Tritt vor seiner Tür und kraulte Fox, der anklagend mauzte. Als er mich bemerkte, schaute er hoch und lächelte. Was wiederum Sachen mit mir anstellte, die ich nicht empfinden sollte.

Bent erhob sich, und wir schlenderten gemeinsam zum Strand. Obwohl wir etwas später als üblich dort waren, lag die Bucht weitestgehend leer vor uns. Fox war uns gefolgt und machte Anstalten, auf mein Board zu springen, als ich es ins seichte Wasser nahe dem Ufer legte. Doch Bent schnappte den Kater im Sprung und setzte ihn zurück auf den Strand. »Heute fahr ich mal bei ihr mit, Kumpel.«

»Willst du nicht schwimmen?«, fragte ich überrascht.

»Später vielleicht, jetzt will ich erst mal mit dir eine Runde paddeln.«

Ehe ich mich's versah, hatte er sich ein zweites Paddel gegriffen und watete durchs flache Wasser. Mein Board schob er vor sich her, bis es tief genug war, dass die Finnen an der Unterseite nicht mehr den Boden berührten.

Mühelos – wie auch sonst? – stellte er sich aufs Board und sah mich auffordernd an. Etwas unbeholfener kletterte ich auf die vordere Hälfte und kniete mich zunächst hin. Bents Paddelschläge waren kräftig und brachten uns so zügig hinaus, dass ich meine Bemühungen eher als überflüssig empfand und aufhörte mitzupaddeln.

Im Schneidersitz genoss ich die Fahrt und die frische Brise, die über meine Haut strich. Morgens zeigte sich das Wetter hier oben im Norden meistens von seiner besten Seite, weshalb ich dieses Ritual so liebte. Die Sonne sorgte dafür, dass ich nicht fröstelte. Die Ostsee kräuselte sich zu kleinen Wellen, deren Kämme die Sonnenstrahlen brachen und ein Meer aus funkelnden Spiegelungen erzeugten. Ich atmete tief ein und war … glücklich, fühlte mich so leicht und unbeschwert.

Bis mich eiskalte Wassertropfen am Rücken trafen und ich zusammenzuckte.

»Wieso hast du aufgehört zu paddeln?«

»Hast du mich gerade mit Absicht nass gespritzt? Ich genieße die Fahrt, du paddelst doch für uns beide mit deinen kräftigen Armen.« Ich presste meine Lippen aufeinander, um nicht zu lachen.

Erneut trafen mich einige kalte Spritzer auf dem Rücken. »Ey!«

»Das war für den Spott.«

Grinsend streckte ich mein Gesicht den Sonnenstrahlen entgegen.

»Ich liebe es, hier draußen zu sein. Die Sonne, das Wasser, die Weite – das macht süchtig.« Als ich einen Blick über meine Schulter warf, sah ich kurz einen Ausdruck in Bents Gesicht, den ich nicht deuten konnte. Entschlossen stand ich auf, doch statt zu paddeln, drehte ich mich zu ihm um.

Bent hielt mitten im Schlag inne. Die Wellen und meine Bewegungen schaukelten unser Board sachte, aber ich war mittlerweile geübt genug, dass ich dadurch nicht mehr aus dem Gleichgewicht geriet. Bent machte einen Schritt auf mich zu, was mich dann doch zum Schwanken brachte, aber er griff nach meinem Arm, stabilisierte uns beide. Als wir wieder sicher standen, zog er mich an seinen warmen

Körper und senkte die Lippen auf meine. Fast hätte ich das Paddel fallen gelassen, erst im letzten Moment fiel mir ein, dass das keine gute Idee war. Ich begnügte mich damit, mit der freien Hand über seine Haut zu wandern, bis zu dem Tattoo. Ich hielt inne und schaute ihm in die Augen.

»Es steht für die Verbundenheit mit diesem Fleckchen Erde, richtig?« Die Gefühle schlugen Wellen im blauen Meer seiner Augen, er schluckte, und sein Adamsapfel hob und senkte sich dabei deutlich sichtbar. Langsam nickte er, während er seine Hand auf meine legte und unsere Münder sich zu einem weiteren Kuss fanden. Unter der bemalten Haut spürte ich sein Herz schlagen – für diesen Ort. In jenem Moment wollte ich, dass es genauso für mich schlug.

In der Ferne röhrte der Motor eines Bootes, kurz darauf erreichten uns die Bugwellen und schaukelten uns ordentlich durch. Bents Lippen zogen sich von meinen zurück, und sein Arm schlang sich fester um meine Taille, bevor er sich rückwärts vom Brett fallen ließ und mich mit sich zog. Ich kreischte auf, verlor das Paddel und schloss gerade noch rechtzeitig den Mund und die Augen, bevor wir in die kühle Ostsee tauchten. Bents Arm blieb um meinen Körper geschlungen, und er brachte uns beide schnell zurück an die Oberfläche, wo er sein Paddel in die Richtung des Boards warf, während ich mir erst mal die Haare aus dem Gesicht strich.

Er schüttelte seinen Kopf und grinste verschmitzt. »Sorry, das war zu verlockend.«

Ich zog ihn zu mir, küsste ihn, schmeckte das Salz auf seiner Haut. Meine Hände wanderten zu seinem Nacken. Ein letztes Mal kostete ich von seinen Lippen, dann stemmte ich mich mit meinem ganzen Gewicht auf Bents Schultern und drückte ihn unter die Wasseroberfläche. Er wehrte sich nicht, sondern glitt in die Tiefe. Als er wieder auftauchte, funkelten seine Augen, und er war in zwei langen Zügen bei mir. Sobald er mich packte, quietschte ich vergnügt auf und versuchte, mich aus seinem Griff zu befreien, doch er lachte über meine Bemühungen, und ich wusste, ich war nicht nur süchtig nach dem Meer, sondern auch nach seinem Lachen.

Wie ein Fisch, der an der Angel hing, ließ ich zu, dass er mich an sich zog, versank in seinen Armen und wusste, es würde nicht genug Muscheln am Strand geben, um dieses Glücksgefühl in meinem Muschelglas festzuhalten.

Wir alberten eine Weile herum, küssten uns, und die Zeit schien still zu stehen. Nur für uns.

Doch dann schaute Bent in den Himmel und sagte: »Wir sollten aufhören, du kommst sonst zu spät zur Arbeit.«

Ich sah ebenfalls nach oben. »Hast du jetzt die Uhrzeit am Stand der Sonne abgelesen?«

»Ich schwimme hier, seit ich ein Kind bin, da entwickelt man ein Gefühl dafür. Aber ich weiß nicht genau, wie spät es ist. Allerdings steht die Sonne schon deutlich höher als sonst zu deiner morgendlichen SUP-Runde.« Er drückte mir einen Kuss auf die Nasenspitze und kraulte dann dem Board hinterher, das abgetrieben war. Keiner von uns hatte die Leash am Knöchel festgemacht. Ich fischte eines der Paddel aus dem Wasser und folgte ihm.

»Ich würde von hier aus noch eine Runde schwimmen, kommst du allein zurück?«

Zwar rührte mich seine Fürsorge, doch ich schenkte ihm einen vielsagenden Blick, schließlich fuhr ich jeden Morgen allein mit dem SUP.

Er grinste schief und schwamm rückwärts los, hinaus auf die Förde.

»Bis später!«, rief ich und genoss für einige Sekunden den Anblick.

Kapitel 24

FRÖHLICH SUMMTE ICH vor mich hin, während ich die Rechnung für einen Gast ausdruckte und zusammenfaltete.

»Bitte schön, ich wünsche Ihnen eine gute Heimreise.«

»Oh, vielen Dank, aber wir fahren nicht nach Hause, sondern weiter nach Skandinavien.«

»Dann viel Spaß!«

Der Mann hob zum Abschied die Hand und verließ die Rezeption. Ein kurzer Blick auf meinen Rechner bestätigte mir, dass dies die letzte Abreise für heute gewesen war. Ich ging ins Backoffice und entlockte dem Kaffeeautomaten eine Dosis Koffein. Mir fehlte eindeutig Schlaf. Wobei ich für eine Nacht mit Bent jederzeit wieder auf Schlaf verzichten würde.

Als ich mit dem Kaffee an den Rezeptionstresen trat, schwang die Tür auf, und Bent und Peter kamen herein. Sie hielten in ihrem Gespräch inne, und Peter lächelte mich an. »Na, Nora, alle pünktlich abgereist?«

Ich nickte, während ich meine Tasse auf den Schreib-

tisch stellte. »Die Dobrechts haben vor fünf Minuten ausgecheckt.«

Dann wanderte mein Blick zu Bent. »Hi«, sagte ich eine
Oktave zu hoch und grinste ihn an.

»Hey«, erwiderte er knapp, und das Lächeln, das folgte,
war so echt wie die Haarfarbe von Enie van de Maiklok-
jes. Nach dieser unterkühlten Begrüßung wandte er sich
wieder Peter zu, und die beiden verschwanden im Backoffice.

Verwirrt schaute ich ihnen nach. »Was war das denn
bitte?«, murmelte ich und griff nach meiner Tasse. Diese
Begrüßung war wie ein Eimer Eiswasser, das mich von der
fluffigen Wolke, auf der ich bis eben geschwebt war, zurück
auf die Erde spülte, auf den harten Boden der Tatsachen.
Eindeutig wollte Bent vermeiden, dass sein Bruder etwas
von der letzten Nacht mitbekam. Kurz zog ich in Erwägung, ob das mit Peters Bedingung zu tun haben könnte,
verwarf den Gedanken aber wieder. Das wäre albern. Diese
ganze Bedingung war albern. Ich hatte sie eh nicht ernst
genommen, und außerdem waren wir erwachsen. Was ich
nach Feierabend mit wem machte, war allein meine Sache,
und ich schätzte Bent so ein, dass er es genauso sah.

Die einzige logische Erklärung für sein Verhalten war
also, dass ich sein kleines Geheimnis bleiben sollte und er
in der letzten Nacht nichts weiter sah, als einen One-Night-
Stand – ein bisschen Spaß, mehr nicht. Die Erinnerung
daran, dass er schon einmal etwas mit einer Angestellten
des Campingplatzes angefangen hatte, legte sich schwer auf
meinen Magen. Plötzlich fühlten sich die gemeinsam ver-

brachten Stunden schmutzig an. Ich hatte sie viel zu intensiv genossen, um jetzt so tun zu können, als wäre das alles nie passiert.

Es war nicht so, dass ich ihm direkt vor Peters Augen um den Hals gefallen wäre. Nein, ich hätte mich bestimmt nicht verhalten wie ein liebesbedürftiger Welpe. Aber was mich am allermeisten störte, war, dass schon wieder ein Mann darüber bestimmte, wie die Dinge zu laufen hatten. Erst entschied Markus, dass es Zeit war für eine Beziehungspause, und jetzt beschloss Bent, dass wir so tun sollten, als würden wir uns kaum kennen. Obwohl er heute Morgen im Wasser noch ganz anders gewesen war. Aber da war ja auch außer uns weit und breit niemand gewesen.

Ungeheure Wut stieg in mir auf. Nicht nur auf Bent, sondern auf mich selbst. Wie hatte ich erneut so blöd sein können, mich von einem Mann verletzen zu lassen? Entschlossen trank ich meinen Kaffee aus und schaute nicht einmal auf, als Bent aus dem Backoffice kam und durch die Rezeption lief. Ich spürte seinen Blick, doch ich ignorierte ihn.

Als er gegangen war, stieß ich lautstark die angehaltene Luft aus.

Nach meinem Feierabend fuhr ich gleich zu Lara und half ihr für den Rest des Tages im Laden. Wir räumten die Ausstellungsstücke von A nach B und anschließend nach C, bis Lara zufrieden nickte und ich mir den Schweiß von der Stirn wischte.

Sie besorgte uns eine Schorle mit Eiswürfeln von Ilse,

und wir setzten uns damit im Lager auf zwei alte Stühle, die erst aufbereitet werden mussten, bevor sie in den Laden gestellt werden konnten.

Als ich angekommen war, hatte Lara mir sofort an der Nasenspitze angesehen, dass etwas passiert war, und ich hatte ihr eine kurze Zusammenfassung der Ereignisse gegeben. Sie stimmte mir zu, dass ich mich auf keinen Fall wie eine kleine schmutzige Affäre behandeln lassen sollte.

Jetzt hielt sie sich ihr Glas ans Dekolleté, um sich zu kühlen, und betrachtete mich nachdenklich.

»Morgen hast du frei, oder?« Ich nickte.

»Und wenn du fragst, ob du übermorgen auch noch frei bekommen kannst? Dann können wir zusammen ein oder zwei Etappen wandern gehen, und Mr Feuerwehrmann hätte etwas Zeit, um nachzudenken.«

»Hm«, machte ich.

»Ach komm, ich kann gut eine kleine Auszeit gebrauchen, und weil Linn in der letzten Woche kaum im Laden war, steht mir ein freier Montag wohl zu.«

»Du hast recht, ich frag Peter.«

Ich zog mein Handy aus der Tasche und rief ihn an.

»Ja, Nora – was gibt es?«, meldete er sich.

»Ich und meine Freundin Lara würden gern zwei Tage wandern gehen. Meinst du, du könntest auch übermorgen auf mich verzichten?«

»Schwer, aber du hast es dir verdient.« Ich hörte das Lächeln in seinen Worten.

»Ich danke dir, Peter.«

»Kein Ding, ohne dich hätte ich schließlich seit Wochen

überhaupt keine Freizeit gehabt. Dann viel Spaß – und nicht wieder Blasen laufen.«

»Ich gebe mir Mühe.«

»Wir ziehen Turnschuhe an«, sagte Lara grinsend und fügte hinzu: »Sorry, er hat ziemlich laut gesprochen.«

»Die Wanderschuhe bringe ich in die Altkleidersammlung«, verkündete ich daraufhin.

»Damit sich ein Bedürftiger Blasen damit laufen kann?«, fragte Lara spöttisch.

»Stimmt. Am besten ich schmeiß sie weg.«

»Oder einem gewissen Feuerwehrmann an den Kopf.«

»Das, meine Liebe, ist eine großartige Idee!«

Kapitel 25

AM NÄCHSTEN MORGEN brachen wir zeitig auf.

Wir stellten mein Auto am Endpunkt unserer geplanten Tour ab und fuhren mit dem anderen zum Startpunkt. Dieses Mal hatte ich meine leichten Sneaker angezogen, und Laras Füße steckten ebenfalls in Turnschuhen.

Wir wollten in Gammelmark mit der Strandetappe starten. Der Parkplatz befand sich unterhalb eines Campingplatzes direkt am Strand. Bevor wir uns auf den Weg machten, spazierten wir zum Wasser und auf einen Steg hinaus. Lara deutete nach rechts.

»Da hinten ist Sønderborg, da müssen wir hin.«

Ich schaute von der dänischen Stadt die Bucht entlang. »Sieht ganz schön weit aus.«

»Wir können auch abkürzen und rüberschwimmen«, scherzte Lara.

»Wir laufen, sonst wird ja unser leckerer Proviant nass.«

Lachend verließen wir den Steg und machten uns auf den Weg.

»Es macht viel mehr Spaß, zu zweit zu wandern.«

»Wir sind doch gerade erst losgelaufen.« Lara schaute mich über ihre Schulter hinweg an.

»Die ganze Energie ist von Anfang an anders«, gab ich ungerührt zurück.

»Ich bin ehrlich gesagt manchmal froh, wenn ich allein bin. Als ein Teil eines Zwillingspaares ist man ja irgendwie von Geburt an niemals allein.«

»Eigentlich stelle ich mir das schön vor.«

»Ist es auch, aber wenn dein Zwilling so anders ist als du, kann es auch anstrengend sein. Dennoch ist sie ein wichtiger Teil von mir. Das ist manchmal verzwickt.«

»Was macht die Welpensuche?«

»Frag nicht! Ich habe schon überlegt, ihr ein Tamagotchi zu schenken und ihr zu versprechen, mich auf einen Hund einzulassen, wenn das Tamagotchi zwei Wochen überlebt.«

Ich schmunzelte angesichts dieser Idee.

»Du musst wirklich aufhören, ihr so viel abzunehmen, Lara.«

»Ich weiß …« Sie seufzte.

Wir plauderten über den Laden und den Campingplatz. Die ersten Kilometer vergingen wie im Flug, und wir passierten eine kleine Ortschaft. Zwar spürte ich die Last des Rucksackes – vor allem der Schlafsack schlug dabei ins Gewicht, und dann waren da noch die Wasserflaschen –, aber es war nicht halb so schlimm wie bei meinem ersten Wanderversuch.

Gestern Abend bei der Vorbereitung mit Lara war mir aufgefallen, wie naiv ich beim ersten Mal vorgegangen war. Neben reichlich Wegproviant hatte Lara uns nämlich auch zwei leichte Regencapes besorgt. Ich erinnerte mich nur zu gut an den kalten Sprühregen bei meiner damaligen Etappe.

Wir gingen am Wasser oder manchmal ein Stück höher über die Hügel an der Küste entlang. Ob es an Laras Gesellschaft oder an dem Wandern lag – mit jedem Meter wurde mein Kopf freier. Die Landschaft, das Meer und der Wind, der mein Haar zerzauste … Mir wurde wieder bewusst, wie wichtig es war, sich zwischendurch Auszeiten zu gönnen.

Allerdings rumorte es jedes Mal, wenn ich an Bent dachte, heftig in mir. Es ärgerte mich, dass ich mehr in die Nacht und den Morgen hineininterpretiert hatte als er. Doch das änderte nichts daran, dass mich nach wie vor ein Kribbeln überfiel und mein Herzschlag schneller wurde, sobald ich daran zurückdachte.

Nach einigen Stunden erreichten wir Sønderburg. Der Pfad führte uns über eine Brücke in die Stadt. Auf der rechten Seite reihte sich eine Häuserzeile mit wunderschönen Altbauten am Hafen auf, in deren Erdgeschossen Cafés und Restaurants zum Verweilen einluden. Linkerhand blickte man auf moderne Bauten. Dennoch wirkte alles harmonisch.

Staunend ließ ich mich von dem Flair der Hafenstadt einnehmen, als wir an den bunten Häusern in Richtung Schloss vorbeiliefen. Durch einen kleinen Park gelangten wir auf eine Hafenpromenade und passierten ein Strandbad, das auf Stelzen ins Wasser gebaut worden war. Alles war so beeindruckend, dass jeder Gedanke an Markus und Bent in den Hintergrund trat.

Erst als wir in einem Wald kurz vor Høruphav – ohne

Blasen an den Füßen – einen kleinen Rastplatz erreichten, sprach Lara nochmal das Thema Bent an.

»Hast du ihn denn gesehen, bevor du heute Morgen aufgebrochen bist?«, erkundigte sie sich, während wir uns an einem der Picknicktische mit unseren belegten Broten stärkten.

»Nein, zum Glück nicht.« Ich linste zu den Plätzen für die Nacht hinüber. Es waren kleine Schutzhütten, die leicht erhöht lagen und ein Satteldach besaßen. Wie hölzerne Zelte, bei denen die vordere Wand und die Rückwand fehlten.

»Hast du schon mal in so einem Ding übernachtet?« Ich deutete auf die Unterstände.

»Nö, aber das wird bestimmt lustig.«

»Hm«, machte ich. »Die sind vorn und hinten offen.«

»Dann kannst du das Meer besser rauschen hören«, feixte Lara.

Später machten wir es uns unter einem der hölzernen Dächer so gemütlich, wie es mit den wenigen Sachen, die wir zur Verfügung hatten, möglich war.

Als wir nebeneinanderlagen und durch die vordere Öffnung hinausschauten, konnte ich dem Ganzen doch etwas abgewinnen.

»Das ist auf jeden Fall ein kleines Abenteuer«, sagte ich zu Lara.

»Stimmt, endlich habe ich auch eines. Du, Nora, sag mal ... du magst Bent sehr, oder?«

»Ich glaube, ja«, gestand ich zögernd. »Ich frag mich nur, was es über meine Gefühle für Markus aussagt, dass ich mich hier Hals über Kopf in einen anderen verknalle. Vermutlich ist es vorrangig eine körperliche Reaktion und hat nichts mit echten Gefühlen zu tun. Verknallen ist keine Liebe, Schmetterlinge machen noch keine Beziehung, und für ihn war es ja wohl sowieso nur ein One-Night-Stand. Daher ist es unnötig, sich weiter darüber Gedanken zu machen.«

Lara gähnte neben mir. »Sorry, war eine anstrengende Woche.« Sie rollte sich zu mir und sah mich an. Den Kopf bettete sie auf ihren Händen. »Eventuell sagt das aber aus, dass Markus nicht der Richtige sein kann? Ganz unabhängig davon, was mit Bent ist«, sagte sie zögernd.

»Möglich«, erwiderte ich nach einigen Sekunden. Auch ohne das Herzklopfen für Bent war mir mittlerweile klar, dass ich Markus nicht mehr so liebte und vermisste, wie es eigentlich normal gewesen wäre. Dennoch fühlte es sich immer noch so an, als hingen meine ganzen Zukunftspläne an ihm. Ohne ihn würde ich auf den Nullpunkt katapultiert werden. Gehen Sie zurück auf Los, ohne 200 Euro einzuziehen. Alles würde wieder von vorn beginnen. Mit fast dreißig sträubte ich mich heftig dagegen.

»Du solltest aber kein schlechtes Gewissen haben wegen der Nacht mit Bent. Markus wollte diese Pause, und er war es auch, der gesagt hat, jeder könne in dieser Zeit machen, was er will.«

»Dennoch ist die Beziehung ja nicht offiziell beendet. Aber du hast recht: Ich bin auch der Ansicht, dass man sich in einer intakten Beziehung nicht in einen anderen verguckt.«

»Schon mal in Erwägung gezogen, dass Markus sich eigentlich schon sicher ist und dich auf diese Art nur warmhalten will? Ich weiß, das ist keine angenehme Vorstellung.«

Ich seufzte und starrte auf die Holzbretter über mir. »Ja, diesen Gedanken hatte ich auch. Eine Trennung mit Sicherheitsnetz.«

»Genau. Das ist nicht fair, und weißt du was? Wenn du dich jetzt verlieben solltest, brauchst du dich nicht schlecht zu fühlen. Für ihre Gefühle kann Frau schließlich nichts, sagt meine Mutter immer.«

Eine Weile lang schwiegen wir, und ich hing meinen Gedanken nach. Als ich schon dachte, Lara wäre eingeschlafen, sagte sie: »Ich könnte ja mal bei Tom nachhaken …«

Ich lachte auf. »Bitte nicht! Ich komme mir ohnehin schon vor wie ein verknallter Teenager.«

»Muss sich doch schön anfühlen, verliebt zu sein.«

Ich warf ihr einen vielsagenden Blick zu. »Warst du als Jugendliche nie verliebt? Also, ich habe daran nicht unbedingt die besten Erinnerungen. Es ist doch schrecklich, wenn der Angehimmelte einem ständig in den Gedanken rumschwirrt und die eigene Laune damit steht und fällt, ob er einen beachtet oder links liegen lässt.«

Lara kicherte. »Ich hatte in meiner Teenagerzeit einen ganz lieben Freund. Max. Er war höflich, zuvorkommend, und hat auch nicht solche Möchtegernmachosprüche geklopft, wie die Typen, die meine Schwester sich rausgepickt hat.«

»Und warum hat es nicht gehalten mit diesem Schwiegermuttertraum?«

»Er ist weggezogen, und unsere Liebe war wohl doch nicht groß genug, um die Distanz bis nach Thüringen zu überbrücken.«

»Verstehe.«

»Aber so einen wie Max, nur in der Erwachsenenversion, möchte ich an meiner Seite. Verantwortungsvoll, bodenständig, nett, höflich, umsichtig, mit einem guten Job.«

»Er soll also so sein wie du und auf keinen Fall wie deine Schwester.«

»Exakt. Es reicht mir schon, wenn ich für eine Person die Verantwortung mit übernehmen muss. Da sollte der Mann das allein können.«

»Ach ja, man gerät viel zu schnell in schlechte Muster. Wenn ich darüber nachdenke, wie die letzten Jahre mit Markus waren, wie mich die Beziehung zu ihm verändert hat … Hier und heute bin ich mir nicht mehr sicher, ob mir diese Version von mir gefällt. Er war der Zirkusdirektor und ich seine Artistin.«

»Wie meinst du das?«

»Na ja, er hat vorgeschlagen, wo es in den Urlaub hingeht, daraufhin habe ich die Reise organisiert. Er wollte studieren, ich habe das mit meinen zusätzlichen Nachtschichten möglich gemacht. Er wollte nach München zu BMW, ich habe mir dort einen neuen Job gesucht und die ganze Wohnungsauflösung allein bewerkstelligt. Und das sind nur die großen Beispiele. Ich könnte dir noch unzählige kleine nennen.« Es das erste Mal laut auszusprechen verstärkte das Gewicht dieser Erkenntnis. Ich hatte in den letzten Wochen viel über Markus und mich nachgedacht.

Anfänglich hatte vor allem das Gefühl überwogen, dass er mir fehlte. Doch mit jedem Tag Abstand wurde mir deutlicher, dass es wohl eher mein gewohnter Alltag war, den ich vermisste. Es war nicht so, dass ich nichts mehr für ihn empfand. Ironischerweise sah ich es aber heute wie Markus vor vier Wochen – ich war mir nicht mehr sicher, ob die Gefühle ausreichten, und allein diese Unsicherheit zeigte doch, dass sie es nicht taten, oder?

»Klingt auf jeden Fall nicht nach einer ausgewogenen Beziehung.«

»Vielleicht liegt es ja auch an mir. Obwohl ich früher nicht so war.«

»Es ist dann wohl eher die Kombination aus euch beiden, die euch zu diesen Menschen hat werden lassen.«

»Was stand heute auf deinem Letterboard?«, fragte ich unvermittelt.

»Das Leben besteht aus den Tagen, an die man sich erinnert – wieso fragst du?«

»Ich mag diese Sprüche, sie regen mich zum Nachdenken an.«

Doch statt an Markus und die unbequemen Entscheidungen in naher Zukunft zu denken, wanderten meine Gedanken zu Bent. An die Nacht mit ihm würde ich mich auf jeden Fall noch lange erinnern. Aber zu welcher Version von mir selbst würde mich eine Beziehung mit ihm machen? Zu einer, die mir gefiel?

Meine Lider wurden schwer. Neben mir murmelte Lara: »Ich war auf jeden Fall schon ewig nicht mehr so richtig verknallt. Mit Herzflattern und allem Drum und Dran …«

»Ich bin mir sicher, es kommt bald der Richtige für dich«, flüsterte ich, doch Lara antwortete nicht mehr, und als ich ihre gleichmäßigen Atemzüge hörte, fiel auch ich in einen traumlosen Schlaf.

Am nächsten Morgen wachte ich von den Geräuschen des Waldes rings um den Zeltplatz auf. Die Blätter raschelten im Wind, Vögel zwitscherten, Möwen kreischten, das Meer rauschte leise hinter den Bäumen. Mein Rücken schmerzte von der ungewohnt harten Unterlage, ansonsten hatte ich überraschend gut geschlafen. Ich blinzelte ein paarmal, bis ich mich dazu durchrang, meine Augen gänzlich zu öffnen.

Hätte ich es doch nur gelassen! Ein erstickter Schrei entfuhr mir, als ich dreißig Zentimeter über mir eine dicke fette Spinne baumeln sah.

»O mein Gott, o mein Gott«, jammerte ich und suchte panisch nach der besten Fluchtmöglichkeit, ohne dabei meinen Kopf heben zu müssen.

»Was ist?«, murmelte Lara verschlafen neben mir.

»Spinne, groß, da oben«, stammelte ich.

»Was, wo?« Lara richtete sich etwas auf und kreischte ebenfalls. Da wusste ich, sie würde uns nicht vor dem Vieh retten. Panisch krochen wir aus dem Unterstand, einzig darauf bedacht, der Spinne nicht zu nahe zu kommen. Nur Sekunden später fanden wir uns auf dem Waldboden davor wieder, die Füße in den Schlafsäcken verheddert, die halb draußen, halb im Unterstand lagen.

»Wo ist sie?«, rief Lara hysterisch und spähte zum First.

»Hängt noch da.«

Wir sahen uns an. Laras blondes Haar stand verstrubbelt von ihrem Kopf ab, auf ihrer linken Wange hatte sie einen Abdruck von ihrem Rucksack, den sie als Kissen benutzt hatte. Ich bot vermutlich ein ähnliches Bild. Ein Lachen stieg in mir hoch. Zunächst kicherte ich, nach und nach wuchs es sich zu einem Lachanfall aus. Lara prustete ebenfalls los, bis wir beide rücklings auf der Erde lagen, uns die Bäuche hielten und uns Tränen über die Wangen liefen.

»Ich hatte kurz auf dich gehofft«, japste ich, als ich wieder einigermaßen zu Atem gekommen war. »Dass du so was sagen wirst wie: Ach ist doch nur eine kleine Spinne, ich nehme sie weg.«

»Sorry, aber da hätte dir Linn mehr geholfen. Die hat vor gar nichts Angst.«

Wir rappelten uns auf. Vorsichtig zogen wir die Sachen unter dem Holzdach hervor und packten zusammen. Als ich meinen Schlafsack ausschüttelte, fielen zwei Käfer heraus. »Na, herzlichen Glückwunsch. Ich hasse zelten, das weiß ich jetzt.«

»Bis auf den Schreck am Morgen fand ich es eigentlich ganz okay. Komm, wir frühstücken, und dann springen wir ins Meer, bevor wir weiterlaufen.«

Das ließ ich mir nicht zweimal sagen. Direkt am Strand aßen wir unsere Brote, die mittlerweile ziemlich trocken waren. Dennoch konnte ich mich nicht erinnern, wann mir das letzte Mal ein Brot dermaßen gut geschmeckt hatte.

»Das ist auf jeden Fall ein Abenteuer, an das ich mich erinnern werde.«

»Ich mich auch«, antworte Lara und drückte mich spontan an sich. »Ich wünschte wirklich, du würdest nicht so bald schon nach München gehen.«

»Ja – in Augenblicken wie diesen wünsche ich mir das auch.«

Wir zogen unsere Bikinis an und sprangen in das kühle Wasser der Ostsee, während die Sonne am Himmel alles gab, um uns zum Ausgleich zu wärmen. Wieder ein absoluter Muschelmoment.

Am Strand fand ich nach dem Bad eine außergewöhnliche Muschel, die ich sorgsam in meinem Rucksack verstaute.

Als ich am Abend mein Auto auf dem kleinen Mitarbeiterparkplatz des Campingplatzes abstellte, parkte Bents Wagen ebenfalls dort. Obwohl das nichts zu bedeuten hatte, weil er häufig mit dem Rad unterwegs war, durchzuckte mich ungewollt freudige Aufregung. *Es ist egal, ob er da ist oder nicht*, redete ich mir ein. Doch als ich ihm auf dem Weg zu meiner Hütte nicht begegnete, verspürte ich unweigerlich einen kleinen Stich der Enttäuschung. Fox schien es ähnlich zu gehen wie mir, denn er saß vor der Wohnwagentür und mauzte anklagend, als er mich sah. Ich ging zu ihm und kraulte ihn einige Minuten.

»So, jetzt muss ich erst mal unter die Dusche, eine Katzenwäsche reicht nicht aus. Verstehst du? Du bist eine Katze – Katzenwäsche?«

Fox sah mich an, als hätte ich nicht mehr alle Tassen im Schrank. Recht hatte er, nun fragte ich schon einen Kater, ob er meinen Witz verstand.

Er folgte mir nicht, sondern blieb entschlossen vor der Wohnwagentür sitzen. Ich schmunzelte über die treue Fellnase, bevor ich die Hütte aufschloss, meinen Rucksack abstellte und als Erstes die Muschel in das Glas legte.

Kapitel 26

PETER SAẞ IM Backoffice, als ich am nächsten Morgen zur Arbeit kam. Die Wanderung noch in den Knochen, hatte ich mich gegen eine morgendliche Runde auf dem SUP entschieden.

»Moin«, begrüßte er mich. »Wie war es? Sind die Füße dieses Mal unverletzt geblieben?«

»Sehr witzig. Moin. Ja, ich bin heil wieder zurück, um die Camper zu verabschieden.« Ich holte mir einen Kaffee. »Es war echt schön, nur die Übernachtung war mir etwas zu … rustikal.«

»Verstehe.« Peter grinste und nahm sich gerade einen Ordner mit Lieferantenrechnungen, als die Tür aufschwang und Bent hereinkam.

Der Raum fühlte sich sofort kleiner an. Ich ignorierte die emsigen Flattertierchen in meinem Magen und begrüßte ihn mit einem möglichst beiläufigen »Hallo« und einem freundlichen, aber gleichzeitig unverbindlichen Lächeln, wie es auch jeder Gast von mir erhielt.

»Hej, Nora, ich …« Er hielt mitten im Satz inne, als er

seinen Bruder bemerkte. Da er nicht weitersprach, setzte ich mich hinter die Theke und zwang mich, auf den Bildschirm zu schauen. Nur aus dem Augenwinkel nahm ich wahr, wie Bent unschlüssig in der Mitte des Raumes verharrte.

»Alles klar?«, fragte Peter schließlich. »Du wirkst ein bisschen neben der Spur. Gab es bei der letzten Schicht einen heftigen Einsatz?«

Meine Ohren gespitzt, tippte ich die Antwort auf eine Buchungsanfrage.

»Nein, es war eine ruhige Nacht. Ich … ich wollte mir nur was zu lesen holen.« In zwei Schritten gelangte er zum Bücherregal und zog nach einem kurzen Überfliegen der Buchrücken den Thriller raus, den ich erst vor einigen Tagen beendet hatte.

»Okay, na dann …«, sagte Peter und widmete sich wieder den Unterlagen im Ordner.

»Bis später«, murmelte Bent und verschwand nach draußen. Durch das Fenster schaute ich ihm hinterher, wandte meinen Blick aber rasch ab, als er sich zur Rezeption umdrehte.

Nach der Arbeit sah ich ihn auf dem Weg zur Hütte schon von weitem vom Strand hochkommen und entschied mich spontan, zur Spitze der Halbinsel zu spazieren, um so eine Begegnung zu vermeiden.

Ich wusste nicht recht, wie ich mich verhalten sollte. Dass er so tat, als hätte es die Nacht nie gegeben, schmerzte sehr, was mich wiederum wurmte. Eine verzwickte Situation, in die ich mich da gebracht hatte. Warum konnte ich es nicht ebenso locker sehen wie er?

Nach einem gut zehnminütigen Fußmarsch setzte ich mich auf eine der weißen Bänke, die mit der Aussicht über die Förde lockten. Drüben auf der dänischen Seite betteten sich die Häuser in die dort ebenso hügelige Landschaft. Segelboote kreuzten auf dem Wasser mit geblähten weißen Segeln. Wie zauberhaft es hier war!

Ich ließ meine Gedanken schweifen. Einen Monat war ich bereits hier – etwas mehr als die Hälfte meiner freien Zeit war vorüber, doch wenn ich daran dachte, die Förde verlassen zu müssen, wurde mir schwer ums Herz. Plötzlich hörte ich den Kies knirschen und spürte, wie jemand hinter mich trat.

»Was dagegen, wenn ich mich zu dir setze?« Bent stand neben der Bank, und sein Anblick weckte sofort Sehnsucht in mir.

»Bist du schon fertig mit Lesen?«, fragte ich mit einer hochgezogenen Augenbraue.

Bent ignorierte die Frage und nahm neben mir Platz. Ich biss mir auf die Lippen und starrte beharrlich weiter aufs Wasser hinaus.

»Kann es sein, dass du mir aus dem Weg gehst?«

»Ich?«, fragte ich überrascht.

»Ja, du. Wo warst du denn in den letzten zwei Tagen?«

Irritiert darüber, dass ihm meine Abwesenheit überhaupt aufgefallen war, drehte ich mich zu ihm um.

»Ich war wandern, du weißt schon – dieser Selbstfindungsscheiß, von dem du nichts hältst. Für Leute, die sich verloren haben.« Passend zu meinen ironischen Worten lächelte ich ihn zuckersüß an.

»So ist es gar nicht.« Ein Schatten huschte über sein Gesicht.

»Warum? Ist doch schön, wenn du dich niemals verlierst.«

»Okay, lassen wir das.« Er stieß einen Schwall Luft aus. »Und was machst du überhaupt hier? Du bist doch nicht zufällig hier«, setzte ich ungerührt nach.

»Ich habe dich gesucht. Als du am Sonntag wie vom Erdboden verschluckt warst, dachte ich schon, du bist vorzeitig abgereist. Dabei hatte ich gehofft, wir könnten was zusammen unternehmen.«

Sein Blick verdunkelte sich verführerisch, während er einen Arm auf die Rücklehne der Bank legte. Meine Schutzmauer drohte zu zerbröseln wie zu lange getoastetes Brot. Nein, nein, ich war kein Püppchen, das er aus dem Schrank hervorholen konnte, wann es ihm passte. Ich reckte mein Kinn vor und hielt dem Sturm aus seinen Augen stand.

»Das überrascht mich, denn als du nach unserer gemeinsamen Nacht in der Rezeption so getan hast, als würdest du mich gar nicht kennen, hatte ich angenommen, du hast kein Interesse an weiteren Unternehmungen.« Das letzte Wort betonte ich.

»Aber, das …«

»Grüße Sie, Frau Köhler, was für ein Zufall, dass ich Sie hier treffe«, wurde Bent von einer männlichen Stimme unterbrochen.

Was war denn heute los?, dachte ich, lächelte den Mann

aber an. Sein Name fiel mir gerade nicht ein, irgendwas mit L.

»Meine Frau und ich würden so gern schon für den September was buchen, aber ich habe es vorhin beim Auschecken vergessen. Jetzt ist keiner mehr in der Rezeption. Sind Sie später nochmal da? Morgen brechen wir nämlich schon um sechs Uhr früh auf.« Er sah mich aus seinen grauen Augen freundlich an. Ich hingegen war froh, eine Ausrede zu haben, die Unterhaltung mit Bent nicht weiterführen zu müssen. Mein Widerstand schwand nämlich mit jeder Sekunde, die ich in sein Gesicht sah und seinen süchtig machenden Duft einatmete.

»Ach, wissen Sie was? Das erledigen wir jetzt gleich. Ich wollte sowieso gerade wieder zum Platz gehen. Sollen wir zusammen zurückspazieren?« Ich erhob mich und ließ den sichtlich verdutzten Bent allein auf der Bank sitzen.

Während des Fußmarsches zum Campingplatz hörte ich nur halbherzig zu, was der Mann mir erzählte. Mein Gehirn war offensichtlich bei Bent geblieben.

In der Rezeption fuhr ich den Rechner hoch.

»Für wann möchten Sie denn buchen?« Schnell warf ich einen Blick auf die heutigen Abmeldungen – da, Herr Lohmann, das musste er sein. »Lohmann ist Ihr Name, richtig?«

Er nickte und teilte mir das Datum mit.

Nachdem die Reservierung erledigt und Herr Lohmann glücklich verschwunden war, trat ich nach draußen und zuckte zusammen, als ich Bent bemerkte, der neben dem Eingang an der Mauer lehnte.

»Du verfolgst mich«, sprach ich das Offensichtliche aus.

Entschlossen kam er auf mich zu, umfasste mein Gesicht mit beiden Händen und – küsste mich.

Überrascht schnappte ich nach Luft, bevor sich meine Finger verlangend in sein Shirt krallten. Wie konnte sich ein Kuss derart gut anfühlen? Wie eine warme Decke an einem kalten Winterabend, wie ein kühles Bad an einem heißen Sommertag – wie alles, was ich jemals wieder brauchte. Als er sich von mir löste, wollte ich protestieren, besann mich aber und trat zwei Schritte zurück.

Während ich noch meine Gedanken sortierte, ergriff Bent das Wort.

»Es tut mir leid. Nicht der Kuss, sondern mein Verhalten. Ich habe es verstanden, ich war ein Idiot – und das tut mir leid. Es wird nicht nochmal vorkommen.«

»Okay, ähm …«, erwiderte ich etwas überrumpelt. »Das hast du doch aber nicht gemacht, weil Peter diese unsägliche Bedingung aufgestellt hat, oder? Die war doch nicht ernst gemeint.« Hoffte ich zumindest.

»Mein Bruder wird es verkraften. Aber da wir gerade von ihm sprechen: Vielleicht solltest du ihm bald sagen, dass du in einigen Wochen eine Stelle in München antreten wirst. Ich befürchte, er hofft, dass du zumindest den ganzen Sommer, wenn nicht sogar darüber hinaus bleibst.«

Mein erster Impuls war es, Bent zu fragen, ob er sich das nicht ebenso wünschte. Aber ich schluckte die Worte hinunter und nickte. »Wird gemacht«, sagte ich, obwohl ich mir nicht sicher war, ob ich diese Stelle in München überhaupt noch wollte.

»Okay, und können wir das andere Thema jetzt einfach vergessen?«

»Nein, ich will schon wissen, warum du so abweisend warst.«

»Wir hatten zuvor nicht darüber gesprochen, und ich war mir unsicher, wie ich mich verhalten sollte, und da … da habe ich mich wohl für die falsche Variante entschieden.«

Unschlüssig, ob mir diese Erklärung genügte, zog ich die Augenbrauen zusammen. Doch dann grinste er mich schief an, und meine Bedenken, ob ich die Sache wirklich auf sich beruhen lassen sollte, verpufften schneller, als ich sie festhalten konnte.

Bent nahm meine Hand. »Nicht so viel grübeln.« Er stupste mir mit einem Finger auf die Nase. »Du warst heute Morgen nicht auf dem Wasser, dabei bin ich nach der Schicht extra wach geblieben.«

Mein Herz hüpfte beim letzten Teil des Satzes. Womöglich tat es ihm tatsächlich leid, wie er sich am Morgen danach benommen hatte … Zumindest schien es ihm jetzt gleichgültig zu sein, ob uns jemand sah, und immerhin hatte er auch nicht gesagt, dass er sowieso nichts Ernstes wollte, wie er es bei Elina getan hatte.

»Was hältst du davon, wenn wir das nachholen? Oder hast du was vor?«

»Was? Äh, nein, ich habe nichts vor.« Ich schüttelte den Kopf und ließ mich von ihm mitziehen.

Nach einer Stunde auf und im Wasser saßen wir in einem Handtuch eingewickelt vor seinem Wohnwagen. Mehrmals lag mir erneut die Frage auf der Zunge, warum er hier auf dem Platz wohnte, aber ich wollte nicht gleich wieder die Stimmung ruinieren. Stattdessen beschrieb Bent seine Kindheit auf dem Platz und wie es früher hier zugegangen war, wie der Camperboom in den letzten zehn Jahren die ganze Branche verändert hatte. Ich hingegen erzählte ihm von meiner Familie und meinem Bruder in den USA.

»Wie kommt es, dass du zur Feuerwehr gegangen bist? Warst du als Kind in der Jugendfeuerwehr?«, fragte ich anschließend.

Bent schüttelte den Kopf. »Tatsächlich wusste ich lange nicht, was ich nach der Schule machen soll. Aber als Jugendlicher war ich als Rettungsschwimmer tätig, und mir hat es gefallen, Leuten zu helfen. Für Medizin war mein NC zu schlecht, und dann hat ein Bekannter meiner Eltern mir vorgeschlagen, ich solle mich doch mal mit der Arbeit der Berufsfeuerwehr beschäftigen. Und wie war das bei dir? Wie bist du zu deinem Beruf gekommen?«

»Ich wusste nur, dass ich auf keinen Fall in einem Büro sitzen und auch nicht studieren wollte. Ich mag es ebenfalls, Leuten zu helfen, und es macht mir nichts aus, Blut zu sehen. Einige Leute können das ja nicht. Es ist nicht so, dass die Patienten mir nicht leidtun oder ich kein Mitgefühl für sie empfinde. Aber das kann ich in bestimmten Momenten ausblenden.«

»Ja, so mache ich es auch. Erst handeln, später die Gefühle zulassen.«

Ich nickte. »Aber es gibt auch viele schöne Augenblicke, zum Beispiel, wenn Patienten gesund entlassen werden.«

»Das stimmt – obwohl ich bei meiner Arbeit von denen eher weniger mitbekomme. Manchmal erkundige ich mich aber im Krankenhaus, wenn es ein Fall war, der mich nicht loslässt.«

Einige Sekunden schwiegen wir, bis Fox mal wieder mauzend nach Aufmerksamkeit verlangte.

»Dieser Kater macht mich noch wahnsinnig. Hunde haben Herrchen, Katzen haben Diener – an diesem Spruch ist wahrlich was dran!«

Bent erhob sich und schüttete etwas Trockenfutter in einen Napf. »Hast du auch Hunger?«

Mein Blick glitt zur Futterpackung.

Bent grinste. »Nicht auf Katzenfutter – ich würde uns was kochen.«

»Im Wohnwagen?«

»Oder bei dir, ich koche meistens an meinen freien Tagen für mich.«

»Sehr gern. Ich gehe nur eben vor und dusche, kommst du in zwanzig Minuten rüber?«

»Mache ich.« Bent war schon bei seiner Wohnwagentür, als er mich aufhielt. »Nora, warte mal!«

»Hm?«

Er trat an mich heran und schaute in mein Gesicht, bevor er sich vorbeugte und mich küsste. Seine Lippen waren so herrlich weich und schmeckten noch ein wenig salzig, meine Atemfrequenz erhöhte sich prompt vor lauter Vorfreude.

»Das hatte ich vergessen«, murmelte er, und in diesem Augenblick war ich mir sicher, dass er genauso viel für mich empfand wie ich für ihn. Dass ich mehr für ihn war als ein flüchtiger Flirt.

Ich lächelte, bevor ich zärtlich an seiner Unterlippe knabberte. »Wir könnten auch später essen und zusammen bei mir duschen«, schlug ich vor.

»Deine Vorschläge gefallen mir.«

Kapitel 27

AM NÄCHSTEN NACHMITTAG hielt ich gerade mein Handy in der Hand, als Peter kam, um mich abzulösen. Hinter ihm tauchte Bent auf. Vor zehn Minuten hatte ich angefangen, eine Nachricht an Markus zu tippen. Erst hatte ich einen ganzen Roman geschrieben, ihn dann jedoch verworfen, und nun standen auf dem Display lediglich drei Wörter:

Wir müssen reden ...

Unschlüssig schwebte mein Finger über dem Senden-Icon, als die beiden Männer reinkamen, dankbar legte ich das Handy beiseite. Prompt ploppten die Erinnerungen an den gestrigen Abend in meinem Kopf auf. Bis spät in die Nacht hatten wir auf meiner Veranda gesessen und gequatscht, dann war unser Abschiedskuss ausgeartet, und Bent hatte bei mir übernachtet. Heute Morgen hatten wir geschlafen, bis es für mich dringend Zeit wurde aufzustehen.

Bent musste erst morgen wieder zu einer Schicht. Wir

lächelten uns an, während Peter irgendwas von neuen Wasserabläufen in den Duschen erzählte, ehe er abrupt innehielt und seinen Bruder anschaute.

»Willst du mir eigentlich dabei helfen, oder warum verfolgst du mich bis hierher?«

»Nö, sorry, ein andermal, ich bin hier, um Nora abzuholen. Ich schulde ihr noch einen Ausflug.«

»Okay«, sagte Peter gedehnt, und ich sah ihm an, dass es in seinem Kopf arbeitete. Während er dabei war, eins und eins zusammenzuzählen, trat Bent hinter den Tresen und gab mir zur Begrüßung einen Kuss. Vor Überraschung lief ich rot an wie eine Dreizehnjährige, die beim Knutschen von ihren Eltern erwischt worden war.

»Ernsthaft?«, stöhnte Peter.

»Komm damit klar, Bruder.« Bent lachte. »Sie wird schon nicht meinetwegen weglaufen.«

Peter grummelte zunächst etwas, das sich nach »ist schließlich gerade erst passiert« anhörte, bevor er laut sagte: »Na ja, ihr seid erwachsen, ihr müsst es selbst wissen.«

»Genau.«

»Ich habe mich schon gewundert, dass du dir gestern ein Buch geholt hast. Da wolltest du also auch zu Nora.« Peter schüttelte den Kopf.

»Der Thriller ist aber echt gut. Ich sollte mir öfter was zum Lesen ausleihen.«

»Na, dann viel Spaß euch beiden«, sagte Peter und trat um den Tresen herum.

»Ähm, Bent, gehst du schon mal vor? Ich muss noch was mit deinem Bruder besprechen.«

Bent sah mich wissend an, nickte und verschwand nach draußen.

»Ich dachte, ihr könnt euch nicht ausstehen«, war das Erste, was Peter sagte, nachdem die Tür ins Schloss gefallen war. Er seufzte.

»Ach, so war es ja auch, aber irgendwie hat sich zwischen uns was verändert.« Ich schob mein durch Bent verursachtes Gefühlswirrwarr beiseite und besann mich auf den Grund für das Gespräch. »Was ich dir aber eigentlich sagen wollte ...«, begann ich und knetete nervös meine Hände.

»Ja?«, fragte Peter, als ich stockte.

»Als ich mich hier vorgestellt habe, habe ich dir eine Sache verschwiegen. Ich muss in dreieinhalb Wochen eine Stelle in München antreten.« Endlich war es raus, und ich stieß die angehaltene Luft aus.

»In dreieinhalb Wochen?« Er setzte sich auf einen der Bürostühle, lehnte sich nach hinten und rieb sich übers Gesicht. »Wäre ja auch zu schön gewesen.«

»Es tut mir leid. Als ich hier gestrandet bin, schien das alles noch so weit weg, und ich wusste nicht wohin, weil mein Freund plötzlich eine Beziehungspause wollte und unsere Wohnung in Münster bereits aufgelöst war.«

»Zum ersten August also, sagst du? Dann werde ich die kürzlich eingetrudelten Bewerbungen wohl mal wieder aus dem Papierkorb fischen.«

»Tut mir wirklich leid, das war nicht richtig von mir.«

»Mach dir keinen Kopf, du hast mir in den letzten Wochen super aus der Patsche geholfen. Selbst wenn du es mir vor der Einstellung gesagt hättest, hätte ich dich eingestellt. Besser eine vorübergehende Hilfe als gar keine.«

»Danke für dein Verständnis.«

»Dann geh jetzt mal, und viel Spaß bei eurem Ausflug.«

»Grüß Susi von mir. Schläft der Kleine inzwischen eigentlich besser?«

»Sehr viel besser, die osteopathische Behandlung hat echt geholfen, obwohl ich vorher gar nicht daran geglaubt habe.«

»Wie schön, das freut mich.«

Ich lächelte ihm nochmal zu, dann trat ich nach draußen, wo Bent wartete und etwas in seinem Handy nachschaute. Es fühlte sich gut an, eine Sache geklärt zu haben. Blieben nur noch gefühlt 100 weitere.

»Hey«, sagte Bent, als er mich bemerkte. »Bereit?«

»Wofür genau?«

»Wir fahren zu den Ochseninseln. Packe auf jeden Fall Badesachen ein.«

»Mit der Fähre? Die fährt aber erst in eineinhalb Stunden wieder, und ich dachte, die hält dort gar nicht.«

»Wir nehmen unser eigenes Boot.«

»Wie bitte? Du hast ein Boot?«

»Es gehört Peter und mir und liegt drüben in Schausende. Hier gibt es ja keine Möglichkeit, es zu slippen.«

»Gefällt mir, wenn du so redest. So kapitänsmäßig«, feixte ich.

Bent schmunzelte, doch sein Blick veränderte sich, als er

einen langen Schritt auf mich zu machte. Zärtlich strich er mir eine Strähne hinter das Ohr, die der Küstenwind aus meinem Zopf gelöst hatte.

»Alles geregelt mit meinem Bruder?«

Ich nickte. »Er war nicht begeistert, aber auch nicht sauer.«

»Gut, dann genießen wir die Zeit, die uns bleibt. Du hast mir die letzten zwei Tage nämlich eindeutig gefehlt.«

Diese Worte lösten gemischte Gefühle in mir aus. Zum einen enthielten sie die klare Botschaft: Es gab ein Ablaufdatum. Aber zum anderen hatte ich ihm gefehlt. In mir herrschte heilloses Durcheinander.

Nachdem ich eine Badetasche gepackt und Bent eine kleine Kühltasche aus dem Wohnwagen geholt hatte, fuhren wir mit Rädern die kurze Strecke zum Sportboothafen in Schausende auf der gegenüberliegenden Seite der Halbinsel.

Das Boot von Peter und Bent war ein mittelgroßes Motorboot, auf dem problemlos sechs Leute Platz fanden. Es besaß eine winzige Kajüte und ein Sonnendeck vorn im Bug.

»Schick – die Betty Lou.«

»Mein Bruder hat sie so getauft.« Bent hob vielsagend die Augenbrauen und verstaute anschließend unsere Taschen. Ich setzte mich auf einen der mit beigem Leder bezogenen Sitze im hinteren Bereich – dem Heck, so viel wusste ich gerade noch. Von dort sah ich zu, wie Bent die Taue löste, den Motor anließ und dann in einem gekonnten Manöver vom Steg zurücksetzte. Seine Bewegungen waren geschmeidig und sicher, als seien diese Handgriffe das Normalste von der Welt. Das machte ihn nur noch attraktiver.

Ich seufzte unterdrückt. Typen wie er waren einfach zu schön, zu sportlich, zu begehrt, zu selbstsicher. Der Traum einer jeder Frau – doch ich bezweifelte, dass ein solcher Mann einen in einer Beziehung glücklich machte. Schließlich war ich nicht die erste Angestellte seines Bruders, die seinem Charme erlag. Oder täuschte ich mich? Mein Herz erhob nämlich Einspruch. Und ich hatte es in den letzten Tagen häufiger dabei erwischt, wie es sich eine schillernde Zukunft mit Bent ausmalte. Tja, liebes Organ, nur gab es ein entscheidendes Problem: Bents Leben fand hier an der Flensburger Förde statt und meines bald in München. Ob mit Markus oder ohne. Ich hatte einen Arbeitsvertrag unterschrieben.

Bent lächelte mich über seine Schulter hinweg an. Er saß auf dem Fahrersitz, die Sonnenbrille auf der Nase, den Ellenbogen lässig auf die Reling gelehnt, und steuerte das Boot mit einer Hand. Der Wind zerzauste sein Haar. Wir fuhren zunächst einmal quer über die Förde. Das war definitiv besser als mit der Passagierfähre. Die Spitze des Bootes hob und senkte sich mit jeder Welle, die wir durchbrachen, und platschte ins nächste Wellental. Die Gischt spritzte erfrischend auf meine Arme.

Es dauerte eine knappe Stunde, bis wir uns den beiden bewaldeten Inseln näherten. Am Ufer entdeckte ich zwei rote Kanus, die von ihren Besitzern aus dem Wasser gezogen worden waren. Als Bent rechts um die größere Insel herumfuhr, war das dänische Festland ganz nah. Ich konnte den Touristen zuwinken, die an die Spitze eines Dammes spaziert waren. Diese Insel besaß sogar einen Steg. Dort lagen bereits einige Boote in den unterschiedlichsten Größen vor Anker. Gleich daneben befand sich ein kleiner Sandstrand.

Doch Bent fuhr ein Stück weiter und ankerte das Boot in einigem Abstand zu einem größeren Segelboot zwischen den beiden Inseln. »Oder willst du lieber am Strand picknicken?«, fragte er.

»Nein, hier ist es perfekt.«

Nachdem Bent den Proviant aus der kleinen Kajüte geholt hatte, setzte er sich neben mich.

»Wir haben Kräcker, Käse, Weintrauben und Kuchen. Leider nichts Selbstgemachtes. Aber der Kuchen ist vom Café an der Promenade und schmeckt wie selbst gemacht.«

»Sieht köstlich aus.«

Seine heute kornblumenblauen Augen schauten in meine, und erneut war ich sicher, dieselben Empfindungen darin erkennen zu können. Doch es war nur für den Bruchteil eines Augenblicks. Dann glich der Blick in seinen Augen wieder einem Rätsel.

Ich wischte diese Gedanken beiseite und besann mich darauf, den Moment zu genießen. Solange ich hier war, wollte ich möglichst viele Muschelmomente sammeln, um mit einem prall gefüllten Glas nach München fahren zu können. Dann konnte ich mich bei Bedarf immer hierher zurückträumen. Doch nicht zum ersten Mal meldete sich eine Stimme in mir, die den München-Plan komplett in Frage stellte und leise flüsterte: Warum bleibst du nicht einfach hier? Und machst dein Leben zu einem ewig währenden Muscheltraum?

Gedankenverloren ließ ich meinen Blick zu der Böschung der Insel wandern und konzentrierte mich schließlich wieder auf den Augenblick. »Warum heißen die beiden denn nun Ochseninseln?«

»Genau ist das nicht bekannt.« Bent reichte mir eine Gabel für den Kuchen. »Aber es wird vermutet, dass der Name daher rührt, dass sie früher tatsächlich von Ochsen beweidet wurden. Der Ochsenweg ist ja ganz in der Nähe, und die Tiere wurden während des Drifts von Nord nach Süd getrieben. Nicht weit von dort drüben sind wir uns übrigens zum ersten Mal begegnet.«

»Echt?« Ich blickte zum dänischen Ufer, erkannte aber nichts wieder. Vor einem Kiosk mit dem Namen Annie reihten sich ungefähr zwanzig Leute auf, daneben befand sich ein gut gefüllter Parkplatz, auf dem neben Autos auch zahlreiche Motorräder standen.

»Nur circa fünfhundert Meter von dem Kiosk entfernt, führt der Weg zu Runes Gaststätte in den Wald. Wärst du weitergewandert, wärst du hier vorbeigekommen.«

»Interessant«, murmelte ich. Es war, als würde sich ein Kreis schließen, und gleichzeitig fühlte sich der Anfangspunkt schon unendlich weit von dem jetzigen an.

»Willst du auch wissen, wie diese Inseln der Legende nach entstanden sind?«, fragte Bent.

»Klar – ich wusste nicht, dass es dazu eine Geschichte gibt.«

»Es heißt, ein Riese wollte einst die Förde überspringen, und dabei ist ihm Lehm von seinen Stiefeln gefallen. Dieser Lehm sind die Inseln.«

Ich lächelte. »Bewohnt werden sie aber nicht?«

»Die kleine Insel ist schon länger nicht mehr öffentlich zugänglich, dort gibt es aber ein Schullandheim. Die größere ist – soweit ich weiß – erst seit einigen Jahren unbewohnt«, erwiderte Bent.

Dann wechselte er das Thema und erzählte von einem Einsatz aus seiner letzten Schicht, wo sie zu einem älteren Herrn gerufen worden waren, von dem die Nachbarn einige Tage nichts gesehen und gehört hatten. »Er ist ganz allein und einsam gestorben, und niemand hat es gemerkt – erst eine Woche später.«

»Hatte er keine Familie?«

»Doch, einen Sohn, aber der lebt weit weg.«

»Vielleicht ist er ja dennoch friedlich gestorben.«

Bent nickte und schaute dann versonnen in die Ferne. »Ich hatte eine sehr enge Beziehung zu meinem Opa, deswegen gehen mir solche Einsätze besonders nahe.«

»Euer Familienzusammenhalt gefällt mir. Meine Verwandten leben alle sehr verstreut, und der Kontakt ist eher sporadisch.«

»Stimmt, es ist schön, alle in der Nähe zu haben. Jetzt aber genug von unseren Familien! Was hältst du von einer Runde schwimmen?«

Ohne eine Antwort zu geben, stand ich auf und zog mein Sommerkleid aus. Den Bikini trug ich drunter. Ich kletterte über das Heck und sprang mit den Füßen voran ins Wasser. Bent tauchte nur wenige Sekunden später neben mir ein – mit einem eleganten Kopfsprung.

Wir alberten im Wasser herum, und ich gluckerte ihn

zwischen vielen Küssen unter die Wasseroberfläche. Im Anschluss schwamm ich, so schnell ich konnte, in Richtung Strand, doch ich kam kaum fünf Meter weit, da packte Bent meinen Knöchel und zog mich zurück. Ich kreischte, was er wenige Sekunden später mit seinem Mund erstickte, bevor er mich unter Wasser zog. Die Welt um uns herum wurde still, und ich fühlte mich so leicht und frei, dass ich lächelte. Luftblasen stiegen vor meinem Gesicht nach oben. Ich hätte am liebsten die Pausetaste gedrückt und wäre für eine Weile in dieser Szene steckengeblieben.

Doch die Luft wurde knapp, und wir tauchten prustend auf. Wasser rann mir aus den Haaren übers Gesicht. Bei Bent war es genauso, die Tropfen glitzerten in der Sonne. Mein Herz säuselte törichte Dinge, und ich wandte mich ab und schwamm in Richtung Ufer der Ochseninsel, in der Hoffnung, es dadurch zum Verstummen zu bringen.

Kapitel 28

IN DEN NÄCHSTEN Tagen taumelte ich zwischen Wolke Sieben und der Angst hin und her, dass das alles bald enden würde. Mit jeder gemeinsamen Stunde intensivierten sich meine Gefühle für Bent. Ich wollte das nicht, aber ich konnte es auch nicht aufhalten. Mit ihm zusammen zu sein war so leicht, es war wie nach Hause kommen. Wie eine Heimat finden.

Hin und wieder schaffte es die Befürchtung an die Oberfläche, dass er das, was wir miteinander erlebten, anders einschätzte als ich. Doch diese Sorge war so flüchtig, dass es mir meistens gelang, sie zu verdrängen.

Am Freitag, nach einer Fahrradtour bis Langballigau, stand ich in meiner kleinen Hütte und ließ einige Muscheln in das Glas gleiten. Es war schon reichlich gefüllt. Und Markus, die Wohnung und die Anstellung in München fühlten sich so weit entfernt an, dass allein der Gedanke daran mir Magendrücken verursachte – mich aber auch daran erinnerte, dass ich Markus schon vor Tagen um ein Gespräch bitten wollte.

Er hatte recht gehabt, wir hatten uns auseinandergelebt, und jeder hatte sich unbemerkt in eine andere Richtung entwickelt. Das fühlte ich inzwischen ganz klar. Aber in Bezug auf die Stelle in München war ich weiter hin und her gerissen. Es war ein guter Job, München eine tolle Stadt, und Markus würde mir bestimmt das Gästezimmer übergangsweise zur Verfügung stellen, bis ich etwas Eigenes gefunden hatte. Das wäre sicherlich alles andere als ideal – aber irgendwie würde es gehen.

Allmählich hätte auch er sich mal melden können! Schließlich musste ihm klar sein, wie sehr ich in der Luft hing. Ich ließ mich aufs Bett sinken und nahm mein Handy zur Hand, um ihm endlich zu schreiben und die Dinge zu klären. Aber zunächst postete ich ein Foto von heute in meinem Feed. Dabei sah ich, dass Bent mich seinerseits auf einem Bild markiert hatte. Es zeigte uns bei einem Selfie, mit Sonnenbrillen auf der Nase grinsten wir in die Kamera. Ohne groß darüber nachzudenken, teilte ich es in meiner Story.

Mir fiel auf, dass ich schon länger nicht mehr auf Markus' Account gestöbert hatte. Tag für Tag war er weiter an den Rand meiner Gedanken gedriftet und irgendwann gänzlich aus meinem Leben herausgefallen, wie aus einem Bilderrahmen, der nun ein anderes Motiv zeigte. Als ich jetzt seine letzten Beiträge ansah, spürte ich … nichts. Keinen Herzschmerz. Es wurde Zeit, ihm zu schreiben.

Das Handy in meiner Hand klingelte, und erschrocken ließ ich es um ein Haar fallen. Der Name meiner Mutter wurde auf dem Display angezeigt.

»Hey Mama, seid ihr gut aus den USA zurückgekommmen?«

»Nora, geht es dir gut?« Meine Mutter klang aufgebracht.

»Ja, wieso? Ist was mit Papa?«

»Mit dem ist alles in Ordnung, aber wir sind heute in München angekommen, um dich zu besuchen, und du bist nicht hier!«

»Oh!« Verdammt. Ich schloss die Augen.

»Markus hat nur herumgedruckst, und ich verstehe das alles nicht!« Sie schien aufgewühlt. Mist. Den Besuch meiner Eltern hatte ich völlig vergessen. Wie hatte mir das passieren können?

»O nein, ihr seid schon in München?«, fragte ich überflüssigerweise. Doch ich brauchte etwas Zeit, um mich zu sortieren.

»Ja, Nora, wie wir es vereinbart hatten. Was ist los? Wo bist du? Markus weicht ständig aus und sagt, er wisse nicht genau, wo du steckst. Wieso weiß er das nicht?« Ihre Stimme wurde bei der letzten Frage schriller, und ich hörte meinen Vater im Hintergrund beruhigende Worte murmeln.

»Verrückte Sache ... Ich bin an der Ostsee auf einem Campingplatz und besuche Lara, mit ihr habe ich während der Ausbildung zusammen im Schwesternwohnheim gewohnt. Weißt du noch?«

»Ja, ich erinnere mich. Aber warum bist du denn allein da hingefahren, und wieso weiß Markus nichts davon?«

Ich seufzte. »Markus und ich machen gerade eine Beziehungspause.« Nun war es raus.

»Jetzt? Wo du in Münster alles aufgelöst hast?«

Der Schock, den ich vor gut fünf Wochen verspürt hatte, als Markus mir diesen unsäglichen Brief schickte, drängte zurück an die Oberfläche, als ich ihn jetzt in der Stimme meiner Mutter vernahm.

»Meine Idee war das nicht! Markus hat mich vor vollendete Tatsachen gestellt, kurz bevor das Umzugsunternehmen kam, und ich … ich wusste überhaupt nicht, wohin.«

»Ach je! Warum hast du denn nichts gesagt?«

»Ich wollte nicht, dass ihr euch unnötig sorgt.«

»Was ist nur in ihn gefahren? Hattet ihr Streit?«

»Nein, Mama. Er war sich einfach nicht mehr sicher, ob er mich noch liebt.« Ich kam nicht umhin, es ausgesprochen feige von Markus zu finden, dass er meinen Eltern bei deren Ankunft nicht die Wahrheit erzählt hatte.

»Das tut mir leid, Schätzchen, und wir waren nicht mal da! Soll ich mit ihm reden?«

»Danke, aber das schaffe ich allein.« Ihr Angebot brachte mich zum Schmunzeln und ließ meinen Puls sinken.

»Das kommt schon wieder in Ordnung und Markus hoffentlich zur Vernunft. Wir können unseren Aufenthalt hier gern abbrechen und nach Hause fahren. Möchtest du zu uns kommen?«

Bei dieser Frage wurden mir zwei Dinge noch deutlicher bewusst als ohnehin schon: Ich wollte nicht von hier fort, zumindest nicht jetzt. Und ich liebte Markus nicht mehr. Ich wollte gar nicht mehr da anknüpfen, wo er auf die Pausetaste gedrückt hatte.

»Weißt du, ich weiß mittlerweile echt nicht mehr, ob ich

überhaupt noch möchte, dass alles wieder so wird wie vorher«, erklärte ich meiner Mutter so schonend wie möglich.

»Sicher? Solche Krisen gibt es in jeder Beziehung.«

»Ziemlich, ja. Seine Aktion so kurz vor dem Umzug hat mich zudem sehr enttäuscht und verletzt. Das hätte er auch anders regeln können, selbst ... ja selbst, wenn er recht damit hatte.«

»Nun, du bist alt genug, um deine eigenen Entscheidungen zu treffen.«

Ich nickte, obwohl sie das nicht sehen konnte.

Und ich vermochte sie nicht länger zu leugnen, die Gefühle, die ich für Bent hatte. Sie waren manchmal beängstigend, und ich hatte keine Vorstellung, wie eine gemeinsame Zukunft für uns aussehen könnte. Und ob es sie überhaupt geben würde. Aber es fühlte sich nicht nur nach einem Flirt an, den man am Ende des Sommers hinter sich ließ.

»Ich weiß. Es tut mir wirklich leid, dass ihr umsonst nach München gefahren seid.«

»Ach – es ist so oder so eine schöne Stadt. Wir hätten dich gern gesehen, aber wir werden jetzt das Beste daraus machen.«

Ich lächelte. Meine Mutter war seit jeher gut darin, das Beste aus jeder Situation zu machen.

»Dann genießt die Zeit in München. Ich freue mich, euch bald wiederzusehen. Wir telefonieren, ja?«

Nachdem wir aufgelegt hatten, atmete ich erst mal einige Minuten durch. Dann schickte ich meiner Mutter den Standort des Campingplatzes, und im Anschluss schrieb ich endlich die längst überfällige Nachricht.

Hallo Markus,

ich denke, es ist an der Zeit, dass wir reden. Mir sind in den letzten Wochen ein paar Dinge klar geworden, und ich glaube, du hast recht. Es reicht nicht mehr für ein »Für immer«. Ich muss jetzt nur sehen, wie ich das mit der Stelle in München mache. Bitte melde dich.
Nora

Als ich auf Senden gedrückt hatte, horchte ich eine Weile in mich hinein, aber da war nur ein leises Bedauern.

Dann ging ich duschen und anschließend rüber zu Bent. Ursprünglich hatte er später zu mir kommen wollen, wie an allen Tagen bisher, die wir zusammen verbracht hatten. Aber ich sehnte mich nach seiner Gesellschaft und war neugierig darauf, wie er sich in seinem Wohnwagen eingerichtet hatte. Bis jetzt hatten wir nur davor gesessen. Deshalb klopfte ich kurz entschlossen bei ihm, mit dem festen Vorsatz, heute mehr über ihn zu erfahren. Es gab so vieles, was ich noch über sein Leben wissen wollte!

Mit einem überraschten Gesichtsausdruck öffnete er die Tür. »Alles ok?«

»Ich dachte, wir können heute den Abend zur Abwechslung mal bei dir verbringen«, platzte ich heraus. Bent warf einen Blick hinter sich in den Wohnwagen. Ich sah sein Zögern und verspürte Enttäuschung, doch dann stieß er die Tür ganz auf und sagte: »Na schön, von mir aus. Aber bei dir ist es komfortabler.«

Ich stieg die zwei Stufen hoch, und dann standen wir uns in dem schmalen Gang gegenüber.

»Willkommen in meinem bescheidenen Reich.«

Ich ließ den Blick umherschweifen, während Bent die Sitzecke von ein paar Zeitschriften befreite. Der Spiegel, eine GEO-Ausgabe und ein lokales Blatt waren darunter. Die Einrichtung war gemütlich. Das Holz hell, die Polster dunkelblau bezogen. Die ansonsten oftmals trutschigen Gardinen hatte er durch moderne Plissees ersetzt. Zwischen der U-förmigen Sitzecke und dem Doppelbett auf der gegenüberliegenden Seite gab es eine winzige Küchenzeile und zwei Türen. Eine führte vermutlich zum Bad, und hinter der kleineren war ein Schrank. Zwar waren über der Kochzeile einige Fotos angepinnt, aber ansonsten sah ich nur wenige persönliche Dinge. Dafür, dass Bent hier zurzeit lebte, wirkte alles eher spartanisch. Besaß er nicht mehr Sachen?

Ich ging zu den Fotos, um sie zu betrachten. Eines zeigte ihn mit Freunden, unter denen auch Tom war. Auf dem anderen war Bent mit einem grauhaarigen Mann zu sehen, sie saßen auf der Bank vor der Rezeption, und Bent lachte ihn strahlend an. Obwohl das Foto schon älter war, erkannte ich Bent sofort in dem schlaksigen Jungen.

»Mein Opa«, erklärte Bent, der hinter mich getreten war.

»Du vermisst ihn sehr, oder? Wann ist er gestorben?«

»Vor fünf Jahren.«

Bents Hände legten sich um meine Taille. »Worauf hast du Lust? Netflix im Schlafzimmer?« Er drehte mich nach rechts. »Oder ein Dinner im Esszimmer?« Er drehte mich zur anderen Seite. Ich schmunzelte, und etwas von dem drückenden Gefühl in meinem Brustkorb löste sich auf.

»Dann nehme ich das Dinner«, sagte ich bestimmt, denn schließlich hatte ich mir vorgenommen, hinter seine Mauern zu dringen und unsere Beziehung auf die nächste Stufe zu katapultieren, die mir bestätigte, dass das hier mehr für ihn war als nur ein kleines Abenteuer. Außerdem brannte ich darauf, ihm von meinem Entschluss in Bezug auf Markus zu erzählen. Ich würde allerdings nicht mit der Tür ins Haus fallen – oder in den Wohnwagen –, sondern mich langsam vortasten, bis zu der Tatsache, dass es nun eigentlich keinen Grund mehr gab, dass das mit uns endete. Außer der Umzug nach München. Vielleicht.

»Vorschlag: Ich bestelle Pizza, und bis die kommt ...«, holte Bent mich aus meinen Überlegungen. Er knabberte an der empfindlichen Stelle in meinem Nacken, und sofort drifteten alle Vorsätze davon. Ich lehnte mich gegen ihn, genoss die Wärme, die er ausstrahlte. Er küsste so sanft eine Spur über meine Haut, dass mir das als Antwort genügte – vorerst.

Später lümmelten wir mit der Pizza in der Sitzecke. Ich trug eines seiner T-Shirts und er Boxershorts und ebenfalls ein Shirt. Er erzählte, wie er und Peter früher das Boot der Eltern gekapert hatten, um die Mädels zu beeindrucken, und was für ein Donnerwetter es gegeben hatte, als sie ohne Bootsführerschein bis nach Dänemark gefahren waren. »Unser Plan war es sogar, bis Schweden zu kommen.«

Ich lächelte und konnte mir die Brüder nur zu gut bei der Aktion vorstellen.

Er biss in seine Pizza, und ich fasste mir endlich ein Herz. »Sag mal, willst du mir nicht endlich erzählen, wieso du auf dem Campingplatz lebst?«

Mitten in der Kaubewegung hielt er inne, ich sah genau, wie sich sein Kiefermuskel verspannte. Doch ich verstand nicht, warum. Was war schon dabei, es mir zu erzählen? Was konnte so schlimm sein, dass er nicht darüber sprechen wollte?

»Was spielt das für eine Rolle?«, sagte er in genau demselben Tonfall, den ich schon von unserer ersten Begegnung in Dänemark kannte. Aber dieses Mal schmerzte er mehr, und meine Sicherheit, dass er genauso für mich empfand wie ich für ihn, segelte mit dem aufkommenden Sturm in seinen Augen davon.

»Keine Ahnung, es ist doch nur eine Frage«, gab ich zunächst locker zurück.

»Du stellst zu viele Fragen, Nora.«

Plötzlich war er nicht mehr der lustige, charmante Bent, sondern der arrogante Typ aus Dänemark.

»Ich stelle zu viele Fragen? Ernsthaft?« Wut wallte in mir auf.

»Jetzt sei nicht sauer. Ich will einfach nicht darüber reden. Okay?«

Nein, das war nicht okay. Bewies es zum einen, dass er mir nicht vertraute, und zum anderen zeigte es deutlich, wie er zu uns stand. Ich schluckte gegen den drückenden Kloß in meinem Hals an.

»Ach so, für den Spaß bin ich gut genug, aber reden ist unerwünscht?«

Er runzelte die Stirn und wirkte überrumpelt von meiner direkten Art. Aber ich hatte mir geschworen, in Zukunft für meine Bedürfnisse einzustehen.

»Warum sagst du das so? Wir reden doch. Ich glaube, du missverstehst da gerade was.«

Auf einmal war mir alles zu viel, und ich stand auf, klaubte meine Sachen zusammen. »Ich glaube, ich verstehe es ziemlich gut.«

Unverständnis zeichnete sich in seinen Gesichtszügen ab. »Sorry, aber *ich* verstehe gerade gar nichts mehr.« Abwehrend hob er beide Hände.

Kurz zögerte ich. Reagierte ich über? Ich wollte schon ansetzen, ihm von der Nachricht an Markus zu erzählen, doch dann entschied ich, dass ich genauso gut erst mal mit Markus die Lage klären konnte.

»Ich glaube, es ist besser, wenn ich jetzt gehe.«

Ein unleserlicher Ausdruck huschte durch seine Augen, ehe er sagte: »Ja, vermutlich ist das besser.«

Für einige Sekunden sahen wir uns an, dann stieß ich die Tür auf und stolperte fast über Fox, der in den Wohnwagen sprang.

Die frische Abendluft kühlte meine Emotionen sofort herunter. Doch es gab einfach zu viele ungeklärte Fragen, die sich in mir zu einem Durcheinander verquirlt hatten. Das Gefühl, nicht mehr nach München ziehen zu wollen und gleichzeitig zu spüren, dass es sich bei meinem Verhältnis mit Bent nur um etwas Oberflächliches handelte und er geradezu darauf zu bauen schien, dass ich bald abreiste … Diese Mischung sorgte dafür, dass ich mich ähnlich verloren fühlte wie vor sechs Wochen. Jemand anderes diktierte, wie die Dinge zu laufen hatten. Wie hatte ich nur so blöd sein können, gleich dem nächsten Mann die Macht dazu zu geben? Das war so was von dem Gegenteil von dem, was ich mir vorgenommen hatte!

Für ihre Gefühle kann Frau schließlich nichts, hörte ich Laras Worte in meinem Ohr.

Aber bei allem sollte man den Verstand eingeschaltet lassen.

Wütend über die ganze Situation, griff ich zum Handy und rief Janine an.

»Hi Nora, wie geht dir?«, fragte sie.

»Ich bin eine Idiotin«, schniefte ich und erzählte ihr alles. Wie ich Bent begegnet war, von den anfänglichen Reibereien und dann den Funken zwischen uns. Den Küssen, der Erkenntnis, Markus nicht mehr genug zu lieben, und der Ernüchterung mit Bent, der scheinbar gern Techtelmechtel mit Angestellten des Campingplatzes hatte, und in den ich mich, obwohl ich das wusste, Hals über Kopf verknallt hatte.

»Ach Mensch, Männer machen echt nur Ärger. Vielleicht wird es Zeit, dass du nach Hause zurückkommst. Du könntest wieder auf der Station anfangen, ich habe schon mal gefragt.«

Seltsamerweise war das etwas, von dem ich mir ganz sicher war, dass ich es nicht wollte. Doch darüber hinaus hatte ich keine Idee, wie es weitergehen sollte.

»Das ist lieb von dir«, sagte ich. »Aber – ich weiß nicht, ob du das verstehst – mit Münster habe ich abgeschlossen.

Mit der letzten Kiste, die ich gepackt habe, war ich bereit für etwas Neues. So schön es in Münster auch ist, habe ich es doch nie als meine Heimat empfunden.«

»Okay … ich finde es traurig, das zu hören. Ich dachte, wir hatten hier eine gute Zeit zusammen.«

»Das hatten wir auch, so meinte ich das nicht!«

»Und jetzt willst du allein nach München?«

»Ja … nein – ich weiß nicht.«

»Du überlegst, da oben zu bleiben? Wegen dem Typen, der nur seinen Spaß mit dir will?«

»Nein!«, widersprach ich. Nur um gleich darauf zuzugeben: »Ich weiß es nicht.«

»Das passt alles gar nicht zu dir. Meiner Meinung nach wäre es das Beste, du kommst zurück. Aber wenn du das nicht willst, hab ich auch keine Ahnung, wie ich dir helfen soll.«

Na, großes Kino – nun war auch noch meine beste Freundin sauer auf mich.

Kapitel 29

AM SAMSTAG FUHR ich nach meinem Feierabend direkt nach Flensburg, um bei Lara und Linn im Laden zu helfen. Dieses Wochenende fand ein Hafenfest statt, und die Stadt quoll über vor Touristen und Einheimischen. Die Geschäfte hatten ihre Öffnungszeiten verlängert, und das *Hygge Up* in dem kleinen Hinterhof war gut besucht.

Während Lara und Linn die Kunden berieten, kassierte ich ab und verpackte Dekoartikel in Packpapier, damit sie den Heimtransport sicher überstanden.

Als wir die letzten Besucher verabschiedet hatten, setzten wir uns mit einem Alster auf die Stufen vor den Laden. Bei Ilse nebenan leerten sich auch allmählich die Tische.

»Prost, und danke für deine Hilfe, Nora.« Lara hob ihre Flasche, und Linn und ich stießen mit unseren dagegen.

»Das war ein guter Tag, solche Umsätze könnten wir ruhig öfter haben«, bemerkte Lara. Doch Linn hörte ihr schon gar nicht mehr zu, sondern tippte auf ihrem Handy herum. Eine Weile tranken wir schweigend, bis Linn schließlich aufstand.

»Ich bin dann mal weg, sehen wir uns später am Hafen?«

Lara schaute mich an, und ich zuckte mit den Achseln. »Ich habe sonst nichts vor.«

»Dann bis später!«, flötete Linn und fort war sie.

»Hast du keine Lust, heute noch auszugehen?«, fragte ich Lara, als ihre Schwester außer Hörweite war. »Du hast nicht gerade begeistert gewirkt.«

»Doch, ich bin nur erschöpft und wünschte mir, Linn wäre beim Laden auch so engagiert wie bei ihrer Freizeitgestaltung.«

»Meinst du nicht, du solltest mal mit ihr reden?«

»Das habe ich schon getan. Oft.«

»Na dann komm, wir machen uns eine schöne Zeit beim Hafenfest, und wenn dir die Augen zufallen, bringe ich dich nach Hause.« Ich stand auf, nahm ihr die leere Flasche ab und zog sie anschließend hoch.

»Tom hat einen Stand auf der Fressmeile, schauen wir da später mal vorbei?«, fragte Lara, als wir unsere Taschen aus dem Laden geholt hatten und sie zusperrte.

»Klar, gern«, antwortete ich eine Spur zu fröhlich. Ich hatte bisher keine Gelegenheit gehabt, ihr von der angespannten Stimmung zwischen Bent und mir zu erzählen. Und ich wollte nicht schon wieder meinen Ballast bei ihr abladen, hatte sie doch offensichtlich mit ihrer Schwester genügend eigene Sorgen.

Wir flanierten am Hafen entlang, kauften uns gebrannte Mandeln und eine kalte Cola. Damit setzten wir uns auf die hölzernen Treppen direkt an der Hafenspitze.

Rund um das Hafenbecken pulsierte das Leben. Leute

aßen, lachten, tranken und hatten eine gute Zeit, und ich wollte, dass Lara ebenfalls einen schönen Abend verbrachte. Ohne sie wären die letzten Wochen für mich definitiv schwerer gewesen. Deshalb ging ich kurz darauf, ohne zu murren, mit zum Stand der Biermanufaktur, obwohl ich befürchtete, dort auf Bent zu treffen. Ich wusste, dass er heute Abend frei hatte, und Tom war sein Kumpel, da war die Wahrscheinlichkeit hoch, dass er hier war.

Passend zum Oldtimer-Lieferwagen verkaufte die Flensburger Biermanufaktur die Getränke auf dem Hafenfest aus einem Retro-Foodtruck, schwarz lackiert mit weißer Beschriftung.

Wir schlängelten uns durch die Menschenmassen, die sich vor einer kleinen Bühne unweit des Getränkewagens angesammelt hatten. Ein Typ mit Gitarre machte sich dort für seinen Auftritt bereit.

»War die Biermanufaktur eigentlich schon immer so stylisch?«, fragte ich Lara.

»Nein, Tom hat vor einigen Jahren den Staub entfernt. Auch die Biozertifizierung einiger Sorten hat er angeschoben. Aber mein Vater war allem sehr offen gegenüber und hat ihn unterstützt. Neue Generation, neue Ideen, sagt er.« Lara winkte Tom zu, der an der Zapfanlage stand. Aber er war zu beschäftigt und sah uns nicht. Sie zog mich durch die Schlange zur Rückseite des Wagens, wo sie die kleine Tür öffnete und ihren Kopf hineinsteckte. »Hi!«

Tom drehte sich um, und sofort erhellte sich sein Gesicht. »Hallo, ihr zwei! Schön, euch zu sehen. Wartet, ich komm gleich mal raus.«

Lara ließ die Tür wieder zufallen, und wir setzten uns auf eine Bierbank, die an der Rückseite des Verkaufswagens stand. Es dauerte nicht lange, und die Tür öffnete sich erneut. Tom sprang zu uns auf den staubigen Boden. »Ich brauche echt eine Pause.«

»Kann deine Angestellte dich denn entbehren?«

»Wer kann das schon?« Er grinste Lara an, die aber nur mit den Augen rollte.

»Ernsthaft, wir haben zu wenig Personal, nicht nur heute Abend, sondern für die ganze Saison. Seit der Pandemie ist das ein echtes Problem. Wo sind die ganzen Leute hin? Ich bin schließlich Bierbrauer und sollte nicht ständig im Verkaufswagen stehen müssen.«

Er öffnete nochmal die Tür und angelte drei Flaschen heraus. »Neue Sorte, mit Zitronenhopfen.«

Gekonnt entfernte er die Kronkorken an der Ecke der Bierbank.

»Prost!«

»Prost!«, erwiderten Lara und ich synchron.

»War viel los im Laden?«, wollte Tom wissen.

Lara nickte. »War ein super Tag.«

»Das freut mich.« Er lächelte sie an, und ich sah deutlich, dass Lara ihm eine Menge bedeutete. Doch sie schien immun zu sein gegen diese Blicke von ihm.

»Nora hat heute Nachmittag geholfen, das war eine große Entlastung.«

Nun grinste er mich an. »Falls du vom Campingplatz und von Möbeln die Nase voll hast – ich hab jederzeit Arbeit für dich. Und eine Kiste Bier pro Woche.«

Ich prustete los. »Pro Woche? Na, herzlichen Glückwunsch. Ich hoffe, du bietest auch eine Krankenzusatzversicherung an für die Leberschäden.«

»Ich mag deinen Humor.« Tom zwinkerte mir zu.

»Ich auch, und ich bin jetzt schon traurig, dass du spätestens in drei Wochen nach München abhaust.« Lara verzog ihre Lippen zu einem Schmollmund.

»Nach München? Ach herrje, das ist aber nicht gerade um die Ecke.«

Ich nickte und war nicht in der Lage, etwas dazu zu sagen, weil sich München und das, was mich dort erwartete, längst nicht mehr anfühlte, als gehörte es zu meinem Leben. Eher fühlte es sich an wie eine taube Gliedmaße. Ich konnte sie sehen, sie war da und gehörte augenscheinlich zu mir, aber ich war nicht im Stande, sie zu bewegen oder zu spüren. Aber ich hatte die Verbindung auch noch nicht durchtrennt.

Da fiel mir ein, dass Markus mir bisher gar nicht auf meine Nachricht geantwortet hatte. Da musste ich auf jeden Fall spätestens morgen nachhaken.

»Noch bin ich ja hier«, entgegnete ich schließlich mit einem schwachen Lächeln und nahm einen kräftigen Schluck aus der Flasche. Danach schaute ich mir das Etikett genauer an. »Das ist echt lecker, und da ist Zitrone drin?«

»Nein – keine Zitrone, lediglich Zitronenhopfen.«

»Sehr köstlich.«

»Dann überlegst du es dir mit meinem Angebot nochmal?«, fragte Tom unschuldig, und Lara knuffte ihn in die Seite.

»Sie ist Krankenschwester, such dir deine Servicekräfte

woanders. Und wenn sie hier für jemanden arbeiten würde, dann für mich.«

Lachend verfolgte ich das Geplänkel der beiden.

Wir quatschten noch eine Weile und verabredeten uns für später vor der Bühne, falls Tom es schaffte, sich loszueisen.

Lara und ich wollten als Nächstes etwas essen. Ihr Bauch gab schon beängstigende Geräusche von sich. Wir reichten Tom die leeren Flaschen und wandten uns gerade zum Gehen, da sah ich ihn – Bent. Allein sein Anblick sorgte für einen Aufruhr in meinem Inneren. Er begrüßte Tom und Lara, dann kam er zu mir und beugte sich vor, um mich zu küssen.

Jede Faser meines Körpers wollte diesen Kuss. Doch ich ließ es nicht so weit kommen. Ich drehte den Kopf zur Seite und tat, als deutete ich eine Umarmung an. Als ich wieder einen Schritt zurücktrat, trafen sich unsere Augen, und in seinen standen Fragezeichen.

Hatte er ernsthaft gedacht, es ginge mit uns nahtlos weiter? Nachdem er mich so offensichtlich auf Abstand hielt, jedes Mal, wenn ich ihm emotional zu nahe kam?

»Ähm – Lara und ich wollten gerade was essen gehen«, sagte ich. Sie wartete drei Meter entfernt, und ich schloss rasch zu ihr auf, ohne mich umzusehen. Es war besser so. Das führte doch zu nichts – außer zu noch mehr Herzschmerz für mich. Auch wenn ich mir anfänglich vorgemacht hatte, es wäre okay für mich, dass das zwischen ihm und mir nichts Ernsthaftes war und die Sache bald enden würde, wusste ich nun, das ich eben *nicht* damit klarkommen würde.

»Was war das denn bitte? Er wollte dich küssen, und du

hast ihn einfach mit einer Hey-Kumpel-Umarmung abgespeist?«

Ich zuckte mit den Achseln. »Er will nur eine oberflächliche Affäre, und mir ist klar geworden, dass mir das nicht genügt, dafür mag ich ihn zu sehr.«

»O nein, aus dem Verknalltsein ist ein Verliebtsein geworden!«

»Ist das nicht dasselbe?«

»Nein! Vergucken, verknallen, verlieben, lieben.«

»Okay.« Ich lachte matt. »Dann ist Tom zumindest verknallt in dich.«

»Quatsch, Tom und ich sind wie Geschwister, das habe ich dir doch schon gesagt.« Lara schüttelte den Kopf. »Du willst nur von dir ablenken.«

Im nächsten Moment spürte ich eine Berührung an meiner Schulter. »Nora, warte mal! Hast du eine Minute?«

Als ich mich umdrehte, stand Bent vor mir, und mein verknalltes Ich wollte so viel mehr als nur sechzig Sekunden mit ihm.

Unsicher sah ich zu Lara, die mir aufmunternd zunickte. »Mach nur, ich stelle mich schon mal bei der Pommesbude an«, sagte sie und verschwand in der Menge. Bent zog mich etwas an den Rand, wo wir nicht inmitten des Durchgangsstroms der Besucher standen.

Seine heute sturmblauen Augen nagelten mich fest. »Kannst du mir mal bitte sagen, was plötzlich los ist?«

Die Gedanken verknoteten sich in meinem Kopf, und ich suchte panisch nach einem passenden Anfang für das, was ich sagen wollte.

»Hey.« Sanft legte er die Finger an mein Kinn und hob es an, zwang mich, ihm wieder in die Augen zu blicken.

Da sprudelten die Wörter aus mir hervor. »Ich dachte, zwischen uns ist mehr als nur eine körperliche Anziehung. Dass da etwas …« Mein Herz klopfte so heftig gegen meinen Brustkorb, dass es in meinen Ohren widerhallte. Ich schluckte. »… dass da etwas Besonderes ist. Aber ich habe begriffen, dass ich mich getäuscht habe. Du hast kein Interesse daran, mehr von dir preiszugeben oder mich ernsthaft hinter deine Mauern blicken zu lassen. Für dich ist das alles nur ein Spiel und bequem, weil du dir sicher bist, dass ich eh bald weg bin.«

Männer nach so kurzer Zeit derart mit Erwartungen und Gefühlen zu überfallen, war ein Garant dafür, dass sie die Flucht ergriffen. Doch womöglich legte ich es genau darauf an. Damit ich diese Entscheidung nicht selbst treffen musste.

Bents Miene verdunkelte sich auch prompt, und in seinen Augen legte der Sturm an Fahrt zu. Dazu lachte er humorlos auf.

»Mehr? Etwas Besonderes?« Die Wörter und die Art, wie er sie mir förmlich vor die Füße spuckte, trafen mich wie eine eiskalte Welle.

»Sorry, Nora, da komme ich nicht ganz mit. Dann verrate mir doch mal, wie lange dieses *Besondere* deiner Meinung nach andauern soll. So lange, bis du nach München gehst? Oder so lange, wie deine Beziehungspause andauert? *Du* bist schließlich diejenige mit dem ungeklärten Beziehungsstatus!«

Autsch. Mein Schiff war Leck geschlagen, und ich sank mitsamt meiner verworrenen Gefühle bis auf den Grund. Und das Schlimmste war: Er hatte recht. Von meinem Entschluss, mich endgültig von Markus zu trennen, konnte er nichts wissen, und genauso wenig von der Hoffnung, dass das mit uns über den Sommer hinaus irgendwie weitergehen könnte.

Sekunden verstrichen, in denen ich damit haderte, ihm diese Dinge zu sagen – aber sie kamen mir nicht über die Lippen. Vielleicht, weil ich mich vor seiner Reaktion fürchtete und mich nicht schon wieder verletzen lassen wollte. Und so gewann die Wut die Oberhand und warf sich schützend davor.

»Beides scheint dir ja sehr gelegen zu kommen! Dann kann Peter dir dieses Mal nicht die Schuld geben, wenn er sich eine neue Angestellte suchen muss«, zischte ich und trat einen Schritt zurück.

Bent öffnete den Mund, um etwas zu erwidern, aber ich kam ihm zuvor. »Offenbar war mein erster Eindruck von dir doch der richtige!«

Ich drehte mich um und stürmte davon. Der Drang, von ihm wegzukommen, war fast so groß wie der Wunsch, dass er mich aufhielt. Dass doch irgendwie alles gut werden würde zwischen uns. Tränen stiegen mir in die Augen und verschleierten meine Sicht, während ich mich weiter durch die Menge drängte und mir klar wurde, dass er mich nicht aufhalten würde.

Ich fand Lara bei der Pommesbude und stellte mich neben sie.

»Hey, da bist du ja – alles okay?«

Ich schüttelte leicht den Kopf. Lara verstand, dass ich gerade nicht darüber reden wollte, und bestellte uns zwei Pommes rot-weiß.

»Komm, lass uns ein Stück gehen.« Sie drückte mir eine Schale in die Hand und lief los in Richtung östliche Seite des Hafens, wo wir schon einmal an der Kaimauer gesessen hatten. Dieses Mal mussten wir ein ganzes Stück weiter gehen, ehe wir einen halbwegs ungestörten Platz fanden. Wir setzten uns an den Rand des Hafenbeckens.

»Nun erzähl!«, forderte Lara mich auf und steckte sich anschließend drei Pommes auf einmal in den Mund. Ich biss von einer ab und kaute umständlich darauf herum. Die Begegnung mit Bent war mir auf den Magen geschlagen.

»Da gibt es nicht viel zu erzählen.« In wenigen Sätzen gab ich das Gespräch mit Bent wieder.

»Hui«, machte Lara.

»Obwohl er ja recht hat. Ich bin wie Markus und handele die ganze Zeit mit Sicherheitsnetz. Und er konnte nichts von meiner Entscheidung wissen, und dass ich Markus bereits um ein Gespräch gebeten habe. Trotzdem bin ich mir genauso sicher, in dem Punkt recht zu haben, dass ihm dieses Ablaufdatum für unsere gemeinsame Zeit ganz recht kommt.«

»Sei nicht so streng mit dir! Markus hat dein Leben von heute auf morgen auf den Kopf gestellt, und du hattest schließlich nicht geplant, dich in Bent zu verlieben. Aber du darfst auch nicht zu streng mit Bent sein. Ich weiß, du wolltest es nicht, aber ich habe Tom etwas ausgehorcht.«

Ich sah sie mit großen Augen an.

»Bitte nicht sauer sein!«

»Bin ich nicht – ist jetzt eh egal.«

»Tom hat auch nicht viel erzählt, aber ich weiß nun, warum Bent auf dem Campingplatz lebt.«

Sie schob sich weitere Pommes in den Mund, während ich sie abwartend ansah und meine Schale sinken ließ.

»Aber du weißt das nicht von mir!«, sagte sie schließlich.

»Nein, nein, keine Sorge«, erwiderte ich, gespannt auf das, was gleich kommen würde.

»Er hat ein Haus in richtig guter Lage besessen. Tom hat irgendwas von direktem Wasserzugang mit eigenem Steg gesagt.«

»Okay – und warum hat er es nun nicht mehr? Ist er verschuldet? Mach es nicht so spannend!«

»Dafür, dass ich nicht fragen sollte, bist du nun aber ganz schön ungeduldig«, zog Lara mich auf und biss erst mal genüsslich in eine weitere Pommes, bevor sie kauend weitersprach. »Nein, er ist nicht verschuldet. Er hatte eine Freundin, und es sah wohl zunächst nach der großen Liebe aus. Doch plötzlich wollte sie lieber in einer richtigen Stadt leben, Flensburg war ihr zu weit ab vom Schuss, zu klein – keine Ahnung, was in ihren Augen eine Stadt zu einer *richtigen* Stadt qualifiziert. Bent hat schließlich schweren Herzens sein Haus verkauft, um sich mit ihr in Berlin ein neues Leben aufzubauen.«

»Puh …« Ich wusste, wie sehr Bent seine Heimat liebte und wie groß der Schritt für ihn gewesen sein musste.

»Warte, das Krasseste kommt noch. In Berlin hat sie

ihn nämlich nach wenigen Monaten einfach abserviert. Anscheinend wollte sie sich nicht so fest binden, sondern doch noch erst ein wenig das Leben und die Freiheit genießen.«

»Oh!«, entfuhr es mir, und ich versuchte, die neuen Informationen zu verarbeiten. Das war also der Grund, weswegen er in Berlin gewesen war! Und noch etwas wurde mir klar: »Deswegen hat er so empfindlich auf mein Gefasel von Auszeit und Selbstfindung reagiert.«

»Hätten wir Tom mal früher gefragt.«

»Hm«, machte ich abwägend. Natürlich tat es mir leid, was Bent erlebt hatte. Aber ich hatte ihm auch offen von der ganzen Misere mit Markus erzählt, während er kein Sterbenswörtchen preisgegeben hatte.

»Ach was! Bent hätte mir das einfach sagen sollen. Nicht bei unserer ersten Begegnung oder der zweiten oder dritten, aber als wir anfingen, immer mehr Zeit miteinander zu verbringen.« Ich seufzte und steckte mir nun doch eine Pommes in den Mund, die mittlerweile kalt und labberig vom Ketchup war.

»Vielleicht ist es ihm unangenehm.«

Ich schüttelte den Kopf. »Nein, in seinen Augen war das mit uns von Anfang an nur für eine begrenzte Zeit – deshalb sah er keinen Grund, es mir zu erzählen. Wie lange ist das Ganze denn her?«

»Irgendwann im letzten Jahr ist er zurückgekommen.«

»Und warum kauft er sich dann kein neues Haus, sondern wohnt stattdessen auf dem Campingplatz?«

»Keine Ahnung, das musst du ihn selbst fragen.«

Nachdenklich kaute ich auf einer weiteren Pommes herum. »Ist ja nicht so, dass ich nicht bereits versucht hätte, mehr über seine Gründe zu erfahren«, sagte ich noch und riss mich dann zusammen. Ab jetzt wollte ich den Abend mit meiner Freundin genießen, schließlich war der ursprüngliche Plan gewesen, sie von ihren Sorgen abzulenken und nicht wieder meine breitzutreten.

»Sollen wir zurück zur Bühne gehen?«, schlug ich daher vor.

»Sicher?«

»Sicher! Lass uns feiern. Oder wie heute auf deinem Letterboard stand: ›Das Leben ist zu kurz für irgendwann‹.«

Lara grinste. »Na, dann los! Wir müssen ja nicht bei Tom und Bent stehen, meine Schwester treibt sich auch irgendwo rum.«

»Und deine Freundin – wie heißt sie noch? Kommt die auch noch?«

»Du meinst Hanna? Nein, sie schafft es nicht. Sie würde dich wirklich gern noch kennenlernen, bevor du nach München gehst, aber bei ihr ist gerade echt viel los, seit ihr Freund ihr einen Antrag gemacht hat.«

Kapitel 30

DER ABEND WAR dann doch noch ganz nett geworden. Wir hatten viel getanzt und geredet, über alte Zeiten und die schönen Momente des Lebens. Alles andere hatten wir für ein paar Stunden ausgesperrt. Ich hatte bei Lara und Linn auf der Couch geschlafen und war erst am Morgen raus nach Holnis gefahren.

Als Peter mich nun an der Rezeption ablöste, hatte ich nur einen Wunsch: ein ausgiebiges Nachmittagsschläfchen. In meinem Kopf dröhnte es leicht, und ich blinzelte gegen die Sonne, die mir heute stechender als sonst erschien.

Erst als ich nur noch wenige Meter von meiner Veranda entfernt war, bemerkte ich, dass dort jemand saß. Bent.

Abrupt blieb ich stehen, sog tief die Luft ein, als könne das mein übermüdetes Hirn wieder flottmachen, und schaute ihn dabei wortlos an.

Im Inneren verspürte ich sofort ein Sehnen, nach seinen Berührungen, seinen Küssen … Diese Empfindungen, gepaart mit der Erschöpfung, verhinderten, dass auch nur ein einziges Wort meine Lippen verließ.

Bent erhob sich langsam von dem Verandastuhl. »Hast du nochmal fünf Minuten für mich?«

Gestern eine, heute fünf – Zeit zum Reden schien er nie reichlich zu bemessen. Was konnte man in so kurzer Zeit klären? *Ein vorzeitiges Ende zum Beispiel.* Mir schwante, dass mir das Ergebnis dieses Gespräches nicht gefallen würde, und ein Teil von mir wünschte sich, wir hätten es bei dem gestrigen belassen können.

Dennoch nickte ich, stieg zu ihm auf die Veranda, bekam dabei eine volle Dosis Bent-Duft ab und sank auf den Stuhl, auf dem er eben noch gesessen hatte. Er lehnte sich rücklings gegen das Geländer und verschränkte die Arme vor der Brust. Die Sekunden verstrichen, während er mich betrachtete. Ich war zu müde, um den Anfang zu machen. Außerdem war *er* zu *mir* gekommen, da sollte er auch beginnen.

»Hattest du gestern noch einen schönen Abend? Ich hab dich mit Lara vor der Bühne gesehen.«

Ich runzelte die Stirn. Ernsthaft?

»Bist du gekommen, um mich *das* zu fragen?«, erwiderte ich leicht gereizt. »Dann sollten wir das Gespräch besser vertagen, ich bin hundemüde.«

»Nein, bin ich nicht …« Frustriert rieb er sich übers Gesicht.

Meine Emotionen kämpften sich an die Oberfläche, und es platzte aus mir heraus: »Warum wolltest du mir nicht erzählen, warum du hier lebst? Was wäre denn dabei gewesen? Jeder erlebt doch mal so einen Mist.«

Überraschung gemischt mit Ärger zeichnete sich in seinem Gesicht ab, und er verschränkte die Arme. »Darum geht es dir? Scheinbar weißt du es ja nun.«

»Du verstehst mich nicht! Es zeigt halt deutlich, dass du eine Grenze gezogen hast, dass du genau festgelegt hast, wie weit du mich an dich heranlässt.«

Er löste seine Arme und stützte sich am Geländer ab. »Mag sein. Aber es ist kompliziert.«

»Weißt du, was ich glaube?«

Fragend sah er mich an, und ich hasste es, wie sehr mir das unter die Haut ging.

»*Ich* glaube, es ist ganz einfach: Du wolltest deinen Spaß und warst dir sicher, ich würde bald wieder weg sein und du deshalb in keiner Weise ein Risiko eingehen.«

Meine Worte hingen für eine Weile in der Luft, ehe er sie, statt zu leugnen, wie ein Damoklesschwert auf mich niederfahren ließ.

»Ist es denn bei dir nicht genauso? Hast du nicht dieselbe Intention gehabt? *Du* bist immerhin noch in einer Beziehung«, sagte er.

Ich kniff die Lippen zusammen. Wo er recht hatte … Ich wendete den Blick ab. Wie konnte ich ihm vorwerfen, dass sich meine Gefühle geändert hatten und seine nicht? Ich musste ihm von meiner Entscheidung in Bezug auf Markus erzählen, auch wenn es an seiner Einstellung womöglich nichts änderte.

Während ich überlegte, wie viel ich noch von meinen Gefühlen und Hoffnungen preisgeben sollte, sah ich im Augenwinkel, wie jemand um die Ecke bei den Dauercampern bog.

Die Person steuerte die Hütten an. Ich vermutete, ein Mieter aus einer der Nachbarhütten, daher streifte ich den Mann nur mit einem flüchtigen Blick. Erst mit etwas Verzögerung registrierte ich den vertrauten Gang. Meine Augen schnellten zurück, und mit wummerndem Pulsschlag erhob ich mich aus dem Stuhl. Die Müdigkeit war mit einem Schlag verflogen.

Ich trat an den Rand der Veranda, um mich zu vergewissern. Fassungslos stieß ich einen Schwall Luft aus.

Bei der Person handelte es sich um niemand anderen als Markus.

Verwirrt lachte ich auf, und ein seltsamer Ton entschlüpfte dabei meiner Kehle.

Bent trat neben mich. In diesem Moment wurde oben zu unten, falsch zu richtig – alles wirbelte durcheinander.

»Markus«, brachte ich schließlich heraus. Ich spürte Bents Körper neben mir, ein Teil von mir wollte die Hand nach ihm ausstrecken, ihn berühren und sagen, dass es mit Markus vorbei war. Doch spielte das für ihn überhaupt irgendeine Rolle? Fieberhaft versuchte ich, Bents Worte in meinem Kopf noch einmal Revue passieren zu lassen. Vergeblich.

Da erreichte Markus den Fuß der Veranda.

»Hallo Nora.«

»Was machst du hier?«, fragte ich. Der Schock stand mir vermutlich deutlich ins Gesicht geschrieben.

»Deine Mutter hat mir gesagt, wo ich dich finde. Ich …« Sein Blick huschte zu Bent und wieder zurück zu mir. »Können wir reden?«

Markus hier vor mir zu sehen rief eine Vielzahl Erinnerungen an die gemeinsamen Jahre hervor. Nicht nur Schlechtes, sondern auch viel Gutes. Gleichzeitig kam er mir vor wie ein Fremdkörper, der in der falschen Dimension gelandet war.

Mechanisch nickte ich. Es war höchste Zeit für ein Gespräch, dazu war er vom anderen Ende Deutschlands hergefahren. Und genau genommen war er immer noch mein Freund. Wir mussten reden. So oder so. Ich hatte das schließlich selbst eingefordert. Obwohl ich dabei eher an ein Telefonat gedacht hatte.

»Ja, ich bin hier gleich fertig ... ich ...«

In der nächsten Sekunde trat Bent auf die oberste Stufe meiner Veranda. »Schon okay, ich muss eh los«, sagte er und ging in Richtung seines Wohnwagens davon.

Verzweifelt sah ich ihm nach. Erst bei der Tür drehte er sich um, unsere Blicke trafen sich, und er lächelte mich kurz an.

Mein Bauchgefühl erteilte mir unablässig den Befehl, ihm hinterherzulaufen. Mein Herz bekam vor lauter Hektik Schluckauf, zumindest rumpelte es holprig in meiner Brust. Doch meine Beine blieben, wo sie waren. Ich wollte ihm erzählen, dass ich beschlossen hatte, die Beziehung mit Markus zu beenden. Doch wozu? Was auch immer seine Gründe waren, warum er sein Herz vor mir verschlossen hielt: Es stand zwischen uns. Ich schluckte hart, als ich begriff, dass es hier und jetzt endete.

»Sollen wir reingehen?«, drang Markus' Stimme an mein Ohr.

»Äh, ja, sorry.« Fahrig drehte ich mich um, fummelte mit zittrigen Fingern den Schlüssel hervor und öffnete die Tür.

Wir setzten uns an den kleinen Tisch der Pantry-Küche, und Markus' Blick schweifte neugierig umher. Meiner klebte an einem T-Shirt von Bent, das über der Stuhllehne hing. Ich zwang mich, zu Markus zu sehen. Seine Anwesenheit fühlte sich zunehmend falsch an. Oder ich stand durch sein unerwartetes Auftauchen tatsächlich unter Schock. Vor sechs Wochen hätte ich mir nichts sehnlicher gewünscht. Aber nun?

»Warum hast du nicht angerufen?«, platzte es schließlich aus mir heraus, und es klang beinahe vorwurfsvoll.

Markus beendete das Inspizieren meiner Unterkunft und schaute zu mir. Seine Hand legte er auf den Tisch und bewegte sie dann auf meine zu. Automatisch zog ich sie weg und legte sie in den Schoß.

»Nach deiner Nachricht fand ich, wir sollten uns besser von Angesicht zu Angesicht unterhalten.« Er nahm seine Hand ebenfalls zurück.

Ich schnaubte auf. »Darf ich dich daran erinnern, dass *du* mir vor sechs Wochen deinen Wunsch nach einer Beziehungspause in einem *Brief* mitgeteilt hast? Und jetzt fährst du einmal quer durch Deutschland, um mit mir von *Angesicht zu Angesicht* zu reden?«

Er nickte. »Ich weiß. Es tut mir leid. Es war einfach alles zu viel. Wir hatten uns in den letzten Monaten kaum noch gesehen, hatten gar kein gemeinsames Leben mehr. Ich schätze, ich habe kalte Füße bekommen.«

Ich schwieg. Er erzählte mir nichts, was ich mir nicht schon selbst zusammengereimt hätte. Was ich aber nicht verstand, war, weshalb er jetzt hier auftauchte. »Warum bist du hergekommen, Markus?«

»Mir ist klar geworden, wie sehr ich dich vermisse und …« Seine braunen Augen suchten meine. Eine kleine Welle Vertrautheit und Zuneigung setzte sich in mir in Bewegung.

»Wann ist dir das denn klar geworden? Als ich dir die Nachricht geschrieben habe?«

»Nein! Schon vorher. Bei der Nachricht wurde mir nur bewusst, dass ich sofort handeln muss, wenn ich dich nicht verlieren will. Ich liebe dich, Nora. Ich will mit dir eine Zukunft. In München. Wir wollten doch irgendwann heiraten, ein oder zwei Kinder haben. Lass uns das wegen einer Krise nicht wegwerfen!«

Ungläubig schüttelte ich den Kopf. »Sorry, aber da komme ich gerade nicht mit. Wenn es dir schon vorher klar war, wieso hast du dich nicht gemeldet? Weißt du überhaupt, wie es war, derart in der Luft zu hängen, mit dem Wissen, in wenigen Wochen eine Stelle in München antreten zu müssen?«

»Ich wollte mich ja früher melden, aber … aber ich wollte mir auch tausendprozentig sicher sein, damit ich dich nicht ein zweites Mal verletze. Als du dann diese Nachricht schriebst, wurde mir klar, dass ich dich unter keinen Umständen verlieren will! Komm bitte mit mir nach Hause. Wir starten nochmal ganz neu. Ich finde, wir haben noch eine Chance verdient.«

Damit hatte ich nicht gerechnet. Seine Worte ließen meine Abwehr schwinden. Ich wollte ihn fragen, ob was zwischen ihm und der Blondine gelaufen war. Aber dann hätte er womöglich wegen Bent nachgefragt, und so schwieg ich zu diesem Thema.

In einer verzweifelten Geste fuhr ich mir mit den Händen übers Gesicht. Markus nutzte die Gelegenheit und griff erneut nach meinen Fingern. Dieses Mal ließ ich es geschehen. Seine Berührung war vertraut, warm … löste aber kein Kribbeln in mir aus. Doch war das nicht normal? Schmetterlinge lebten nicht ewig. Genau betrachtet sogar nur sehr kurz. Ich konnte einen Sommerflirt nicht mit einer jahrelangen Beziehung vergleichen. Die Empfindungen in den Stadien des Verliebtseins und des Liebens unterschieden sich. Womöglich hatte ich mich bei Bent zu sehr verrannt in dieses anfänglich berauschende Gefühl?

Dennoch entwand ich mich aus Markus' Berührung und stand auf.

»Das kommt alles etwas plötzlich. Du weißt, was ich dir geschrieben habe …«

Er nickte. »Ich glaube aber, unsere Liebe hatte nur ein vorübergehendes Tief – da kommt bestimmt auch wieder ein Hoch.« Zuversichtlich lächelte er mich an.

»Ich brauche Zeit, um darüber nachzudenken.«

»Das verstehe ich. Ich habe mir ein Zimmer in Glücksburg genommen und werde bis morgen bleiben.«

»Okay.« Ich verspürte Erleichterung, als er aufstand.

»Ist es in Ordnung, wenn ich morgen Vormittag nochmal herkomme?«

»Ja, morgen habe ich frei.«

Verwirrung überschattete seine Gesichtszüge. »Du arbeitest hier? Wieso?«

»Das hat sich so ergeben. Ich brauchte ein wenig Ablenkung und kann zudem umsonst hier wohnen. Markus, mein ganzes Leben war verpackt in Kisten, die Wohnung war weg, als du gesagt hast, du wärst dir nicht mehr sicher. Du hast mir den Boden unter den Füßen weggerissen!«

Er schloss kurz seine Augen. »Ich weiß, und es tut mir unendlich leid. Bitte lass es mich wiedergutmachen! Gib mir die Chance dazu!«

Ich erhob mich und ging zur Tür. »Wir sehen uns morgen.«

Kapitel 31

NACHDEM MARKUS UM die Ecke verschwunden war, ging ich zurück in die Hütte und sank erst mal aufs Bett. Was zum Teufel …?

Ich rief Lara an.

»Störe ich dich?«

»Nein, ich mache gerade die Buchhaltung, da ist mir jede Ablenkung willkommen.«

Ich erzählte ihr, was ich gerade erlebt hatte.

»Markus ist da?«, fragte sie fassungslos. »Oh, wow, das ist eine große Geste. Obwohl ich insgeheim auf dich und Bent gehofft hatte, die Bilder bei Instagram sahen so süß aus. Und dieses Knistern zwischen euch …«

»Welche Bilder?« Ich konnte mich nur an das Selfie von uns erinnern.

»Vom Campingplatz, die haben auch einen Account bei Instagram, da gibt es zwei Fotos von euch. Ich dachte, du weißt das.«

»Aha, nein, das ist irgendwie an mir vorbeigegangen. Ist jetzt auch egal. Bent hat mir vorhin ziemlich deutlich gemacht, das doch eigentlich klar war, dass es eine zeitlich begrenzte Geschichte ist.«

»Aber wie geht es dir mit Markus? Willst du ihn denn überhaupt noch?«

»Ich weiß es nicht. Vor sechs Wochen habe ich sehnlichst darauf gewartet, dass er sich meldet, und wollte unbedingt da weitermachen, wo wir aufgehört hatten.« Tränen sammelten sich in meinen Augenwinkeln und liefen mir auf die Wangen. »Aber jetzt bin ich mir nicht mehr sicher, ob ich da noch weitermachen kann. Dafür ist er sich total sicher, dass das alles ein Fehler war und wir noch eine Chance verdient haben. Warum ist das alles bloß so schwer?«

»Ach, Nori! Ich wünschte, ich könnte dir sagen, was richtig ist. Aber das weißt nur du allein. Hör auf dein Herz. Ich würde dir eh nur völlig egoistische Dinge raten, wie, dass du hier bei mir an der Förde bleiben sollst.«

Ich schniefte. »Wir dürfen nicht wieder so viele Jahre bis zu unserem nächsten Treffen verstreichen lassen.«

»Im August schaufele ich mir ein paar Tage frei, da werde ich dich besuchen – egal wo!«, sagte sie tröstend.

»Das ist lieb von dir.«

Wir verabschiedeten uns. Kurz überlegte ich, auch Janine anzurufen, verwarf den Gedanken jedoch. Unser letztes Gespräch war nicht gerade positiv verlaufen.

Eine Weile stand ich am Fenster und blickte auf den Wohnwagen, der verlassen aussah. Ich hatte nach wie vor das Bedürfnis, mit Bent zu reden, unsere Unterhaltung zu Ende zu bringen.

Doch wenn ich ehrlich zu mir selbst war, gab es nichts

mehr zu besprechen. Markus' Auftauchen war, als hätte jemand die Seifenblase der letzten Wochen mit einer Nadel zum Platzen gebracht, und ich fragte mich erneut, ob ich mich nur in etwas verrannt hatte. Nach der langen Beziehung mit Markus war es aufregend gewesen, dieses Kribbeln zu spüren. Natürlich! Jeder mochte das Gefühl, frisch verliebt zu sein. Aber verliebt war eben nur verliebt. Und Markus liebte ich.

Oder?

Würden wir es schaffen, uns wieder anzunähern? Ich sollte uns diese Chance nicht verwehren. Mein Weg führte mich so oder so nach München, wegen der neuen Stelle. Und wie konnte etwas, das ich vor kurzem noch dringend gewollt hatte, jetzt verkehrt sein?

Ich riss mich vom Anblick des Wohnwagens los und schritt noch ein paar Minuten im Zimmer auf und ab, ehe ich mich hinlegte und binnen Minuten einschlief. Wirre Träume, in denen sich alles vermischte – Bent, Markus, das Leben in Münster, München und hier –, sorgten dafür, dass ich unruhig schlief und trotzdem erst am nächsten Morgen um kurz vor acht aufwachte.

Ich sprang unter die Dusche, und als ich mir anschließend einen Kaffee machte, klopfte es an der Tür. Dort stand er wieder – Markus, mit jenem Lächeln auf den Lippen, in das ich mich vor Jahren verliebt hatte. Ein kleiner Schmetterling machte sich in meinem Bauch bemerkbar. Träge, aber noch lebendig.

»Guten Morgen!«

»Guten Morgen.« Ich trat zur Seite, um ihn reinzulassen.

Nach ein paar schleppenden Sätzen Smalltalk stellte er schließlich die entscheidende Frage. »Kommst du mit nach Hause?«

Ich rief mir die Vorstellung in Erinnerung, die ich vor wenigen Wochen gehabt hatte, wenn ich an den Umzug an München dachte. Ich sah uns in der schönen, renovierten Wohnung, mit mehr Zeit füreinander, in einer entspannten finanziellen Lage. Wie wir gemeinsam die Stadt und das Umland erkundeten. Und auch wenn ich mich in diesem Moment eher nach etwas anderem sehnte, traute ich diesem Gefühl nicht.

Zögerlich nickte ich. »Ja.« Ich würde der Stadt eine Chance geben, wie es geplant war. Und Markus und mir. Vielleicht würden wir in ein paar Jahren schmunzelnd auf diese Zeit zurückblicken. Außerdem hegte ich die Hoffnung, dass die Auszeit uns gutgetan hatte. Mir waren Dinge bewusst geworden, die ich in Zukunft anders angehen wollte. Das konnte unsere Beziehung ausgewogener machen, vorausgesetzt, wir schafften es, wieder zueinander zu finden.

»Das freut mich, Nora. Ehrlich, ich bin so erleichtert, dass du mir noch eine Chance gibst.«

Etwas unbeholfen trat er auf mich zu und nahm mich in den Arm. Nach so vielen Wochen fühlte sich das vertraut und fremd zugleich an.

»Hilfst du mir beim Packen?« Ich machte einen Schritt von ihm zurück.

»Klar! Viel ist es nicht, oder? Ich bin übrigens nach Hamburg geflogen und von da mit dem Mietwagen weiter. Den können wir in Flensburg abgeben und dann gemeinsam mit deinem Auto fahren.«

»Ah, gut.«

Höre auf dein Herz, hallten Laras Worte in meinem Kopf. Doch ich verstand es gerade nicht. Ich war zu durcheinander. Wohingegen mein Verstand mir klar sagte, dass ich das einzig Richtige tat. Das, worauf Markus und ich monatelang hingearbeitet hatten, was mich vor eineinhalb Monaten noch glücklich gemacht hatte. Ich riss mich zusammen und packte meine Sachen.

Es dauerte nicht lange, bis ich alles verstaut hatte. Ein schwieriger Gang stand mir allerdings noch bevor. Ich musste mit Peter reden.

»Du fährst am besten schon mit deinem Auto nach Flensburg. Schicke mir einfach den Standort der Autovermietung. Ich muss hier noch was klären.«

Markus zögerte für einige Sekunden, ehe er sagte: »Okay, dann treffen wir uns dort.«

Ich war froh, dass er mich nicht zum Abschied küsste. Wir würden uns eh gleich wiedersehen, und ich war absolut noch nicht bereit dazu.

Nachdem er in seinem Mietwagen davongefahren war, lief ich zur Rezeption und trat angespannt vor den Tresen.

Peter hob den Kopf. Sein Lächeln verschwand, und seine Stirn legte sich in Falten, als er meinen Gesichtsausdruck sah. »Was ist los? Hat der Typ dich gestern gefunden?«

»Hm«, machte ich. »Ich muss mit dir reden.«

»Komm, wir gehen ins Backoffice.«

Peter hängte das »Bin gleich zurück«-Schild an die Tür

und bereitete uns beiden einen Kaffee zu. Seine fürsorgliche Art machte es mir nur umso schwerer.

»Danke.« Ich nahm ihm eine Tasse ab. »Peter, mein …« Etwas in mir sträubte sich nach wie vor, Markus als meinen Freund zu bezeichnen. »Also, dieser Typ, das war Markus, mein … Freund. Er ist überraschend hier aufgetaucht, weil ihm klar geworden ist, dass diese Beziehungspause ein Fehler war. Er hat mich gebeten, mit ihm nach München zu kommen.«

Peters Gesichtsmuskeln erschlafften, und er stellte seine Tasse auf dem Schreibtisch ab.

»In zwei Wochen – oder meinst du jetzt sofort?«

Entschuldigend verzog ich das Gesicht. »Jetzt. In zwei Wochen muss ich ja schon die neue Stelle antreten. Ein bisschen Vorlauf in der Stadt wäre gewiss ganz gut. Es tut mir wahnsinnig leid, dass ich dich so im Stich lasse. Ich hätte das alles früher regeln sollen, aber ich wusste selbst nicht mehr, was ich wollte. Ich war so gern hier und habe alles andere verdrängt.«

Peter rieb sich übers Gesicht, wie er es immer tat, wenn er nachdachte, ehe er nach der Kaffeetasse griff und sich in seinem Stuhl zurücklehnte.

»Wenn es gar nicht anders geht, kann ich noch ein paar Tage bleiben«, bot ich schließlich an, obwohl meine Sachen gepackt waren und ich das Gefühl hatte, wenn ich jetzt keinen Cut machte, würde ich es vielleicht doch nicht schaffen.

»Es ist in Ordnung. Du brauchst kein schlechtes Gewissen zu haben. Du warst uns eine große Hilfe. Susi kann vorübergehend aushelfen, die Lage ist zu Hause mittlerweile deutlich entspannter. Und ich habe nach unserer Unterhaltung in der vergangenen Woche schon Vorstellungsgespräche für die nächsten Tage vereinbart.«

»Danke, Peter, da bin ich echt erleichtert.«

»Brauchst du ein Arbeitszeugnis?«, fragte er grinsend.

Ich war so froh, dass Peter es gelassen nahm und ich heute schon fahren konnte. »Vielleicht kann ich damit noch was reißen in der Klinik«, sagte ich, ebenfalls in scherzhaftem Ton.

Wir grinsten uns an. »Ich werde euch vermissen und auch den Campingplatz – es hat sich fast wie eine Familie angefühlt.«

»Du bist hier jederzeit herzlich willkommen. Aber genau betrachtet, braucht die Welt dich wohl mehr als Krankenschwester. Vielleicht war es Schicksal, dass du just in dem Sommer hier warst, als zum allerersten Mal einer unserer Gäste einen Herzinfarkt erlitt.«

Ich stand auf, und Peter tat es mir gleich.

»Ach, ich habe eine von den Glasvorratsdosen aus der Hütte mitgenommen. Ich zahl sie dir!«

Peter winkte ab. »Geschenkt.«

Kurzerhand schlang ich meine Arme um ihn und drückte ihn fest an mich. »Grüß Susi und den Kleinen. Ich komme auf jeden Fall mal zu Besuch.«

Peter tätschelte meinen Rücken. »Alles Gute für München.«

Auf dem Weg zum Auto überlegte ich, ob ich mich von Bent verabschieden sollte. Doch als ich auf den Parkplatz spähte, sah ich, dass sein Wagen fort war.

Wahrscheinlich war es so das Beste. Bent hatte schon seine Gründe, warum er niemanden an sich heranließ. Ich musste das nicht verstehen, es genügte, dass ich es wusste. Mit dem Türgriff in der Hand, schaute ich mich noch einmal um, ließ meinen Blick über die Wohnwagen und Wohnmobile bis hin zur Ostsee schweifen. Ich würde das alles vermissen, und ich bereute keine Sekunde, hier angeheuert zu haben.

Im Auto checkte ich zunächst den Standort, den Markus mir geschickt hatte. Die Autovermietung befand sich im selben Industriegebiet wie das Opelhaus.

Ich startete den Motor und legte den Rückwärtsgang ein.

Nachdem ich Markus abgeholt hatte, fuhr ich nicht sofort in Richtung Autobahn, sondern zunächst in die Stadt zum *Hygge Up*.

»Wartest du im Wagen, während ich mich von Lara verabschiede?«, fragte ich, nachdem ich einen Parkplatz am Hafen gefunden hatte.

Markus nickte.

Mit schnellen Schritten eilte ich zum Laden, und als ich die Tür aufstieß, stand Lara hinter dem Kassentresen. Sie schaute auf und legte einen Stift aus der Hand.

»Nora!« Es klang erfreut und gleichermaßen traurig. »Du hast dich entschieden, nehme ich an, und willst mir Tschüss sagen?«

Ich nickte lediglich, weil plötzlich Tränen aus meinen Augen stiegen.

Lara trat um den Tresen herum und zog mich in die Arme.

»Nicht traurig sein. Wenn dein Herz dir sagt, es ist richtig so – dann wird es das auch sein. Ich komme dich bald besuchen, und du bist jederzeit hier willkommen.« Sie drückte mich fest an sich, und ich brachte es nicht fertig, ihr zu erzählen, dass ich diese Entscheidung nicht mit dem Herzen getroffen hatte.

Wir lösten uns voneinander, und ich schnaufte erst mal durch.

»Es war so schön hier bei dir – ich werde diesen Sommer niemals vergessen.«

Sie grinste. »Du hattest auf jeden Fall dein Abenteuer.«

»Aber jedes Abenteuer endet mal. Markus wartet im Wagen – ich muss los.«

»Halt! Ich habe noch etwas für dich.« Sie verschwand im Lager und kam kurz darauf mit einer wunderschönen kleinen Holzkiste wieder, die ich bereits in der Ausstellung bewundert hatte. »Für ein wenig *hygge up* in München.«

»Lara, ich weiß gar nicht, was ich sagen soll. Danke!«

»Schreib oder ruf an, sobald ihr in München angekommen seid!«

Ich klemmte mir die Kiste unter den Arm, nickte und hob die Hand zum Gruß. Die altmodische Türglocke ertönte beim Rausgehen.

Kurze Zeit später fuhren wir auf der A7 in Richtung Süden. Nach einigen schweigsamen Kilometern taute Markus auf und schwärmte mir in einem fort von München vor. Ich wusste nicht, ob er das tat, um die Stille zwischen uns zu füllen oder um mir die Stadt schmackhaft zu machen. Was ich allerdings wusste, war, dass ich das Gefühl hatte, etwas Wichtiges an der Ostsee zurückgelassen zu haben.

Einen Teil meines Herzens.

Kapitel 32

ICH KAM VON einer Erkundungstour in der Stadt zurück. Das Viertel Haidhausen empfing mich mit seinen schicken Altbauten. Es waren an die 30 Grad und die Luft drückend, obwohl es bereits kurz nach 18:00 Uhr war. Das Shirt klebte mir am Rücken.

München war zweifelsfrei eine hübsche Stadt, und das Viertel war ebenfalls freundlich und hatte eine Menge zu bieten. Dennoch tat ich mich schwer mit der Eingewöhnung. Allerdings war auch erst eine Woche vergangen. Münster vermisste ich erstaunlicherweise nicht, es war die kühle Meeresbrise, die mir fehlte und die die Hitze erträglich gemacht hätte.

Außerdem sehnte ich mich nach anderen Dingen ... Menschen ... Besonders nach einer gewissen Person, doch ich vermied es möglichst, darüber nachzudenken. Seit meiner Abreise hatte ich nichts mehr von Bent gehört, und ich hatte mich auch nicht bei ihm gemeldet. Vermutlich war das der natürliche Verlauf bei einem Sommerflirt.

Ich drängte die Erinnerungen beiseite und drückte die

Tür des Gebäudes auf, in dessen zweitem Stock sich unsere Wohnung befand. Einen Fahrstuhl gab es nicht. Ich stapfte die Treppe hoch, und mit jeder Stufe empfand ich mehr Widerstand.

Markus begrüßte mich mit einem Lächeln, als ich die Schlüssel an das Board im Flur hängte. Ich befreite meine Füße von den Sandalen und tapste barfuß in den Wohnbereich, der nur durch einen breiten Tresen von der Küche getrennt war. Nachdem ich ein Glas eiskaltes Wasser in einem Zug geleert hatte und es mir im Anschluss an die Stirn hielt, fühlte ich mich etwas besser.

»Wie war dein Tag?«, erkundigte sich Markus.

»Heiß«, antwortete ich.

Er lachte. »Hör mal, Nora, einige Kollegen treffen sich gleich im Biergarten.«

»Geh ruhig. Ich bin eh erledigt.«

»Ich dachte eigentlich, wir gehen zusammen, damit du sie kennenlernen kannst. Sie sind schon gespannt auf dich.«

»Oh, okay ...« Einerseits hatte ich mir vorgenommen, nicht mehr so oft nach Markus' Pfeife zu tanzen, andererseits musste ich natürlich aktiv werden, wenn ich in München Anschluss finden wollte. Und dafür war das eine gute Gelegenheit. Außerdem waren die letzten Abende mit Markus ein wenig verkrampft gewesen. Irgendwie wirkten wir beide angestrengt bei dem Versuch, nun alles besser zu machen. Da half das Beisammensein in einer Gruppe womöglich.

»Hm«, machte ich deshalb, obwohl ich nicht viel Lust hatte.

»Und Kilian plant für kommendes Wochenende eine Wanderung. Das würde gut passen, weil du da noch frei hast.«

Ich lehnte mich gegen einen Küchenschrank. »Ehrlich gesagt habe ich keine Lust zu wandern.«

»Doch, das wird gut, vertraue mir!«

»Nein, Markus, ich vertraue *mir,* und es mag ja sein, dass du es gut findest, mir macht Wandern jedoch keinen großen Spaß.«

So ganz stimmte das nicht, mit Lara zusammen hatte ich dem Ganzen durchaus etwas abgewinnen können. Aber bei der Hitze hier und dann in den Bergen – nein danke.

Überraschung huschte über seine Züge. Normalerweise hatte er etwas vorgeschlagen und ich zugestimmt. Das hatte sich im Laufe der Jahre eingependelt, aber jetzt bewegte sich mein Pendel wieder in einem eigenen Rhythmus.

»Dann kommst du eben nicht mit«, sagte er, und auch wenn er versuchte, es zu verbergen, hörte ich Unverständnis durchklingen.

Ich seufzte unterdrückt. Irgendwie war der Wurm bei uns drin, und wir bekamen ihn nicht entfernt. Ich beschloss, Markus zumindest bei dem heutigen Abend entgegenzukommen.

»In den Biergarten gehe ich aber mit. Ich will nur eben duschen, dann können wir los.«

Der Biergarten war gemütlich, und die Arbeitskollegen begrüßten mich herzlich. Josef und Kilian hießen sie. Josef war um die vierzig und Kilian etwas jünger als wir. Nach einer Weile Smalltalk wechselten die Gespräche der Männer nach zwei Maß Bier jedoch schnell zum Beruflichen.

Ich scrollte durch mein Handy und landete bei Instagram, checkte zunächst meinen Account und dann den vom *Hygge Up*. Zuletzt suchte ich den des Campingplatzes.

Ein Feed voller Ostsee- und Urlaubsmomente wurde mir angezeigt. Unwillkürlich lächelte ich, und mich erfasste eine starke Sehnsucht nach Holnis. Dann entdeckte ich einen Beitrag von einem der Grillabende und sah die Fotos von Bent und mir. Mein Herz stach.

Auf einem Bild saßen wir vor dem Feuer, ich lachte, er schaute mich an. Es war einer dieser Blicke, bei denen ich mir sicher gewesen war, dass zwischen uns etwas Besonderes vorging. Tja … so konnte man sich täuschen. Leider ließ mich das Gefühl nicht los, dass mein Verstand sich genauso bei der Entscheidung für München und Markus getäuscht hatte. Doch ich wollte die Flinte nicht vorzeitig ins Korn werfen und fand, ich sei es Markus schuldig. Er bemühte sich sichtlich und tat dabei so, als bemerkte er meine Niedergeschlagenheit nicht.

»Nora, wir langweilen dich sicher mit unserem Fachsimpeln«, sagte Kilian und grinste mich von der gegenüberliegenden Tischseite an. Er hätte mal lieber vor dem Biergenuss etwas essen sollen, denn er war unverkennbar angeschickert.

Ich steckte mein Handy weg und lächelte zurück. »Macht doch nichts.«

»Erzähl mal, wieso du erst jetzt aus Münster kommst«, erkundigte er sich.

Unsicher schaute ich zu Markus. »Ich komme gar nicht aus Münster, ich war die letzten Wochen an der Ostsee. Wir hatten uns … eine kleine Pause gegönnt.«

»Das weißt du doch.« Josef verpasste Kilian unter dem Tisch einen Tritt.

»Ah, weischt, i hab dem Markusch gleich g'sagt, das mit der Melanie ist nur a Strohfeuer«, posaunte er auf Bayrisch heraus.

Josefs nächster Tritt war kräftiger und weniger unauffällig, während Markus neben mir schier gefror. Ich hingegen stieß einen Schwall Luft aus.

Nun war raus, was mein Bauchgefühl mir von Anfang an zugeflüstert hatte. Und dennoch hatten wir bisher dieses Thema meisterhaft umschifft. Weil wir beide unsere Geheimnisse hatten, die wir dem anderen nicht offenbaren wollten.

»Wisst ihr, es ist schon spät, und ich bin müde.« Ich erhob mich und versuchte zeitgleich, diese Information und die damit einhergehende Gewissheit zu verarbeiten. »Sollen wir los, Markus?«

Als er sich etwas widerstrebend erhob, sah ich in seinen Augen genau, dass er am liebsten die Zeit um zehn Minuten zurückdrehen würde.

»Na, dann – war schön, euch kennenzulernen«, verabschiedete ich mich von den beiden Männern, die aufgrund des abrupten Aufbruchs etwas verdutzt dreinschauten. Oder sie hatten erwartet, dass es eine Szene oder einen Streit geben würde. Aber ich konnte nicht behaupten, dass mich diese Enthüllung überraschte.

Kaum hatten wir den Biergarten verlassen, brach Markus die Stille. »Es hatte nichts zu bedeuten! Und ich bereue es zutiefst!«

Die Tatsache, dass doch etwas mit dieser Melanie gelaufen war, verletzte mich weit weniger, als sie sollte. Vielmehr schien sie mir die Verpflichtung zu nehmen, mir und vor allem Markus diese zweite Chance weiterhin schuldig zu sein. Vielleicht gab mir das Ganze auch einfach den letzten Anstoß, endlich auf mein Herz zu hören.

»Lass uns in Ruhe zu Hause darüber reden«, war alles, was ich dazu sagte. Ich brauchte den Rückweg, um meine Gedanken zu sortieren.

In der Wohnung in Haidhausen angekommen, schweifte mein Blick durch den Raum. All die Möbel aus Münster lagerten immer noch ein. In den letzten Wochen hatte Markus begonnen, die Räume mit anderen Dingen einzurichten. Das hier war nicht *unsere* Wohnung, es war seine. Einzig die Holzkiste aus dem *Hygge Up* und mein Glas mit den gesammelten Muscheln standen einsam und etwas verloren auf dem ansonsten kahlen Sideboard.

Als ich es betrachtete, ploppten automatisch all die Muschelmomente vor meinem inneren Auge auf. Ich war glücklich gewesen in den letzten Wochen, hatte mich an der Ostsee wohl gefühlt. Diese Wohnung war nicht mein Zuhause und würde es auch nicht werden, und mit einer zuvor nicht da gewesenen Klarheit erkannte ich, dass München nicht meine Stadt war, nicht meine Zukunft. Alles, jeder Tag, jede Stunde seit der Abreise von der Flensburger

Förde fühlte sich falsch an. Hier war *ich* der Fremdkörper, der in einer falschen Dimension gelandet war.

Markus hatte bisher kein weiteres Wort gesagt. Mit hängenden Schultern saß er am Esstisch. Ich sah Verunsicherung in seinen Augen und suchte nach Worten für das, was ich ihm zu sagen hatte. Ich betrachtete ihn, aber alles, was ich empfand, war Vertrautheit und Gewohnheit. Außer ein paar harmlosen Küssen war in der letzten Woche nichts zwischen uns gelaufen. Alles hatte sich zu bemüht und gestellt angefühlt.

Aber das war nicht das einzige Problem. Obwohl seit seinem Brief keine zwei Monate vergangen waren, fühlte es sich an, als hätten wir uns meilenweit voneinander entfernt. Das konnte nur daran liegen, dass dieser Prozess bereits lange vorher eingesetzt hatte.

Ich war erschöpft von dem Versuch, das zu ignorieren, und deshalb redete ich nun nicht lange drum herum.

»Ich liebe dich nicht mehr«, sagte ich leise und verspürte Erleichterung darüber, es auszusprechen, aber noch viel mehr, es mir selbst endgültig einzugestehen.

Markus strich sich durch sein Haar, stand anschließend auf und nahm eine Flasche Wasser aus dem Kühlschrank, aus der er einige Züge trank.

Während er den Deckel wieder zuschraubte, sah er mich an. »Tu das nicht, Nora.« Abwehrend schüttelte er den Kopf.

Doch ich fuhr fort: »Du wolltest die Pause, weil du deiner Kollegin nähergekommen bist. Das mit euch hat aber nicht funktioniert, und da dachtest du, du kehrst in den sicheren Hafen zurück.«

»So war das nicht!«

»Es ist okay, ich bin dir nicht böse.«

»Es hat nichts bedeutet«, wiederholte er. »Aber dass du sagst, du liebst mich nicht mehr, ist wegen diesem anderen, oder? *Er* bedeutet dir etwas.«

Überrascht zog ich die Stirn kraus. Es war ihm also nicht entgangen. Er deutete meinen Gesichtsausdruck richtig und ergänzte: »Nachdem du mir die Nachricht geschrieben hast und deine Mutter mir deine Adresse genannt hat, habe ich mir den Campingplatz auf Instagram angeschaut. Es gibt Fotos von dir und ihm, dazu noch das in deiner Story. Und dann war er auch noch bei dir, als ich ankam.«

Seufzend setzte ich mich auf einen der Esszimmerstühle, die Markus ausgesucht hatte. Sie waren aus schwarzem Leder mit silbernen Beinen – ich fand sie hässlich. Ich wollte alte, abgewetzte Holzstühle aus dem *Hygge Up*. In dieser Sekunde fragte ich mich, wie wir jemals zusammengepasst hatten. Wir unterschieden uns in unzähligen Dingen. Und auch wenn Gegensätze sich manchmal anzogen, war es bei uns eher so, dass einer immer zurückstecken musste. In der Freizeit, beim Essengehen, beim Urlaub und ja – sogar bei der Einrichtung des Esszimmers.

»Okay«, begann ich schließlich. »Ja, vielleicht spielt er eine Rolle, aber irgendwie auch nicht. Du hattest recht, was deine Zweifel an unserer Beziehung anging.«

»Nein, ich lag falsch! Wir hatten doch bisher eine gute Zeit miteinander.«

»Vielleicht sollten wir es dabei belassen. Bist du dir denn sicher, dass du mich wirklich noch liebst? Oder war es nur die Eifersucht, die dich das glauben ließ?«

Markus wich meinem Blick aus, er schaute auf die Wasserflasche, die er auf den Tisch gestellt hatte und deren Schwitzwasser auf den – ebenfalls grässlichen – Glastisch hinablief.

»Wenn man jemanden liebt, verknallt man sich nicht in einen anderen Menschen. Und doch ist es uns beiden passiert. Und egal, wie viel Bedeutung das mit diesen anderen hatte oder nicht, es hat eine Bedeutung *für uns*.«

Sein Brustkorb hob sich deutlich sichtbar unter seinem Poloshirt, als er tief einatmete, und ich sah, wie sich der Widerstand in ihm auflöste. Er verstand mich, und im Grunde wusste er schon länger als ich, dass er mich nicht mehr liebte. Nicht so, wie es sein sollte.

Er hob seinen Blick. »Und jetzt?«

Diese Frage hatte mein Herz für mich schon beantwortet, und ich hatte nicht vor, es noch einmal mit dem Verstand zu übertönen.

»Ich werde nicht in München bleiben. Ich gehe zurück an die Ostsee.«

Bedächtig nickte Markus, schien nicht einmal überrascht von dieser Aussage, und ich fühlte mich zunehmend erleichtert. Die Stimmung war zwar etwas gedrückt, und dennoch war ich mir in jeder Sekunde sicher, dass die Entscheidung richtig war.

Wir redeten eine Weile darüber, was wir mit den Möbeln in Münster machen wollten, und ich schlug vor, dass er sich an den Kosten für den abgesagten Umzug und der Einlagerung der Möbel beteiligte. Markus überraschte mich mit seiner Antwort.

»Ich verdiene jetzt ja gut, und ohne dich hätte ich das Studium nicht so durchziehen können. Außerdem habe ich dich in die Situation gebracht, daher ist es wohl nur fair, wenn ich diese Kosten komplett übernehme. Du kannst die Sachen behalten oder verkaufen, die Hälfte davon gehört eh dir.«

Ich lächelte ihn an. »Danke.«

Mit dem Wissen um dieses finanzielle Polster, fiel es mir leichter, den nächsten Schritt zu machen. Bevor ich es mir anders überlegen konnte, ging ich ins Schlafzimmer und holte den Laptop hervor. Um diese Uhrzeit erreichte ich keinen mehr in der Verwaltung der Münchener Klinik. Daher verfasste ich eine Mail, um sie vorzuwarnen, bevor ich mich morgen telefonisch melden würde. Mit zittrigen Fingern tippte ich, dass ich meine Stelle zum 1. August nicht antreten würde und ob es möglich sei, den Arbeitsvertrag aufzulösen.

In meinem Kopf hämmerten unablässig die Worte »Du bist verrückt«, dennoch war das Gefühl da, dass dies das einzig Richtige sei.

Im Anschluss schrieb ich eine Bewerbung, die ich mit gedrückten Daumen absendete. Was, wenn es nicht funktionierte, wie ich es mir vorstellte? *Das wird schon klappen*, redete ich mir selbst zu, und die Worte von Carolin Herrmann – der Krankenschwester, die ich nach Herrn Runges Herzinfarkt kennengelernt hatte – klangen mir dabei im Ohr. *Wir können hier auch fähige Mitarbeiterinnen gebrauchen.*

Als ich die Mail gerade losgeschickt hatte, steckte Markus den Kopf durch die Tür. »Ich gehe ins Gästezimmer, bis du hier alles geklärt hast, und ... wenn du noch etwas brauchst, sag Bescheid.«

Ich nickte.

Er war schon halb im Flur, als er sich nochmal umdrehte. »Nora, das mit dem Brief ... es tut mir wirklich leid.«

»Okay«, erwiderte ich. Die Entschuldigung spielte für mich zwar keine Rolle mehr, aber ich verstand, dass er sie loswerden musste.

Am nächsten Tag rief ich, nachdem Markus ins Büro gefahren war, zunächst in der Klinik an. Verständlicherweise waren sie nicht begeistert und versuchten, sich querzustellen, aber letztlich hätte ich in meiner Probezeit nur zwei Wochen bleiben müssen, und damit wäre auch niemandem geholfen gewesen.

Danach wählte ich Laras Nummer, die sich wie verrückt freute und mir versprach, bei der Wohnungssuche zu helfen. Nach einigem Zögern rief ich auch Janine an. Irgendwie hatte ich dabei bereits eine schlechte Vorahnung. Doch sie war eine meiner besten Freundinnen.

Zunächst erzählte ich von dem Ende der Beziehung mit Markus.

»Dann kommst du zurück?«

Ich schloss die Augen. »Nein, ich gehe an die Ostsee. Der Traum vom Meer, ich mache ihn jetzt einfach wahr! Wenn nicht jetzt, wann dann?«, gab ich mich betont euphorisch.

»Weißt du, dass du mit Markus nach München gehst, dafür hatte ich Verständnis, aber dass du hier alles hinwirfst, um allein in eine völlig fremde Gegend zu ziehen ...

Hast du denn dort schon einen Job? Hier könntest du sofort wieder anfangen!«

»Die Bewerbung läuft. Und ich werfe nichts hin, ich hatte bereits vorher mit Münster abgeschlossen.«

»Und mit mir dann wohl auch.«

»Janine, ob nun München oder Ostsee, ich wäre doch eh gegangen. Warum macht es für dich solch einen Unterschied?«

»Ich hätte einfach gedacht, dass ich deine beste Freundin bin und dass du unsere Zeit in Münster vermissen wirst. Aber es scheint dir erstaunlich leichtzufallen, das hinter dir zu lassen.« Ihr Ton war anklagend. Zwar verstand ich, wie sehr sie dieser Entschluss verwunderte, aber ein bisschen mehr Verständnis ihrerseits hatte ich doch erwartet. Ich konnte nicht nur wegen ihr nach Münster zurückgehen. Jeder musste seinen eigenen Träumen folgen.

Ich seufzte. »Es tut mir leid, dass dich mein Entschluss enttäuscht. Aber ich habe gemerkt, dass dieses Fleckchen Erde dort am Meer meine Herzensheimat ist, und ich möchte die Entscheidung, wie und wo ich lebe, nicht mehr von anderen abhängig machen. Ich hoffe, du verstehst das mit der Zeit.«

»Tja, dann viel Erfolg dabei. Ich muss jetzt Schluss machen, ich bin schon spät dran.«

»Janine!«, rief ich in den Hörer, doch sie hatte bereits aufgelegt. Ihr Unverständnis schmerzte mich, war wie eine dunkle Wolke am ansonsten zuversichtlich blauen Himmel. Aber auch die würde sich verziehen. Ich wollte künftig meinen eigenen Kurs fahren – und mein Kompass zeigte eindeutig Richtung Norden.

Kapitel 33

ZUFRIEDEN SCHAUTE ICH mich drei Wochen später in dem kleinen Wohnzimmer um. Ein Teil der Einrichtung stammte aus Münster, das meiste jedoch aus Laras Laden. Viele der Möbel aus der gemeinsamen Wohnung mit Markus hatte ich verkauft.

Etwas Wichtiges fehlte allerdings noch. Ich holte das Muschelglas und stellte es auf ein Regal, neben die Holzkiste. Perfekt. Das sollte mich immer daran erinnern, meine eigenen Träume nicht zu vergessen.

»Ist echt schön geworden«, bestätigte mir Lara, die auf der Couch fläzte und einen Snickers verdrückte.

»Vielen Dank für deine Hilfe! Ohne dich hätte ich das alles nicht geschafft und vor allem niemals in so kurzer Zeit eine Wohnung gefunden.« Ich wollte gar nicht wissen, wie viele Beziehungen Lara hatte spielen lassen, damit ich den Mietvertrag dieser schnuckeligen Zweizimmerwohnung mit einem kleinen, nach Südwest ausgerichteten Balkon unterschreiben konnte.

Sie winkte ab. »Weißt du eigentlich, wie sehr ich mich

freue, dass du hier bist? Ich sehe unzählige Pubquiz-Abende vor uns, SUP-Yoga und Hafenfeste.«

Ich lächelte sie an.

»Nur auf die Wohnung bin ich neidisch, um ein Haar hätte ich sie für mich behalten.«

»Hast du nicht ernsthaft mal darüber nachgedacht, dir eine eigene Wohnung zu suchen? Schließlich arbeiten Linn und du den ganzen Tag zusammen, da wäre es doch verständlich, wenn ihr nach dem Feierabend etwas Abstand braucht. Es könnte eurer Beziehung guttun.«

»Natürlich, oft – und irgendwann werde ich es machen.«

»Ich helfe dir dann auf jeden Fall beim Umziehen.«

Nachdem ich meine Entscheidung in München getroffen hatte, war alles relativ schnell gegangen. Natürlich war es ungünstig gewesen, die Stelle in der dortigen Klinik so kurzfristig zu canceln. Aber manchmal änderten sich Dinge eben, und man musste auch mal egoistisch sein dürfen.

Nachdem ich die Bewerbung nach Flensburg geschickt hatte, hatte ich auch in dieser Klinik angerufen und mit Carolin Herrmann gesprochen. Keine Ahnung, ob das den Prozess beschleunigt hatte, aber eine Woche später hatte ich schon online ein Vorstellungsgespräch absolviert, und nochmal zwei Wochen später war ich hier: am Meer.

Markus hatte bis dahin das Gästezimmer bezogen und war dann sogar am Wochenende nach der Zusage vom Flensburger Krankenhaus mit mir nach Münster gefahren, um das Lager zu räumen. Natürlich hatte sich nicht alles sofort verkaufen lassen. Einiges hatten wir bei meinen Eltern untergestellt, bis sich ein Käufer fand.

Meine Eltern nahmen die Neuigkeiten viel besser auf als erwartet. Zudem lag Flensburg viel näher an Münster als München.

Der Kontakt zu Janine hingegen war weiterhin schwierig. Wir hatten uns in Münster getroffen, aber es war die ganze Zeit über eine spürbare Distanz zwischen uns gewesen. Ich würde ihr bald eine Einladung schicken und hoffte, Cocktails am Strand, eine SUP-Tour und die Stimmung der Hafenstadt würden sie besser verstehen lassen, warum ich mich so entschieden hatte.

»Ich muss los. Linn wartet auf mich.« Lara erhob sich vom Sofa, ließ ein letztes Mal zufrieden ihren Blick durch meine Wohnung schweifen.

»Wenn es dir zu Hause mal zu viel wird, bist du hier jederzeit herzlich willkommen.«

»Darauf hatte ich gehofft.« Sie zwinkerte mir zu. »Wir texten später?«

Ich nickte und begleitete sie zur Tür. Danach nahm ich die Mappe von der Kommode im Flur. Ich musste einige Unterlagen ins Krankenhaus bringen. Anschließend wollte ich nach Holnis fahren und Susi und Peter besuchen. Und für die restlichen Tage bis zum Antritt meiner Stelle hatte ich ebenfalls etwas geplant.

Eine Stunde später irrte ich nach der Abgabe meiner Unterlagen durch die Flure des Krankenhauses und hoffte, mich hier bald besser zurechtzufinden. Dieses Mal spuckte das Gebäude mich unten in der Notaufnahme aus, und ich steuerte auf den dortigen Ausgang zu.

Plötzlich veränderte sich minimal etwas in der Luft. Als spürte mein Körper seine Anwesenheit. Ich haderte mit mir – sollte ich mich suchend umdrehen oder weitergehen? Ihn genauso hinter mir lassen wie München und Markus?

»Nora …«

Der Klang meines Namens aus seinem Mund erwischte mich wie eine Springflut. Überraschend intensiv und aufwühlend. Langsam drehte ich mich in die Richtung, aus der seine Stimme gekommen war.

Mit verblüfftem Gesichtsausdruck stand er keine zehn Meter von mir entfernt an einem Kaffeeautomaten. Sein blaues Shirt verriet mir, dass er im Dienst war. Ich legte unwillkürlich eine Hand auf mein Herz, das schlug, als wolle es hinausspringen.

Sekunden verstrichen, keiner sagte etwas. Der Kaffee lief in den Becher, doch er schien vergessen.

»Was machst du denn hier?«

»Den Ausgang suchen?«, bot ich an.

»Das meine ich nicht. Was machst du in *Flensburg*?«

Ich straffte meine Schultern. Ich hatte einkalkuliert, dass es ihm vielleicht nicht passte, wenn er mir in Zukunft öfter über den Weg laufen würde, obwohl ich ja nicht in der Notaufnahme arbeitete. Aber ich hatte sowieso vor, auch künftig gelegentlich zum Campingplatz nach Holnis zu fahren. Diese Begegnung erwischte mich also nicht so unvorbereitet wie ihn.

»Ich fange hier nächste Woche an zu arbeiten.« Äußerlich schaffte ich es, gelassen zu bleiben. Bis auf meine rechte Augenbraue, die zuckte verdächtig.

Ungläubig lachte er auf. »Du fängst *hier* an zu arbeiten? Aber was ist mit München und mit …«

»Es hat sich herausgestellt, dass ich mich hier – ganz nebenbei – selbst wiedergefunden habe. Außerdem mag ich das Meer lieber als die Berge. Und das mit Markus war schon lange vorbei, bevor er die Beziehungspause vorschlug. Wir haben nur eine Weile gebraucht, um es zu erkennen.«

In seinen Augen funkelte es wie die Sonne auf der Ostsee an einem wolkenlosen Sommertag, und ich verspürte das Bedürfnis nach einem Bad.

»Bent? Wir müssen los!«, rief jemand vom Ausgang, vor dem der RTW parkte.

Bent stieß einen leisen Fluch aus, sah von seinem Kollegen zu mir. »Ich muss …«

»Ich auch«, sagte ich so selbstbewusst, wie es mir möglich war. »Ich schätze, man sieht sich hin und wieder.«

Noch bevor Bent sich in Bewegung setzte, ging ich los in Richtung Ausgang.

»Bent!«, rief sein Kollege eindringlicher.

Mit zittrigen Knien bog ich um die Ecke, als der RTW mit Blaulicht und Martinshorn hinter mir losfuhr. Ich zwang mich, ihm nicht nachzusehen.

»War doch gar nicht so schlimm«, redete ich mir auf dem Weg zu meinem Auto ein. Zumindest konnte ich jetzt beruhigt nach Holnis fahren, um Peter und Susi zu besuchen, ohne dabei befürchten zu müssen, dort auf Bent zu treffen.

Unterwegs schüttete mein Körper einen ganzen Kutter Glücksgefühle aus. Die Gräser auf den Wiesen waren inzwischen golden, genau wie das Korn, die Sonne hatte es in den letzten Wochen von saftig grün zu goldgelb verwandelt. Gern wäre ich direkt hierhergezogen, doch aktuell war der Wohnungsmarkt umkämpft, und nur mit Laras Hilfe und ihren Kontakten hatte ich überhaupt so kurzfristig eine Wohnung gefunden.

Die letzten Kilometer schlängelte sich die Straße durch die idyllische Gegend, der Wald zu meiner Linken warf seine Schatten weit. Es war, als hätte ich mich ein Leben lang nach diesem Fleckchen Erde gesehnt und es nur nicht gewusst. So fühlte sich also ankommen an, dachte ich.

Ich blickte zum Meer hinter den Wiesen und stellte wenig später mein Auto direkt vor der Anmeldung ab.

»Ich glaube, Nora ist gerade gekommen!«, hörte ich Peters erstaunte Stimme durch die offen stehende Tür.

Keine fünf Sekunden danach trat Susi mit dem kleinen Jeppe nach draußen, und Peter folgte ihr. Beide schauten ebenso überrascht wie zuvor Bent, doch sie überwanden ihren Schock wesentlich schneller. Susi kam mir ein paar Schritte entgegen und schloss mich in die Arme.

»Du hast es aber nicht lange ohne uns ausgehalten«, unkte Peter.

»Da hast du absolut recht.« Ich grinste.

»Schön, dich zu sehen! Aber was machst du hier?« Jeppe gab auf Susis Arm glucksende Laute von sich.

»Ich wollte mal schauen, wie ihr so ohne mich zurechtkommt.«

Bei einem Kaffee erzählte ich ihnen, wie ich in München

plötzlich erkannt hatte, dass ich zurückwollte, und wie ich kurzerhand alle ursprünglichen Pläne über den Haufen geworfen hatte.

»Aber du willst sicherlich nicht wieder bei uns anfangen, oder?«

»Nein, tut mir leid. Ich habe schon eine neue Stelle in der Klinik.«

»Das ist auch gut so. Aber wenn du mal eine Auszeit brauchst, kommst du zu uns, als Gast.«

»Darauf könnt ihr euch verlassen, es ist so schön, wieder hier zu sein!«

Ich erzählte von meiner kleinen Wohnung im Stadtteil Jürgensby, und dass Lara mir beim Einzug geholfen hatte. Als am Nachmittag langsam die neuen Gäste anreisten, verabschiedete ich mich und versprach, bald nochmal vorbeizuschauen.

Ich fuhr zurück in meine Wohnung. Es fühlte sich noch etwas surreal an – meine Wohnung! Für mich ganz allein. Die komplette Einrichtung entsprach meinem Geschmack. Sie war hell, feminin und versprühte eine ordentliche Portion *Hygge Up*.

Doch bevor ich die Gemütlichkeit endgültig genießen konnte, hatte ich noch etwas zu erledigen. Seit klar war, dass ich hierherziehen würde, hatte ich das Bedürfnis verspürt, zu Ende zu bringen, weswegen ich anfänglich hergekommen war. Nur für mich, weil ich Lust darauf hatte.

»Aber du hast doch letztens noch gesagt, du magst nicht allein wandern«, hatte Lara skeptisch auf meinen Plan reagiert, den Gendarmenpfad erneut zu wandern – vom Anfang bis zum Ende.

»Aber ich muss es tun«, hatte ich schulterzuckend erwidert. Ich hatte das Gefühl, als wäre das nötig, um mein altes Leben abzuschließen und den Neubeginn zu markieren. Und ein klein wenig ging es auch darum, mir zu beweisen, dass ich mich wahrhaftig verändert hatte seit dem Tag, an dem ich bei Rune eingekehrt war.

Also packte ich erneut. Einen übersichtlichen Rucksack, zelten wollte ich auf keinen Fall. Das war der Unterschied von damals zu heute. Ich wusste, was ich wollte. Und was nicht. Ich würde in Gasthäusern einkehren, als Erstes in das von Rune.

Statt Wanderschuhe trug ich Turnschuhe, als ich am nächsten Morgen loslief. Mein Auto parkte ich am Startpunkt in Padborg, Lara würde mich in ein paar Tagen am Endpunkt abholen.

Alles fühlte sich leichter an, was nicht nur an dem spärlichen Gepäck lag. Ich war zufrieden. Das hatte nichts mit dem Weg zu tun, den ich wanderte, sondern damit, dass ich mich dazu entschieden hatte, es überhaupt zu tun. Damit, dass ich mein Leben wieder selbst dirigierte und endlich dort lebte, wo es mich seit Jahren hinzog. Am Meer.

Den ersten Abend verbrachte ich bei Rune, der sich über mein Auftauchen freute und kaum glauben konnte, was ich in den vergangenen Wochen erlebt hatte. Wir tranken Bier aus der Biermanufaktur, und ein wehmütiges Sehnen nach Bent stieg in mir auf.

Doch am nächsten Tag kam kein Bent herein, als ich

beim Frühstück saß. Stattdessen hatte ich im Morgengrauen beim Aufstehen den Fuchs am Waldrand gesehen. Er hatte dieses Mal länger auf der Wiese gestanden und in meine Richtung geschaut, bevor er zwischen den Bäumen verschwunden war. Als wolle er sichergehen, dass ich von jetzt an selbst auf mich achtgab und seine Zeichen verstanden hatte.

Hatte ich das? Lachend schüttelte ich den Kopf. Es war albern, sagte ich mir selbst, doch ein Teil meines Herzens glaubte daran, dass der Fuchs eine besondere Bedeutung für mich hatte und sich mir immer zeigte, wenn Veränderungen oder große Ereignisse anstanden. Ich wollte daran glauben, also war es egal, ob es stimmte oder nicht.

Am späten Nachmittag erreichte ich das nächste Etappenziel, verschwitzt und froh, es geschafft zu haben.

Ich checkte auf dem Handy den Weg zu der Gastwirtschaft, die Rune mir für die nächste Übernachtung empfohlen hatte. Als ich wieder aufschaute, streifte mein Blick ein Auto, das aussah wie Bents. Albern, sagte ich mir. Wahrscheinlich gab es hunderte davon hier in der Gegend. Der Wagen stand seitlich zu mir, und ich konnte das Nummernschild nicht sehen. Dennoch erhöhte sich mein Puls – und dann sah ich ihn. An der Abzweigung vom Wanderweg zur Gastwirtschaft saß Bent auf einer Bank.

Während ich wie angewurzelt dastand und mich an den Riemen meines Rucksacks festhielt, erhob er sich und kam einige Schritte auf mich zu.

»Du hast dir aber Zeit gelassen«, begrüßte er mich.

»Mir war nicht klar, dass ich erwartet werde«, erwiderte ich nach einigem Zögern. Hoffnung und Unsicherheit verquirlten sich in meinem Magen. Vermutlich sah ich schrecklich aus. Unauffällig strich ich mir die Haare glatt.

»Du bist also tatsächlich zurück«, sagte er, als müsse er sich selbst nochmal davon überzeugen.

»Sieht so aus.« Sollte ich sagen, dass ich hoffte, er hätte kein Problem damit? Er war doch wohl nicht hier, um nochmals irgendwelche Fronten zu klären. Mir wurde mulmig zumute.

Doch seine Miene erhellte sich. »Schön, ich habe dich vermisst.«

»Ach ja?«, fragte ich skeptisch.

»Ja.« Er grinste, und ich war kurz davor dahinzuschmelzen. Entschlossen drückte ich meine Knie durch.

»Deswegen bist du hergekommen, um mir das zu sagen?«

»Nein und ja – ich will dir so viel mehr sagen. Suchst du zufällig eine Mitfahrgelegenheit nach Flensburg?« Er deutete zu seinem Auto.

Langsam schüttelte ich den Kopf. »Nein«, antwortete ich entschieden. »Ich habe noch ein wenig Strecke vor mir.«

Bent nickte, und ich merkte, dass er versuchte, diese Absage einzuordnen. Ob das ein Korb für jetzt oder für immer war.

»Woher wusstest du überhaupt, wo du mich findest?«

»Ich habe da so meine Quellen«, erwiderte er. Wir gingen ein Stück gemeinsam den Weg entlang, der zu dem Gasthaus führte.

»Peter und Susi? Dabei meine ich, ich habe meine Wanderpläne gar nicht erwähnt.«

»Ein wenig komplizierter war es schon. Peter hat mir lediglich erzählt, wo du wohnst. Aber da warst du nicht. Dann bin ich in den Laden deiner Freundin, die hat mir gesteckt, dass du wandern bist, und dann habe ich Rune angerufen, und der meinte, du müsstest irgendwann in den nächsten zwei Stunden hier aufschlagen.«

»Wow, das war eine Menge Aufwand.«

»Du hast mir wirklich gefehlt, und ich finde, wir sollten dringend miteinander reden, offen, und ohne unterbrochen zu werden.«

»Hm, ja, aber ich bin mir sicherer als je zuvor, dass ich kein Interesse an einer unverbindlichen Affäre habe. Das ist nicht das, was ich mir wünsche, und …« Ich blickte nach rechts zum Horizont. »Dafür empfinde ich zu viel für dich.« *Warum noch weiter um den heißen Brei herumreden?*, dachte ich mutig.

»Ich weiß, Nora. Mir ist, nachdem du weggegangen bist, einiges klar geworden …« Er verstummte für einen Moment. »Wenn du fertig bist mit dem Wandern, würdest du dich dann mit mir treffen?«

Alles in mir schrie »Ja«, und nach einigen Sekunden gab ich nach, lächelte und nickte. »Samstagabend bin ich zurück, Sonntag hätte ich Zeit.«

»Um fünfzehn Uhr? Ich hole dich ab, ich weiß ja schon, wo du wohnst.«

Lächelnd standen wir uns gegenüber, und das Bedürfnis, ihn zu küssen, war überwältigend groß. Doch ich presste meine Lippen zusammen und nickte nur.

»Dann bis Sonntag.«

Bent bewegte sich zögernd auf sein Auto zu. »Und wenn du früher abgeholt werden willst, ruf mich an!«

Ich hob die Hand zum Gruß und zwang mich, meinen Weg fortzusetzen. Für mich.

Kapitel 34

AM SONNTAG WARTETE ich nervös auf Bents Erscheinen. Keine Ahnung, was er vorhatte und wie dieser Tag enden würde – worauf dieses Treffen hinauslaufen würde.

Ich hatte mich für ein luftiges Sommerkleid und flache Sandalen entschieden. Um mich abzulenken, nahm ich mein Handy und verfasste die längst fällige Nachricht an Janine. Erklärte ihr nochmal alles, schrieb ihr, wie viel mir unsere Freundschaft bedeutete, und lud sie herzlich nach Flensburg ein.

Als die Türklingel ertönte, steckte ich das Telefon weg und war so aufgeregt wie bei der Führschein- und Abschlussprüfung zusammen.

»Ich komme runter!«, rief ich etwas zu laut in die Gegensprechanlage und eilte kurz darauf das Treppenhaus nach unten. Vor der Tür wartete Bent, die Hände in den Hosentaschen vergraben und mit einem Lächeln im Gesicht. Er trug Jeans, ein Shirt und Sneaker. Zur Begrüßung nahm er mich in den Arm, und ich genoss den Augenblick der Nähe.

»Fertig mit der Wanderung?«

Ich nickte nur, meine Kehle war plötzlich etwas trocken.

»Und alles gefunden, was du gesucht hast?«

»Ich denke, das hatte ich vorher schon.«

Bent lächelte weiterhin, während wir nebeneinander zum Parkplatz schlenderten, wo sein Auto stand.

»Was machen wir?«

»Ich will dir etwas zeigen ... und erklären. Aber ein bisschen musst du dich noch gedulden.«

Wenig später legten wir mit dem Boot im Hafen von Schausende ab. Statt die Förde zu überqueren, steuerte Bent das Boot ein Stück hoch in Richtung Spitze der Halbinsel. Am dortigen Ufer gab es Anwesen, deren Gärten bis ans Wasser reichten. Fast so schön wie das wundervolle Grundstück direkt an der Spitze.

Viele der Gärten endeten an kleinen Holzstegen, auf denen teilweise Gartenmöbel standen. Zielstrebig lenkte Bent das Boot vor eines der Häuser und ankerte circa fünfzig Meter entfernt. Aus einer Kühltasche fischte er eine Tupperdose mit Obst.

»Wenn du Zeit hast, können wir später noch richtig essen gehen. Es gibt in Glücksburg ein tolles Restaurant direkt am Wasser.«

»Das Glückselig? Das kenne ich. Da ist es sehr schön. Aber du wolltest mir etwas zeigen«, erinnerte ich ihn.

»Ja, natürlich. Es wird höchste Zeit, einige Dinge zu erklären. Ich hoffe, du gibst uns danach noch eine Chance.«

Diese Worte aus *seinem* Mund zu hören ... prompt erwachten alle meine Sinne. Meine Reaktion war eine völlig andere als an dem Tag vor vier Wochen, an dem Markus etwas ganz Ähnliches zu mir gesagt hatte. Denn das hier, das wollte ich mit jeder Faser meines Körpers.

»Es ist mir extrem schwergefallen, wieder jemanden an mich heranzulassen.« Bent seufzte und fasste dann den Verlauf seiner Beziehung mit seiner Exfreundin zusammen, den ich bereits grob von Lara kannte. »Ich hatte mir nach der Misere mit ihr geschworen, dieses Risiko kein weiteres Mal einzugehen. Keine Gefahr mehr, dass aus schönen Momenten scheißschöne Momente werden.«

Ich lächelte, weil er meine Worte dafür verwendete.

»Aber dann sehe ich dich bei Rune ...« Kopfschüttelnd lachte er auf, als könnte er es selbst nicht begreifen. »Das letzte Mal habe ich mich in der Grundschule auf den ersten Blick verguckt – aber dann an diesem Tag ... in dich.«

Mein Herz flatterte – oder waren es die Schmetterlinge? Ich fühlte mich wie elektrisiert, und es fiel mir schwer stillzusitzen. Ich wollte ihn küssen, aber ich wollte auch wissen, was er zu sagen hatte.

»Dann erzählst du etwas von Beziehungspause, Selbstfindung, und ich habe plötzlich *sie* in dir gesehen. Und ich dachte: Nein, darauf fall ich kein zweites Mal rein! Das war blöd von mir, aber ich habe nicht gepeilt, dass ich da etwas von ihr auf dich projiziere. Ich bin einmal *all in* gegangen und habe alles verloren, was mir wichtig war. Ich habe sie geliebt – dachte ich zumindest. Im Nachhinein bin ich mir gar nicht mehr so sicher, denn das mit dir fühlt sich ganz anders an. Richtiger.«

Ich schluckte angestrengt, während ich weiter zuhörte. Tränen benetzten mittlerweile meine Hornhaut und verrieten, was seine Worte in mir auslösten. »Dazu kommt, dass das Haus von meinem Opa mir viel bedeutet hat.«

»Das Haus hat deinem Opa gehört?« Das hatte Lara mir nicht erzählt.

»Ja.« Er deutete zum Ufer hinüber. »Das dort drüben ist es.«

Mein Blick folgte seinem Finger. »Eine Traumlage«, hauchte ich beim Anblick des Backsteinhauses, das hinter Büschen auf einem der Grundstücke am Wasser zu erkennen war.

»Genau, solche Anwesen sind kaum noch zu bekommen. Ich habe während des letzten Lebensjahrs meines Opas zusammen mit ihm in dem Haus gelebt und ihn unterstützt. Als er starb, habe ich meine Eltern und meinen Bruder ausgezahlt, um es behalten zu können. Es war sehr lange in unserem Familienbesitz, und es war hart, hierher zurückzukehren und zu wissen, dass dort – in meinem Zuhause – nun andere Leute leben. Aber ich habe mir geschworen, es mir zurückzuholen. Aktuell stehe ich mit dem Besitzer in Verhandlung. Erst hat er völlig abgeblockt, sein Plan war es, es zum Ferienhaus umzubauen. Aber der Immobilienmarkt hat sich in der letzten Zeit rasant verändert, und letztlich hoffe ich, das Geld wird ihn umstimmen. Obwohl es natürlich bitter ist, wenn ich nun mehr zahlen muss, als ich dafür bekommen habe. Doch das ist es mir wert.«

»Aber warum hast du mir das nicht schon früher erzählt? Ich hätte vieles besser verstanden! Es tut mir so leid für dich. Ich weiß, wie sehr Peter und du mit diesem Stückchen Erde verbunden seid und dieses Haus – es passt so gut zu dir.«

Ein trauriger Ausdruck huschte durch seine Augen, den er rasch wegblinzelte. »Rückblickend verstehe ich es auch nicht mehr, aber nach unseren ersten Treffen dachte ich noch, ich sehe dich nie wieder. Doch dann tauchst du auf dem Campingplatz auf, und ich musste ständig an dich denken. Das hat mich regelrecht wütend gemacht. Ich habe mir eingeredet, es ist nur etwas Körperliches, und die Anziehung wird verschwinden, spätestens wenn du fort bist. Keine Gefahr, mein Herz zu riskieren, kein Grund, allzu viel von mir preiszugeben. In dem Punkt hattest du recht.« Seine heute türkis schimmernden Augen fanden meine. »Es tut mir leid, Nora.«

»Ich habe auch Fehler gemacht. Ich hätte das mit Markus viel eher klären sollen, anstatt es auszusitzen. Erst am Tag vor dem Hafenfest hatte ich ihm geschrieben, dass ich die Beziehung beenden möchte. Das war wohl auch der Grund, warum er plötzlich hier auf der Matte stand.«

»Es hat mich schwer getroffen, dass du mit ihm nach München bist. Peter hat es mir erzählt.«

»Ich schätze, wir hätten beide einiges anders machen können.«

Das Boot schaukelte uns sanft, und ich blickte für einen Moment in die Ferne, ehe ich weitersprach. »Und jetzt bist du bereit, nochmal zu riskieren, dass du dein Herz verlierst? Noch einmal ›all in‹ zu gehen? Denn … weniger will ich nicht.«

Bent griff nach meinen Händen, strich mir sanft mit dem Daumen über die Haut.

»Nachdem du weg warst, habe ich begriffen, dass ich

das schon längst getan habe. Nicht an dem Tag als ich dich das erste Mal sah, aber ab dem Moment, in dem du auf dem Campingplatz aufgekreuzt bist. Und mir ist klar geworden, dass einem nicht nur das Herz gebrochen werden kann, wenn man sich öffnet, sondern auch wenn man sich gegen seine Gefühle wehrt.«

Ich lächelte, wischte gleichzeitig eine Träne aus meinem Augenwinkel, und genoss es, in das Meer in seinen Augen gezogen zu werden.

»Letztlich ging es uns auch in diesem Punkt wohl ähnlich. Nur habe ich schneller begriffen, was du mir bedeutest.«

»Und was genau wäre das?«

Mit einem frechen Lächeln zuckte ich mit den Schultern, suchte nach den passenden Worten. War ich noch verliebt, oder empfand ich schon mehr? Gab es keine Zwischenstufe? Bent zog mich dicht an sich, vergrub sein Gesicht in meinen Haaren und hielt mich eine Weile.

Als ich den Kopf hob, strich er mir die Haare aus der Stirn und beugte sich zu mir herunter. Seine Lippen legten sich auf meine, und ein Gefühlsorkan wurde in mir entfacht. Mein Mund öffnete sich, und der Kuss wurde leidenschaftlich und dennoch innig. Achtsam und begehrlich. Ein kleiner wohliger Laut entfuhr mir.

Bent lehnte sich ein Stück zurück und lächelte mich an. »Ich glaube, mit der Antwort kann ich leben. Den Rest finden wir gemeinsam heraus.«

Mit einem Schmunzeln schmiegte ich meine Wange an seine Schulter.

Das Handy in meiner Tasche piepte, und ich rollte innerlich mit den Augen. Ausgerechnet jetzt! Erst wollte ich es ignorieren, doch dann holte ich es heraus, um es lautlos zu stellen, und sah, dass es eine Nachricht von Janina war. Hastig überflog ich die Zeilen.

Es tut mir auch leid. Ich habe dich nicht fair behandelt, aber ich hätte dich so gern hier gehabt. Du sollst an dem Ort glücklich werden, wo du es für richtig hältst. Ich komme dich gern besuchen. Lass uns bald telefonieren!

Lächelnd schaltete ich das Handy aus und steckte es zurück in die Tasche. Dann legte ich meine Hand in Bents Nacken, zog ihn zu mir, bis unsere Lippen wieder aufeinandertrafen, und ich wusste, dass ich meine Heimat gefunden hatte. Nicht nur an der Flensburger Förde, sondern auch in Bent, der unweigerlich mit diesem bezaubernden Ort verbunden war.

Danksagung

ALS ICH DIE ersten Wörter dieser Danksagung tippe, ist es Ende August 2022, und in wenigen Stunden werde ich das fertige Manuskript an den Verlag senden und gebannt auf das Feedback warten. Danach folgen in den nächsten Wochen und Monaten das Lektorat und die Korrektur der Druckfahnen. Es wartet also noch viel Arbeit auf mich, bevor ich weiß, wie euch die Geschichte von Nora und Bent gefällt. Aber daran denke ich in diesen Minuten nicht. Vielmehr bin ich einfach glücklich, den ersten Band dieser Reihe beendet zu haben. Ich liebe das Setting und die Figuren – ich freue mich jetzt schon darauf, einige davon im nächsten Band wiederzutreffen, und hoffe, es wird euch genauso gehen.

Die Schauplätze sind übrigens fast alle originalgetreu beschrieben, der Campingplatz ist allerdings meiner Fantasie entsprungen. Es gibt den im Roman erwähnten größeren Platz an der kleinen Promenade, aber der von Peter und Susi liegt noch ein Stück höher in der Bucht, direkt am Naturschutzgebiet. 😊

357

Mittlerweile ist es Ende September, die Titel und die Cover der ersten zwei Bände stehen fest, und ich finde sie wunderschön. Das Feedback aus dem Verlag war positiv (und ich erleichtert), und so stecke ich mitten im Feinschliff der »Muschelträume« und vervollständige in dem Zug auch diese Danksagung, bevor ich mich bald dem Schreiben der »Sonnenküsse« widme. Es fällt mir schwer, Bent und Nora loszulassen, aber Alines Geschichte möchte auch erzählt werden, und Nora und Bent werden wir auf jeden Fall in den folgenden Bänden nochmal wiedersehen. ☺ Aber nun zu den Menschen, denen ich danke sagen möchte!

Wie immer geht mein allergrößter Dank an euch, liebe Leserinnen und liebe Leser! Vielen Dank, dass ihr meine Romane lest, liebt, rezensiert und weiterempfehlt.

Manchmal, wenn ich in einem ruhigen Moment die vergangenen Jahre Revue passieren lasse, ist es immer noch unwirklich für mich. Ich darf *Autorin* meinen Beruf nennen und damit meinen Lebensunterhalt verdienen. Ich – die völlig durchschnittliche nordfriesische Deern –, die so lange nach einem Sinn in ihrem Berufsleben gesucht hat. Hört auch ihr bitte nicht auf zu suchen, bis ihr euer Glück gefunden habt! Und ich kann nicht oft genug betonen, wie viel es mir bedeutet, dass ihr meine Geschichten lest und sie euch schöne Stunden bereiten. Ich kann mir keinen erfüllenderen Beruf für mich vorstellen.

Weiterhin danke ich von Herzen:
- meinem Mann und unserem Sohn, die mich stets unter-

stützen, die es hinnehmen, wenn unser Sommerurlaub gleichzeitig der Recherche dient, die mich auch am Wochenende arbeiten lassen, wenn ich gerade nicht mit der Geschichte pausieren kann. Mittlerweile ist unser Sohn schon so groß, und als wir diesen Sommer eine Etappe des Gendarmstien gewandert sind, haben wir dabei über den Plot des Buches geplaudert – ich liebe seine Begeisterung für Geschichten! Er möchte selbst Autor werden, und das macht mich verdammt stolz, gleichgültig, ob dieser Wunsch anhält oder er sein Glück auf einem anderen Weg findet.

- Maike Hilbert für die bezaubernden Fotos zu dieser Reihe. Die Shootings mit dir sind immer wie ein Tag mit einer Freundin.

- Wiebke, Jeannette und Jens für die Beantwortung meiner Recherchefragen rund um die Berufe von Nora und Bent.

- meinen lieben Autorenkolleginnen für die gemeinsamen Schreibtage, obwohl uns viele Kilometer trennen, für den Austausch und die Freundschaften.

- meiner Freundin Sirka, die den Gendarmstien vor mir gewandert ist.

- allen Buchhändlerinnen und Buchhändlern, die meine Romane in ihre Regale stellen oder sie auf den Büchertischen liebevoll in Szene setzen.

- allen Mitarbeiterinnen und Mitarbeitern des Blanvalet Verlags, die sich für meine Bücher einsetzen.

- Wiebke Rossa, der Verlagsleiterin – für die super angenehme Zusammenarbeit und für den Glauben an meine

Geschichten. Diese Reihe gemeinsam mit dir zu planen bringt mir unglaublich viel Spaß!

- meiner Agentin Elisabeth Botros, ich kann mir einfach keine bessere Agentin vorstellen! Diese Reihe würde es ohne dich gar nicht geben.
- und natürlich Gisela Klemt, meiner Redakteurin – deine Anmerkungen zeigen mir, wo ich es mal wieder zu eilig hatte oder welche Szenen und Konflikte mehr Raum verdienen, welche Sätze noch glattgebügelt werden können. Kurz: Du machst meine Texte besser, und es ist mir jedes Mal eine Freude.

Dieses grandiose Team macht es erst möglich, dass du dieses Buch in der Hand hältst! Ich schätze mich sehr glücklich, mit diesen Menschen zusammenarbeiten zu dürfen.

Bis bald
Eure Svenja

Der Soundtrack von Noras Sommer voller Muschelträume

Alright – Alle Farben (feat. KIDDO)
Ein Kompliment – Sportfreunde Stiller
Save Tonight – Eagle-Eye Cherry
Don't Stop Believin' – Journey
I Will Survive – Gloria Gaynor
Die schönsten Tage – SDP x Clueso
You'd Grow Old With Me – Michael Schulte
Lost on You – LP
I Believe – Kamrad

Ilses
Rhabarber-Baiser-Torte

Zutaten für den Tortenboden:
- 125 g Margarine
- 125 g Zucker
- 1 Tütchen Vanillezucker
- 1 Prise Salz
- 3 Eigelb
- 200 g Mehl
- 2 TL Backpulver
- 2 EL Milch oder Sahne

Weitere Zutaten: 800 g Rhabarber, 3 Eiweiß, 150 g Zucker

Alle Zutaten für den Tortenboden zu einem Rührteig verarbeiten und diesen in einer großen Springform glattstreichen.

Anschließend 800 g Rhabarber klein geschnitten darauf verteilen. Bei 180 Grad Ober- und Unterhitze circa 40 Minuten backen.

Die 3 Eiweiße steif schlagen und 150 g Zucker unter ständigem Schlagen langsam einrieseln lassen.

Diese Masse auf den vorgebackenen Kuchen geben und circa 15 Minuten weiterbacken.

Eine widerwillige Rückkehr nach Nordfriesland wird für eine junge Frau der Anfang von etwas ganz Besonderem.

400 Seiten. ISBN 978-3-7341-0920-1

Marlie schlägt sich in Hamburg mit Aushilfsjobs durch – solange, bis sich ihr Traum von der Schauspielschule endlich erfüllt. Als sie überraschend von ihrer Mutter angerufen wird, die verletzt ist und ihre Hilfe benötigt, hat Marie so gar keine Lust, in ihr verschlafenes Heimatdorf an der Nordseeküste zurückzukehren. Aber das Konto ist leer, der Vermieter ungehalten – da ist die Aussicht auf ein wenig Seeluft und Meeresrauschen gar nicht mal so übel. Und es muss ja nicht das ganze Dorf davon erfahren, dass sie ihre Mutter besucht. Vor allem einer nicht: Jugendliebe Finn. Leider läuft alles anders als geplant, und es ist nicht nur die unerwartete Begegnung mit einem Alpaka, die Marlies Herz aus dem Takt bringt …

Lesen Sie mehr unter: **www.blanvalet.de**

> »Bezaubernd leicht und herzerwärmend, man spürt die Liebe zur Nordsee in jeder Zeile! Ich möchte Meer Geschichten wie diese – und unbedingt nach Sylt!«
>
> *Katharina Herzog*

336 Seiten. ISBN 978-3-7341-0919-5

Seit Jahren versteckt Sina sich erfolgreich vor dem Leben – bis ihre beste Freundin Amelie sie zu einem gemeinsamen Sommer auf Sylt überredet. Sina träumt von entspannten Stunden am Strand, während Amelie eine Liste anlegt, die für aufregende »Meer-Momente« sorgen soll. Als Amelie in letzter Minute abspringt, packt Sina trotzdem kurz entschlossen ihren Koffer. Auf der Insel wartet jedoch gleich die nächste Überraschung, und plötzlich ist der mitgereiste Hamster im Gepäck das kleinste ihrer Probleme. Um wieder auf positive Gedanken zu kommen, klammert Sina sich an Amelies Liste fest, muss aber bald lernen, dass es manchmal besser ist, einfach loszulassen und seinem Herzen zu folgen. Dabei macht sie Bekanntschaft mit einem ganz besonderen Mann …

Lesen Sie mehr unter: **www.blanvalet.de**

Zwei Tierärzte sind einer zu viel!

350 Seiten. ISBN 978-3-7341-1096-2

Mit großen Hoffnungen reist Tierärztin Julia ins malerische Cornwall, um die Praxis im verschlafenen Örtchen Carywith zu übernehmen. Doch anstatt wie geplant in das hübsche Cove Cottage zu ziehen, landet sie im Gartenhaus – zusammen mit dem attraktiven Henry, der ihr den Job streitig macht. Zwei Wochen sollen sie zur Probe arbeiten. Zwischen der Perfektionistin und dem Chaoten fliegen sofort die Fetzen – und bald auch die Funken. Julia verliert mehr und mehr ihr Herz an ihren Konkurrenten. Allerdings hat sie ihm verschwiegen, weshalb sie London so überstürzt verlassen musste. Und auch er scheint ihr etwas zu verheimlichen …